総合 日本語中級 前期

中級日語綜合讀本

前期

水谷信子

『総合日本語中級前期』について

この『総合日本語中級前期』は、『日本語ジャーナル』にのせた「現代日本語総合講座」をまとめたものです。1987年５月号から1988年４月号までの１年間の記事を入れました。1987年に出版された『総合日本語中級』にくらべて、少しやさしくしてあります。

初級の日本語学習を終わった人のための総合的な教材として、毎月書いたものですが、いま、12の記事が１冊の本になるのは、本当にうれしいことです。みなさんがこの本を十分に活用して日本語能力をのばしてくださることを、願っています。

各課の使いかたについては、次のページの説明のとおりですが、この本では「応用読解練習」をつけました。新聞・雑誌などの一部から、課の話題に関連のある部分を選んだものです。読む力をのばすために、各課の練習を終わったあとで読んでみてください。

なお、この本の出版のために大変努力してくださった株式会社アルクと凡人社のみなさん、とくに翻訳を担当されたグレン・サリバンさんに深く感謝します。

水谷信子

關於『中級日語綜合讀本前期』

『中級日語綜合讀本前期』是將『日本語ジャーナル』中連載過的「現代日語綜合講座」彙編而成的一本書。內容包括1987年5月號到1988年4月號，一年的課程內容，比1988年出版的『中級日語綜合讀本』稍微容易一些。

這個講座是專爲學完初級日語程度的學習者撰寫的綜合性教材，每月一篇如今12篇內容能彙編成冊，至感欣慰。但願各位讀者能充分活用本書，以增進日語能力，

有關各課內容的使用方法，請參閱第7頁（課前導引）之說明，各課最後面並附有「應用閱讀練習」，內容是從報紙及雜誌等內容，選錄與課文話題有關的部分。請在做完各課的練習之後閱讀，以增進閱讀能力。

最後，本書之出版承蒙日本ALC出版社及凡人社工作人員多方協助，尤其是擔任英文翻譯的Glenn Sullivan先生，僅在此深致謝忱。

水谷信子

序

『中級日語綜合讀本前期』，是國內英日語教學界著有聲響的階梯公司，秉持其尊重著作權的理念，在日本ALC公司的授權下，以中日對照方式出版的一系列日語學習叢書中的一冊。這一系列日語學習叢書，按程度由淺而深排列，包括「日語入門」、「日語初級課程」、「現代日語初級綜合講座」、「現代日語初級綜合講座 進階篇」、「日語綜合讀本——從初級到中級」、「中級日語綜合讀本前期」、「中級日語綜合讀本」、「辦公室日語」以及「實用商業日語」總共9冊，而且都有由日本錄音專家錄製、發音純正的有聲教材可以配合使用。

本書在編排方式上，和「中級日語綜合讀本」完全相同。但程度較淺，具有如下的特色。

(1)每課分爲正文、會話、句型練習、語法說明、單字註解、應用閱讀練習等單元，互相連貫，能夠培養日語整體的表達能力及理解能力。

(2)正文及會話主題都和日本的文化、社會密切結合。透過本書，除了能達成掌握日語的目標之外，還有助於瞭解日本文化。

(3)設定各種不同的對話題裁和對話情境，讓學習者嫻熟各種對話方式，將來遇到類似情況都能駕輕就熟，應付自如。

由於本書實用性相當高，而且有中文註解和翻譯，也有有聲教材可以配合學習，適合作爲各大專院校及日語選修課的綜合教材及日語科系學生的補充教材，也是自修者最佳的學習良伴。基於好書應該讓更多人分享的觀點，我很樂意在此向各位大力推薦。最後我建議各位學習者在學完本書後，百尺竿頭更進一步，繼續利用「中級日語綜合讀本」，提升日語綜合運用能力。

黃國彥

東吳大學日本文化研究所所長

1991年9月1日

目次

『中級日語綜合讀本 前期』
《課前導引》

Ⅰ.本講座的主旨

本講座旨在輔助您提升日語的閱讀能力和聽力，並且造句、遣詞均能夠用日語來表達。

Ⅱ.本講座的學習和內容方法

1.正文

正文取材自日本的社會及文化百態。

2.會話

兩段與正文相關的對話均以自然生動的口語形式來表達。

3.單字總整理

4.文法註釋

凡是出現在正文或會話中附有星號(＊)的單字或片語，在文法註釋中均有詳盡的解說。

5.句型練習

6.對話練習

對話練習的特色，在於不是學習孤立的句子，而是探討息息相關的語句，包含各種情況及對話，讓您學習自然流利的日語說寫技巧。

7.漢字詞彙練習

一次提供12個基本漢字，並附帶幾個重要詞彙。請從頭到尾瀏覽一遍，看看是否認得這些詞彙。

8.漢字詞彙複習

這個單元乃是綜合前段漢字詞彙部分，造出短句。是故，粗體漢字詞彙部分不附註日語平假名的讀法。請讀者掌握每個句子的意思。

9.CD

收錄有正文、會話、句型練習及對話練習的全部內容。CD內容的標示說明如下。

Ⅲ.本講座的難易度

本課程適合已經學習日語時數150～300小時，具初級日語程度的讀者學習。

Ⅳ.如何善用本講座的內容

(1)首先，試著只聽CD來理解正文和會話的內容。

(2)盡量不利用單字總整理和文法註釋，直接閱讀正文和會話。假若您遇到不懂的地方，再查閱單字總整理和文法註釋。

(3)直接閱讀日文內容，有必要時才參閱中文翻譯。本書中的正文及會話翻譯力求傳神，偏向意譯。句型練習和對話練習，則是力求忠實，偏向直譯。

(4)找個朋友與您搭配練習。

(5)把自己唸出來的語句錄下來再聽一聽。

(6)利用句型練習與對話練習提供的句型，練習談論正文的主題，或是任何您感興趣的事。

レッスン 1 お客

本文・正文 CD 1 No.1

首相がワシントンに行って大統領に会う。中国を訪問する。各国の首脳や要人が来日する。そうしたニュースがたびたび新聞にのったり、テレビの画面に出たりする。国際的なおつき合い*が盛んになったものだと思う*。

政治家ばかりでなく、学者や学生の間の国際交流も多くなった。また、外国から技術者が研修に来るし、日本から海外の各種技術の開発に出かけていく。

そのいっぽう、個人的に人の家を訪問することが少なくなったような気がする。子供のころは「きょうはお客がある*」というので、いつもよりていねいに掃除をしたり、ごちそうの材料を買いに走ったりしたが、このごろはあまりそういう話を聞かない。

人に会うときはレストランや喫茶店を利用することが多くなったようである。親しい友人同士は別として、「お客」が来たり「お客」に行ったりすることが減ったように思われる。

原因のひとつは住宅事情であろう。限られた空間では、お客用の部屋を別にとる余裕*がない。また、一般に忙しくなって、人の家にあがりこんで*ゆっくり話をする機会が少なくなった。それに、家事に費やす時間が大幅に減ったことも考えられる。

もし仮にレストランや喫茶店が全部休業したら、どうなるだろう。必死で掃除する人もあろうが、それより路上で立ち話をする人が多くなって、歩道がいっぱいになってしまうかもしれない。

■正文翻譯

訪客

首相赴華盛頓會晤總統，訪問中國。各國領袖及政要訪日。這類的新聞，經常刊載於報上，出現在電視螢幕上。我想是由於國際性的往來日趨頻繁之故。

不只是政治家，學者、學生間的國際交流也與日俱增。而且外國的技術人員陸續來日研習，日本也不斷派人前往海外從事各種技術的開發。

相對的，個人的家庭拜訪似乎減少了。小時候，常因「今天有客人來」而必須比平日打掃得更乾淨，或是忙著買菜準備請客。現在這種事已經很少聽到。和人見面時，似乎多半是利用餐廳或咖啡廳，熟朋友則另當別論。彷彿「客人」來訪，或是去他人家中作客的情形已逐漸減少。

居家環境可能是原因之一吧！在有限的空間裡，根本沒有剩餘的地方另闢客房。此外，大家普遍都很忙，少有機會到別人家裡串門子閒聊。還有，花費在家事上的時間大幅減少的現象亦是不可忽略的原因之一。

假設餐館及咖啡廳全部歇業，情況將會如何呢？為了迎客而拼命打掃的人大概也有，但是站在路上交談的人恐怕要比前者來得多，會把人行道擠得滿滿的也未可知。

会話・會話

■会話文Ⅰ CD 1 No.2

仕事の打ち合わせのため会った２人の会社員の会話。Aは男性、Bは女性。

A：おくれてどうもすみません。

B：いえいえ、いつも早い松本さんがおくれるなんて、めずらしいんで、心配しました。

A：道がこんでこんで。

B：ああ、そうでしたか。

A：タクシーの運転手の話だと*、どこかの国の首脳が来日するっていうんで、交通規制してたらしいんですよ。

B：そうですか。

A：運転手が言ってましたよ。国際親善もけっこうだけど、道がこまないようにしてほしいって。

B：むりもありませんね*。

A：たしかに国と国のおつき合いが盛んになりましたね。首相も米国や中国へ行くし。

B：ええ、学者や技術者の交流もあるし。

A：だけど、個人的にお客に行ったり来たりするのは、減りましたね。

B：そういえば、そうですね。子供のころは、お客さんが来るからって、よくお使いに行きましたけど、このごろの子供は勉強ばかりしてるし。

A：正月なんかも外国に行ったり、ホテルに泊まったりする人もあるし。

B：前はお見合いなんて、家でやったそうですけど、このごろはホテルかレストランですね。

A：なにしろ家がせまくて、お客どころじゃないって人が多くなったんですね。

B：ええ、それに、働いている主婦が多いから、お客をよぶ時間的余裕がないんじゃないですか。

A：そうですねえ。うちなんかも、友だちはいいけど、お客が来るとなったら*、掃除が大変ですよ。

■會話 I

為了談工作而碰面的兩位公司職員間的對話。A是男性，B是女性。

A：對不起，遲到了。

B：哪裡，哪裡，松本先生您向來早到，今天卻來晚了倒眞叫我擔心。

A：一路上堵車，所以……。

B：啊！原來如此。

A：聽計程車司機說，好像是哪個國家的元首來訪，實施交通管制的樣子。

B：這樣子啊！

A：司機說，國際間的親善行為本是無可厚非，但希望別因此而阻礙交通才好。

B：說的也是。

A：國與國之間的交流的確比以前頻繁了。首相也常前往美國及中國大陸訪問。

B：嗯，學者、技術人員也常做交流。

A：但是，這陣子個人之間的造訪卻減少了。

B：是呀！小時候，說是有客人要來，常得幫忙上街買東西，而現在的小孩卻只知道唸書。

A：甚至也有人在年節期間出國，或是到大飯店住的。

B：以前，相親聽說都在家裡舉行，現在多半改在飯店或餐廳舉行了。

A：總之，住家狹窄，無法在家裡招待訪客的人越來越多了。

B：嗯，而且由於職業婦女增多，幾乎沒有時間請客人到家裡來，不是嗎？

A：是啊！我們家也一樣，朋友來訪倒還無所謂，可是客人來的話，光是打掃就夠累的了。

■会話文Ⅱ CD 1 No.3

夫と妻の会話。

夫：ね、こんどの日曜日、何か予定ある？

妻：別にないわ。掃除、洗濯、休養、テレビ。

夫：うちの課の山本君、どう思う？

妻：どう思うって*？

夫：いい青年だろう？

妻：ええ、まじめそうな人ね。

夫：よし子ちゃんのお母さんに縁談たのまれていただろう？

妻：ええ。

夫：よし子ちゃんと山本君、会わせてやったらどうかな。

妻：あーら、お見合い？

夫：というほどでもない*けど、うちへよんで。

妻：ちょっと待ってよ。会わせるのは大賛成だけど、うちへよんで、どこにすわってもらうの。

夫：この部屋でいいじゃないか。

妻：こんなにちらかってるのに？

夫：いいじゃないか、ちらかっていたって。少しぐらいちらかっているほうが家庭的だよ。

妻：だって、お食事なんかどうするの。

夫：そんな心配いらないよ。お茶とケーキだけで十分だよ。

妻：そうねえ……。

夫：せまいから、2人とも長くいられなくなって、すぐ出ていくよ。

妻：そうね、それならいいわね。でも、こんな生活見ると、結婚なんて、したくなくなるんじゃないかしら。

夫：そんなことないさ。ぼくたちの仲のいいところを見せてやれば、いい刺激になるよ。

妻：そうかしら。じゃ、日曜はけんかもできないわね。

夫：そう、けんかするなら土曜日までだ。

■會話Ⅱ

夫妻之間的對話。

夫：喂，這個禮拜天有沒有什麼計劃？

妻：沒有啊，大概就是打掃打掃，洗洗衣服或休息看看電視吧！

夫：妳覺得我科裡的山本怎麼樣？

妻：什麼怎麼樣？

夫：是個好青年吧？

妻：嗯，挺踏實的一個人。

夫：良子的母親不是託妳幫她的女兒找一門親事嗎？

妻：嗯。

夫：咱們介紹良子和山本認識如何？
妻：哦！相親？
夫：也不見得是相親啦，只是請他們到家裡來坐坐。
妻：等一等。介紹他們認識我舉雙手贊成，可是請他們到家裡來要坐哪兒？
夫：這間不就得了？
妻：這麼亂七八糟怎麼行？
夫：就是亂七八糟又有什麼關係？其實稍微凌亂些，才更像個家呢！
妻：可是，吃飯怎麼辦？
夫：那倒不必擔心，有茶和小蛋糕就夠了。
妻：嗯……。
夫：屋子窄得很，他們兩人也不會久留，很快就會離開的。
妻：說的也是，果真如此就好辦了。可是，看到這種生活狀況，搞不好就不想結婚呢！
夫：沒那回事。讓他們看看咱們恩愛的一面，是很好的刺激哩！
妻：是嗎？那麼咱們禮拜天就不得吵嘴囉！
夫：是啊！要吵架只能吵到禮拜六！

単語（たんご）のまとめ・單字總整理

■本文（ほんぶん）

お客［(お)きゃく］……訪客
首相［しゅしょう］……首相、總理
ワシントン……華盛頓市
大統領［だいとうりょう］……總統
中国［ちゅうごく］……中國（大陸）
訪問する［ほうもん(する)］……拜訪、訪問
各国［かっこく］……各國
首脳［しゅのう］……首腦、領袖
要人［ようじん］……重要人物
来日する［らいにち(する)］……到日本來
新聞にのる［しんぶん(にのる)］……刊載於報上

画面［がめん］……畫面
国際的な［こくさいてき(な)］……國際性的
おつき合い［(おつき)あ(い)］……交往、交際
盛ん［さか(ん)］……熱絡、盛行
政治家［せいじか］……政治家
学者［がくしゃ］……學者
学生［がくせい］……學生
国際交流［こくさいこうりゅう］……國際交流
外国［がいこく］……外國
技術者［ぎじゅつしゃ］……技術人員
研修［けんきゅう］……研習、受訓
海外［かいがい］……海外
各種［かくしゅ］……各種（的）
技術［ぎじゅつ］……技術
開発［かいはつ］……開發
そのいっぽう……另一方面
個人的に［こじんてき(に)］……私人的、個人的
人［ひと］……人
気がする［き(がする)］……感覺、覺得
ていねいに……小心翼翼、仔細
掃除［そうじ］……打掃
ごちそう……盛宴、酒席
材料［ざいりょう］……材料
走る［はし(る)］……跑
レストラン……西餐廳、餐館
喫茶店［きっさてん］……咖啡屋、咖啡廳
利用する［りよう(する)］……利用
親しい［した(しい)］……親密的、親近的
友人［ゆうじん］……朋友

同士［どうし］……………………彼此之間、伙伴
～は別として［(～は)べつ(として)］
……………………………………～另當別論
減る［へ(る)］…………………………………減少
原因［げんいん］………………………………原因
住宅事情［じゅうたくじじょう］ ………居家情況
限られた［かぎ(られた)］ …………………有限的
空間［くうかん］ ………………………………空間
お客用［(お)きゃくよう］ ………………給客人用
部屋［へや］……………………………………房間
別にとる［べつ(にとる)］…………………另外設置
余裕がない［よゆう(がない)］
………………………………沒有剩餘的（空間）
一般に［いっぱん(に)］………………………普遍地
あがりこむ……………………………進入（屋內）
機会［きかい］…………………………………機會
家事［かじ］……………………………………家事
費やす［つい(やす)］……………………花費、浪費
大幅に［おおはば(に)］………………………大幅度
仮に～したら［かり(に～したら)］
…………………………………………假設～的話
全部［ぜんぶ］…………………………………全部
休業する［きゅうぎょう(する)］………歇業、停業
必死で［ひっし(で)］……………………拼命、賣命
あろう ………………………………………………有吧
路上で［ろじょう(で)］………………………在路上
立ち話［た(ち)ばなし］……………………站著談話
歩道［ほどう］………………………………人行道

■会話文I

打ち合わせ［う(ち)あ(わせ)］…………………討論
運転手［うんてんしゅ］…………………………司機
交通規制［こうつうきせい］……………交通規則
国際親善［こくさいしんぜん］……………國際親善
米国［べいこく］ ……………………………………美國
お見合い［(お)みあ(い)］………………………相親
なにしろ …………………………………………總之
お客どころじゃない［(お)きゃく(どころじゃない)］
……………不適合招待客人、哪談得上招待客人

主婦［しゅふ］ ………………………………家庭主婦
時間的余裕［じかんてきよゆう］……時間上的空檔

■会話文II

予定［よてい］……………………………………預定
洗濯［せんたく］ ……………………………洗衣服
休養［きゅうよう］ ……………………………休息
課［か］ …………………………………（公司的）科
縁談［えんだん］ ……………………婚事、說媒
～というほどでもないけど
……………………………………………還說不上是
大賛成［だいさんせい］ …………………非常贊成
ちらかっている …………………凌亂、亂七八糟
家庭的［かていてき］ ………………有家庭的氣氛
(お)食事［(お)しょくじ］ ………………餐、飲食
そんな心配いらない［(そんな)しんぱい(いらない)］
…………………………………………不需如此擔心
刺激［しげき］ ……………………………………刺激
けんか ……………………………………爭吵、吵架

ノート・文法註釋

■本文

●おつき合い

「つきあい」通常都加上接頭詞「お」，表示人與之間的關係。本文中則帶有諧謔的意味，指國與國之間的關係。

●……ものだと思う

整個句子刪除了「ものだ」這個部分，意思仍然不變。一般，加上「ものだ」只是單純的強調敘述。而「ほんとうに……だなあ」這個句型則不同於「ものだ」。它傳達了作者對某種情況的深刻感觸。

●お客がある
亦即「お客が来る」〈有客人要來。〉此外，「来客がある」和「人が来る」也可以用於本句中。

●余裕
指空間和時間，也可以指經濟方面。例如：「そんなもの、買う余裕はありません。」〈我沒有餘錢買那種東西。〉

●あがりこんで
「こむ」含有深入最內部的意思。「あがりこんで」是用來表示進入屋內的動作。

■会話文 I

●……の話だと
口語用法。相當於書面語「……の話によると」。「新聞によると」爲類似的句子。

●むりもありませんね
此句指對計程車司機表示同情。

●お客が来るとなったら
含有「要發生一件不尋常的事」之意。

■会話文 II

●どう思うって？
要求將問題解釋清楚。其中文意思爲〈什麼怎麼樣？〉

●というほどでもない
意思是「沒那麼嚴重」。例如：「なやみと言うほどでもないけど、ちょっとこまっていることがあります。」〈算不上是煩惱，只是有點麻煩。〉

文型練習・句型練習

1．……ものだと思う

No.4

本文例――そうしたニュースがたびたび新聞にのったり、テレビの画面に出たりする。国際的なおつき合いが盛んになったものだと思う。

(注)ニュースについての感慨を、ひとつのパラグラフにまとめる練習。「ものだ」の用法についてはノートを参照。

練習A　例にならって文を作りなさい。

例：国際的なおつき合いが盛んに→国際的なおつき合いが盛んになったものだと思う。

1．世の中が平和に→
2．健康についての関心が強く→
3．女性の活動が盛んに→
4．人間関係がむずかしく→

練習B　例にならって、次の文で始まり練習Aで作った文でおわる段落を作りなさい。

例：首相がワシントンに行って大統領に会う。中国を訪問する。各国の首脳や要人が来日する→首相がワシントンに行って大統領に会う。中国を訪問する。各国の首脳や要人が来日する。そうしたニュースがたびたび新聞にのったり、テレビの画面に出たりする。国際的なおつき合いが盛んになったものだと思う。

1．めずらしい料理が人気をよんでいる。味のよいレストランが有名になる→

2．老人がジョギングをしている。主婦がバスケットをやる→

3．女性ばかりの会社ができた。女性が社長になった→

4．子供がいじめられて自殺した。孤独な老人が自殺した→

1.我想是……

> **正文範例**——這類的新聞常刊載於報上，出現在電視螢幕上。我想是由於國際性的往來日趨頻繁之故。

(註)將有關新聞的感慨，整理成一個段落的練習。「ものだ」的用法，請參照文法註釋。

練習A　請依例造句。

例：國際性的往來日趨頻繁→我想是由於國際性的往來日趨頻繁之故。

1.世界日趨和平→

2.對健康的關心日益加強→

3.女性的活動日趨積極→

4.人際關係日趨複雜→

練習B　請依照範例，以下列各句爲開頭，練習以A所造的句子爲結尾，構成一個段落。

例：首相赴華盛頓會晤總統，訪問中國。各國領袖及政要訪日→首相赴華盛頓會晤總統，訪問中國。各國領袖及政要訪日。這類的新聞常刊載於報上，出現在電視螢幕上。我想是由於國際性的往來日趨頻繁之故。

1.稀奇的料理受到歡迎。口味佳的餐館變得有名→

2.老年人慢跑。主婦們打籃球→

3.清一色爲女性的公司成立了。女性當上董事長→

4.孩童因被欺負而自殺。孤獨的老人尋短見→

2．……ときは……ことが多くなった

No.5

本文例――人に会うときはレストランや喫茶店を利用することが多くなったようである。

練習A 例にならって文を作りなさい。

例：人に会う、レストランや喫茶店→人に会うときはレストランや喫茶店を利用することが多くなった。

1．用がある、電話→

2．金を払う、カード→

3．料金を払う、銀行振り込み→

4．計算をする、電卓→

練習B 例にならって、次の文を練習Aで作った文のあとにつけなさい。

例：人を家によぶ→人に会うときはレストランや喫茶店を利用することが多くなった。人を家によぶことが減ったようである。

1．手紙を書く→

2．現金を持ち歩く→

3．集金人がくる→

4．そろばんを使う→

2.……時，……多半……

正文範例——和人見面時，似乎多半利用餐館或咖啡屋。

練習A 請依例造句。

例：和人見面、餐廳或咖啡屋→和人見面時，似乎多半利用餐館或咖啡屋。

1.有事、電話→

2.付款、信用卡→

3.繳款、銀行匯存→

4.計算、電子計算機→

練習B 請依例將下列各句置於在練習A所造的句子之後。

例：請客人到家裡來→和人見面時，多半利用餐廳或咖啡屋。請客人到家裡來的情形似乎減少了。

1.寫信→

2.攜帶現金→

3.收費人員來→

4.使用算盤→

ディスコース練習・對話練習

1.会話文Ⅰより CD1 No.6

A：たしかに……ね。

B：ええ、……ね。

A：だけど、……ね。

B：そういえば、そうですね。

練習の目的：Aが、ある現象について、進歩した面としない面をのべる。BはAの意見に賛成し、話を発展させる。はじめ、Aが「たしかに」と言ったので、その反対の意見が続くことは予期されるので、Bは短く賛意を表する。Aが「だけど、……」以下で反対の意見をのべたあと、Bは「そういえば、そうですね」と答え、そのあと、Aの意見を補強する発言が続くのであるが、ここではその部分は含まない。

練習の方法：基本型の下線の部分を入れかえる。

〈基本型〉

A：たしかに(1)国と国のおつき合いが盛んになりましたね。

B：ええ、ほんとうに(2)盛んになりましたね。

A：だけど、(3)個人的にお客に行ったり来たりするのは減ったようですね。

B：そういえば、そうですね。

(Bの1行目は、Aの文の後半をくり返す)

入れかえ語句

1．(1)若い人は体格がよく　(2)よく
　(3)体力のほうはあまりない

2．(1)男性もおしゃれに　(2)おしゃれに
　(3)個性のほうはあまりない

3．(1)交通機関は便利に　(2)便利に
　(3)料金のほうは安くならない

4．(1)スポーツが盛んに
　(2)盛んに
　(3)金のかからないスポーツが減った

応用：基本型ではBの最初の発話はAの後半のくり返しにしたが、そのあとに次のような句を加えて練習する。

例：外国の首脳も来るし。

1．足も長くなったし。

2．流行も取り入れるようになったし。

3．車もきれいになったし。

4．見るのもやるのも。

1.取材自會話 I

> A：的確……。
> B：嗯，……。
> A：可是……。
> B：說的也是啊！

練習目的：關於某現象，A描述其進步與停滯的一面。B贊同A的意見，並使話題繼續延伸下去。首先，A說了「的確」這個字，可以預想到相反的意見將緊隨而至，所以B僅簡短地表示贊同之意。A以「可是……」來表明反對的意見後，B回答「說的也是啊！」。在這之後，尚有幾句話補充A的意見，此處省略。

練習方法：代換基本句型的畫線部分。

〈基本句型〉

A：(1)國與國之間的交流的確比以前頻繁了。
B：嗯。確實(2)頻繁了。
A：可是，(3)個人之間的造訪似乎減少了。
B：說的也是啊！
（B的第一行要重複A句的後半。）

代換語句

1.(1)年輕人體格改善
(2)改善
(3)沒什麼體力
2.(1)男性也愛漂亮
(2)愛漂亮
(3)沒什麼個性
3.(1)交通工具方便
(2)方便
(3)價位並未降低
4.(1)運動盛行
(2)盛行
(3)不需花錢的運動減少了

應用：在基本句型中，B的第一句話重複了A的後半句話，請在其後添加下列句子再做練習。

例：外國的首腦也來。
1.腿也長了。
2.也能接受流行了。
3.車子也變漂亮了。
4.看的做的都……

■会話文II  No.7

> A：……は大賛成ですが、……はどうするんですか。
> B：……でいいじゃありませんか。
> A：こんなに……のに？
> B：いいじゃありませんか、……って。

練習の目的：AがBの提案に対して、実行困難な点をあげて疑問を示すが、Bは楽観的で、それで十分だと答える。ここではていねいな話し方としたが、友人同士の話なら、次のようにかえる。

> A：……は大賛成だけど、……はどうするの。
> B：……でいいじゃない？
> A：こんなに……のに？
> B：いいじゃない、……って。

練習の方法：基本型の下線の部分を入れかえる。

〈基本型〉

A：(1)会わせるのは大賛成ですけど、(2)場所はどうするんですか。

B：(3)この部屋でいいじゃありませんか。

A：こんなに(4)ちらかっているのに？

B：いいじゃありませんか、(5)ちらかっていたって。

入れかえ語句

1．(1)パーティーをやる (2)場所 (3)この部屋 (4)せまい (5)せまくたって

2．(1)外国人もよぶ (2)ことば (3)英語 (4)へたな (5)へただって

3．(1)旅行に行く (2)費用 (3)ここにあるお金 (4)少ししかない (5)少ししかなくたって

2.取材自會話II

A：……非常贊成，可是……怎麼辦？
B：……不就得了？
A：這麼……怎麼行？
B：就是……又有什麼關係？

練習目的：A對B的提案，舉出難以實行的理由，表示懷疑。B卻很樂觀地回答「那樣就夠了」。此處用敬體，若是朋友之間的談話，則改成左下邊的語氣（常體）。

練習方法：代換基本句型的畫線部分。

A：(1)讓他們見面我非常贊成，可是(2)地點麼辦？

B：(3)這房間不就得了？

A：這麼(4)亂七八糟怎麼行？

B：(5)就是亂七八糟又有什麼關係！

代換語句

1.(1)聚會 (2)場地 (3)這房間 (4)狹窄 (5)就是狹窄

2.(1)也請外國人 (2)語言 (3)英語 (4)不靈光 (5)就是不靈光

3.(1)去旅行 (2)費用 (3)手邊的錢 (4)只有一點點 (5)就是只有一點點

漢字熟語練習・漢字詞彙練習

1．首（首相、首脳）

首相[しゅしょう]……首相
首脳[しゅのう]……首腦、領袖
首都[しゅと]……首都
首都圏[しゅとけん]……首都圈
首席[しゅせき]……首席、第一名
元首[げんしゅ]……元首
手首[てくび]……手腕

2．会（会う、機会）

会[かい]……會議、組織
会社[かいしゃ]……公司
会議[かいぎ]……會議
会談（する）[かいだん（する）]……會談
会見（する）[かいけん（する）]……會晤、會面、接見
会合[かいごう]……聚會、集會
会場[かいじょう]……會場

会話[かいわ] ……………………會話
会長[かいちょう] ……………會長、名譽董事長
会計[かいけい] ……………………會計
議会[ぎかい]
……………………………議會、國會
大会[たいかい] ……………………大會
総会[そうかい] ………………大會、總會
協会[きょうかい] …………………協會
社会[しゃかい] ……………………社會
司会者[しかいしゃ]
……………………………主持人
機会[きかい] ……………………機會
教会[きょうかい] …………………教會
宴会[えんかい] ……………………宴會
会う[あ（う）] ………………會見、見面

3．**国**（中国、各国、国際的）
国民[こくみん] ……………………國民
国家[こっか] ……………………國家
国会[こっかい] ……………………國會
国際[こくさい] ……………………國際
国交[こっこう] ……………………邦交
国王[こくおう] ……………………國王
国立（の）[こくりつ（の）]
……………………………國立
国産[こくさん] ……………………國產
国境[こっきょう] ……………國境、邊界
国宝[こくほう] ……………………國寶
国連[こくれん] ……………………聯合國
外国[がいこく] ……………………外國
全国[ぜんこく] ……………………全國
各国[かっこく]
……………………………各國
諸国[しょこく] ……………………諸國
両国[りょうこく] …………………兩國
先進国[せんしんこく]
…………………已開發國家、先進國家
国[くに]……………………………國家
英国[えいこく] ……………………英國
米国[べいこく] ……………………美國
中国[ちゅうごく] …………………中國
韓国[かんこく] ……………………韓國

4．**各**（各国、各種）
各国[かっこく] ……………………各國

各地[かくち] ……………………各地
各種[かくしゅ] ……………………各種
各省[かくしょう] …………………各省
各党[かくとう] ……………………各黨
各～（各駅）[かく～（かくえき）]
……………………………各～（各站）
各々[おのおの]
……………………………各自

5．**人**（要人、個人、人、友人）
人口[じんこう] ……………………人口
人権[じんけん] ……………………人權
人民[じんみん] ……………………人民
人命[じんめい] ……………………人命
人生[じんせい] ……………………人生
人類[じんるい] ……………………人類
人類学[じんるいがく] ……………人類學
人工（の）[じんこう（の）] …………人工（的）
人間[にんげん] ……………………人類
人気[にんき] ………………人緣、受歡迎
人情[にんじょう] ……………人情、人的情意
新人[しんじん] ……………………新進人員
求人[きゅうじん] ……………招聘、徵求人才
殺人[さつじん] ……………………殺人
婦人[ふじん] ……………………婦人
隣人[りんじん] ………………鄰人、鄰居
友人[ゆうじん] ……………………朋友
知人[ちじん] ………………熟人、相識
愛人[あいじん] ………………愛人、情人
老人[ろうじん] ……………………老人
個人[こじん] ………………個人、私人
成人[せいじん] ……………………成人
要人[ようじん] ……………重要人物、貴賓
病人[びょうにん] …………………病人
証人[しょうにん] …………………證人
商人[しょうにん] …………………商人
当人[とうにん] ……………本人、有關人員
百人[ひゃくにん] …………………一百人
人[ひと] ……………………………人
一人[ひとり]………………………一個人
人々[ひとびと] ……………………人們

6．**来**（来日、来る）

来年[らいねん]……………………………………明年
来月[らいげつ]…………………………………下個月
来週[らいしゅう]……………………下禮拜、下週
来春[らいしゅん]
……………………………………………………明年春天
来客[らいきゃく]………………………客人、訪客
来日（する)[らいにち（する)]
……………………………………………………到日本來
以来[いらい]………………………………………以來
未来[みらい]……………………………未來、將來
将来[しょうらい]…………………………………將來
来る[く（る)]……………………………………來
出来る[でき（る)]
…………………………………………………………會、能

7．**聞**（新聞、聞く)

新聞[しんぶん]……………………………………報紙
見聞[けんぶん]……………………………………見聞
聞く[き（く)]………………………………聽、問
聞こえる[き（こえる)]
……………………………………………………聽得到

8．**家**（政治家、家)

家庭[かてい]………………………………………家庭
家族[かぞく]………………………………………家人
家具[かぐ]…………………………………………家俱
家計[かけい]………………………………………家計
家事[かじ]…………………………………………家事
国家[こっか]………………………………………國家
農家[のうか]………………………………………農家
作家[さっか]………………………………………作家
画家[がか]…………………………………………畫家
一家[いっか]……………………………全家、一家族
家賃[やちん]………………………………………房租
家[いえ]……………………………………家、房子

9．**学**（学者、学生)

学生[がくせい]……………………………………學生
学校[がっこう]……………………………………學校
学者[がくしゃ]……………………………………學者
学費[がくひ]………………………………………學費
学歴[がくれき]……………………………………學歷
学会[がっかい]……………………………………學會
学園[がくえん]…………………………學校、學園
学問[がくもん]…………………………學問、學識
医学[いがく]………………………………………醫學
科学[かがく]………………………………………科學
数学[すうがく]……………………………………數學
文学[ぶんがく]……………………………………文學
留学する[りゅうがく（する)]……………留學
入学する[にゅうがく（する)]……………入學
夜学[やがく]…………………………夜間學習、夜校
学ぶ[まな（ぶ)]…………………………………學習

10．**者**（学者、技術者)

学者[がくしゃ]……………………………………學者
医者[いしゃ]………………………………………醫生
作者[さくしゃ]……………………………………作者
著者[ちょしゃ]…………………………作者、著者
読者[どくしゃ]……………………………………讀者
記者[きしゃ]………………………………………記者
技術者[ぎじゅつしゃ]……………………技術員
勤労者[きんろうしゃ]……………………勞動者
消費者[しょうひしゃ]……………………消費者
死者[ししゃ]………………………………………死者
犠牲者[ぎせいしゃ]………………………犧牲者
患者[かんじゃ]……………………………………患者
者[もの]………………………………………………人
若者[わかもの]……………………………………年輕人

11．**外**（外国、海外)

外国[がいこく]……………………………………外國
外国人[がいこくじん]
……………………………………………………外國人
外務省[がいむしょう]
……………………………………………………外交部
外交[がいこう]……………………………………外交
外部[がいぶ]…………………………外部、外面
外貨[がいか]…………………………外幣、外匯
外出する[がいしゅつ（する)]……………外出
外科[げか]…………………………………………外科
以外[いがい]………………………………………以外
意外[いがい]…………………………沒料到、意外
海外[かいがい]……………………………………海外
郊外[こうがい]……………………………………郊外
例外[れいがい]……………………………………例外
外[そと]………………外面、戶外、表面、外部
外の人[ほか（の）ひと]…………………其他人

12. **用**（利用、お客用）

用意[ようい] ……………………………………準備

用紙[ようし] ……………………規定紙、格式紙

利用（する）[りよう（する）] ………………利用

使用（する）[しよう（する）] ………使用、雇用

信用（する）[しんよう（する）]

……………………………………………信賴、信用

採用[さいよう] ……………………………採用

費用[ひよう] ………………………………費用

専用[せんよう] ……………………………專用

～用（お客用）[～よう（おきゃくよう）]

……………………………………………～用

用いる[もち（いる）] ………………………使用

■漢字詞彙複習

1. **首相**は**会議**のあと**記者会見**する。
2. **隣人**は**外科**の**医者**です。
3. 毎日、**新聞**の**求人**広告を見る。
4. **友人**が**米国**に**留学**した。
5. **学歴社会**だから**入学**試験は大変だ。
6. **全国**の**消費者**の**大会**が開かれた。
7. この**会場**は利用者が多い。
8. **来客**があるので**用意**をしています。
9. **郊外**でも**家賃**はかなり高い。
10. **家庭**に**病人**がいるので、あまり**外出**できません。
11. **総会**の**司会**をたのまれた。
12. どこかの**国**の**国王**か**要人**が**来日**するらしい。
13. 今日の**学会**には**各国**の**数学者**が集まった。
14. あの**新人**は**若者**に**人気**があるそうだ。
15. **来週**は**宴会**がつづく。
16. **入学以来**、**各種**の**会合**に出ている。
17. **将来**は**人類学**を**学**びたいと思っている。
18. **機会**があれば**外国**へ行って**見聞**を広めたい。
19. あの**老人**は有名な**画家**だったそうだ。
20. あの**作家**は**愛人**が**出来**て、**家族**をすてたそうだ。

---

1. **首相**要在**會議**之後**接見記者**。
2. **鄰居**是位**外科醫生**。
3. 每天看**報紙**的**求才**廣告。
4. **朋友**赴**美留學**。
5. 由於是重視**學歷**的**社會**，所以**入學**考試相當困難。
6. 召開**全國消費者大會**。
7. 利用這**會場**的人很多。
8. 有**客人要來**，所以正在**準備**。
9. 縱使是**郊外**，**房租**亦相當昂貴。
10. **家裡**有**病人**，所以無法常常**外出**。
11. 受託**主持大會**。
12. 好像某**國**的**國王**或**政要**將**來日訪問**。
13. 今天的**學術研討會**上，**各國**的**數學家**聚集一堂。
14. 聽說那位**新人**相當受**年輕人歡迎**。
15. **下週宴會**連連。
16. **入學以來**參與**各種聚會**。
17. **將來**打算**攻讀人類學**。
18. 有**機會**的話，想到**國外**走走，以增廣**見聞**。
19. 聽說那位**老人**以前是個有名的**畫家**。
20. 聽說那位**作家另結新歡**，拋棄**家人**。

応用読解練習・應用閱讀練習

「朝日家庭便利帳」（1989.4月号）

永井道雄の眼4月

去る2月2日、私は朝日新聞客員論説委員の任を辞し、翌3日に東京・六本木にある国際文化会館理事長に就任しました。渋谷に仮本部をもつ国連大学については、ひきつづき特別顧問として非常勤で働きます。

朝日新聞の客員論説委員として、このコラムに書いたのは10年にわたっているのでお名残惜しいのですが、この欄の編集者が引きつづき書くようにとのことですので、今日もこの文を記しています。

1 国際文化会館

国際文化会館理事長　永井　道雄

2 今日はこの国際文化会館を紹介させていただきます。

1945年、戦争が終わったあと、日本は再建のために苦難の道を歩みました。憲法をはじめ政治、また土地改革などの経済問題、さらに教育改革などについては、占領軍と日本政府が話しあって国家の再建をはかったのでしたが、肝心の人と人との相互理解、文化交流までは手がまわりませんでした。

去る1月10日、89歳でご逝去された松本重治先生は、自分が人と人、文化と文化の橋渡しの役を買ってでようと、非常に苦労され、アメリカのロックフェラー三世や日本の知友の協力をえて1952年に「国際文化会館」の創設にふみ切りました。

日米間には言語の厚い壁がありますから、たとえば1960年、東京で大騒ぎになった安保騒動といわれるものがおこると、大多数のアメリカ人は何のことかわからない。日本人は反米なのか。社会主義社会をめざしているのか。実際には、多くの日本人が、アメリカとの良好な関係を維持し、同時に早い時期に中国とも国交の回復をはかりたいと願っていたのですが、こういう複雑な意識はなかなか国際コミュニケーションのレールに乗せることができません。

'62年になると、松本さんを中心に、日本の民間人が、アメリカのダートマス大学に渡り、アメリカの民間人と1週間にわたって対話をしました。私も、その一員として参加し、この種の試みが有意義であることを痛感しました。

3 六本木の会館には幸いに美しい庭がありますが、松本さんはこの庭にかこまれた部屋で、ご逝去まで、中国人、ソ連人、東南アジア、ヨーロッパ諸国の人々と日本人との対話を深めるために努力されました。

いまでは、この会館で、毎月、外交問題の講演会、日本で学習しているドクター候補の外国人学生の研究発表、さらに日本映画シリーズの催しなど、その他、多彩な催しがあります。

くつろいだ気持ちで、ここに宿泊する人々もいるし、食事を楽しむ人もいます。

ふだん着の心持ちで国をこえて、老若男女が話しあう。いまの日本は世界のなかにあり、とても、この会館だけで、日本にとって重要な国際交流をすべてこなすことはできません。'60年代からは対米関係だけではなく中国、ソ連、東南アジア、ヨーロッパの国々、これからは韓国、北朝鮮（朝鮮民主主義人民共和国）、ラテン・アメリカ、中近東、アフリカなどにも注意したいと思っています。

4 松本先生は、国際交流は幅を広く、根を深くと思っておられたようです。世界は次第に、文字通り一つになりつつあります。

読者の皆さんのご協力、ご助言をえて、私は、微力ながら、この新しい仕事にとりくんでゆく考えです。

（付記・国際文化会館についてのお問い合わせは、〒106東京都港区六本木5－11－16　国際文化会館☎03・470・4611㈹）

1

国際文化会館

国際文化会館理事長　永井道雄

2

今日はこの国際文化会館を紹介させていただきます。

1945年、戦争が終わったあと、日本は再建のために苦労の道を歩みました。憲法をはじめ政治、また土地改革などの経済問題、さらに教育改革などについては、占領軍と日本政府が話しあって国家の再建をはかったのでしたが、かんじんの人と人との相互理解、文化交流までは手がまわりませんでした。

去る1月10日、89歳でご逝去された松本重治先生は、自分が人と人、文化と文化の橋渡しの役を買ってでようと、非常に苦労され、アメリカのロックフェラー三世や日本の知友の協力をえて1952年に「国際文化会館」の創設にふみ切りました。

3

六本木の会館には幸いに美しい庭がありますが、松本さんはこの庭にかこまれた部屋で、ご逝去まで、中国人、ソ連人、東南アジア、ヨーロッパ諸国の人々と日本人との対話を深めるために努力されました。

4

松本先生は、国際交流は幅を広く、根を深くと思われておられたようです。世界は次第に、文字通り一つになりつつあります。

■字彙表

1

国際文化会館[こくさいぶんかかいかん]
……日本國際文化會館
理事長[りじちょう] ……理事長
永井道雄[ながいみちお] ……永井道雄

2

今日[きょう]……今天
国際文化会館[こくさいぶんかかいかん]
……日本國際文化會館
紹介する[しょうかい(する)]……介紹
〜させていただきます
……讓我〜
戦争[せんそう] ……戰爭
再建[さいけん] ……重建
苦難の道を歩む[くなん(の)みち(を)あゆ(む)]
……步上艱辛的道路
憲法[けんぽう] ……憲法
政治[せいじ] ……政治
土地改革[とちかいかく] ……土地改革
経済問題[けいざいもんだい]
……經濟問題
さらに ……更、更進一步
教育改革[きょういくかいかく]
……教育改革
占領軍[せんりょうぐん] ……佔領軍
国家[こっか] ……國家
はかる……謀求
かんじん の ……重要的、要緊的
相互理解[そうごりかい]
……相互理解
文化交流[ぶんかこうりゅう]
……文化交流
手がまわる[て(がまわる)]
……考慮到、照顧到
去る[さ(る)]……過去的（一日）
ご逝去された[(ご)せいきょ(された)]
……逝世
松本重治[まつもとしげはる]
……松本重治（人名）
橋渡しの役[はしわた(しの)やく]
……橋樑的角色
買って出る[か(って)で(る)] ……主動接受
苦労する[くろう(する)]
……辛苦、操勞
ロックフェラー三世[(ロックフェラー)さんせい]
……(John D.)RockefellerIII洛克斐勒三世
知友[ちゆう]……好友、摯友
協力[きょうりょく]……合作、協助
〜をえて……得到〜
創設[そうせつ] ……創設、設立
ふみ切る[(ふみ)き(る)] ……毅然決定、下定決心

3

幸いに[さいわ(いに)] ……幸運地、幸好
美しい庭[うつく(しい)にわ] ……美麗的庭園
中国人[ちゅうごくじん] ……中國人
ソ連人[(ソ)れんじん] ……俄國人
東南アジア[とうなん(アジア)] ……東南亞
ヨーロッパ諸国[(ヨーロッパ)しょこく]
……歐洲各國
人々[ひとびと]……人們
対話[たいわ] ……對談、對話
深める[ふか(める)] ……加深
努力される[どりょく(される)]
……努力（尊敬語）

4

国際交流[こくさいこうりゅう]
……國際交流
幅を広く[はば(を)ひろ(く)]
……廣泛地
根を深く[ね(を)ふか(く)]……向下紮根、深入地
思っておられる[おも(っておられる)]
……認爲（尊敬語）
世界[せかい]……世界
次第に[しだい(に)]……漸漸、一步步地
文字通り[もじどお(り)]……照字義、的的確確
なりつつあります……逐漸成爲〜

■應用閱讀練習翻譯

1

國際文化會館
國際文化會管理事長 永井道雄

2

今天讓我來爲大家介紹國際文化會館。

西元1945年戰爭結束後，日本步上重建的艱辛之路。以憲法爲首，有關政治以及土地改革等經濟問題，乃至於教育改革等等，佔領軍與日本政府相互協商，共謀國家重建大計。但是，當時未能考慮到極爲重要的人與人之間的相互了解以及文化交流等問題。

1月10日，松本重治先生逝世，享年89歲。在他有生之年，自願扮演人與人、文化與文化之間的橋樑角色，千辛萬苦，在美國洛克斐勒三世及日本友人的協助下，於西元1952年毅然創立「國際文化會館」。

3

位於六本木的會館，幸而有美麗的庭園，松本先生就在四周有庭園環繞的房間裡，一直到他去世爲止，不斷地爲加深中國人、俄國人、東南亞，以及歐洲各國人士與日本人之間的思想交流付出心力。

4

松本先生似乎認爲國際交流應該廣泛而且深入，而世界大同的的確確正逐步實現。

レッスン 2 地下鉄

本文・正文 CD 1 No.8

地下鉄に乗っていて感じることは、老人がわりあい少ないということである。朝夕は通勤のサラリーマン、昼ごろはデパートに通う*主婦が多いということである*が、高齢の人は少ない。階段が多いから、足の弱い人にはむりなのであろう。いっぽう、バスは老人が多い。外の景色が見えるし、乗り降りが楽だからであろう。時間は不規則であるが、急がない人には問題にならない。その点、地下鉄は地上の混雑に影響されないから、急ぐ人には便利である。

人間は地球の表面を移動するだけでは満足しなくなって、空を飛び、地下にもぐるようになった。いわば*、二次元の交通から三次元になったわけで、これは大変な進歩・発展と言わなければならない。

しかし、進歩とはつねに疲れるものである。飛行機に乗るためには、なれないうちはかなりの緊張が要求されるし、地下鉄を利用するためには、階段を上り下りする体力が必要である。健康で元気な人*は空にも地下にも進出できるが、そうでない者*は、地上をはい回ることだけで満足しなければならない。

両者の中間の人間もいる。階段もややつらいが、地下鉄に乗れないほどの年でもない*。バスに乗って町の中の様子を見ながら行くのは好きだが、あまり時間的余裕はない。だから出がけに、さてきょうは二次元で行こうか、三次元で行こうかと迷う。そして結局は、その日の必要と気分でどちらかを選ぶのである。

■正文翻譯

地下鐵

搭乘地下鐵感覺上老年人所佔的比例較少。早晚，以通車的上班族爲多，白天則泰半是上百貨公司的主婦，而老年人則寥寥無幾。這也許是因爲樓梯太多，對於雙腿乏力者而言較不方便之故吧！相形之下，巴士卻是老年人的天下。可能是因爲搭乘巴士，不但可以欣賞窗外景致，而且上下車也比較輕鬆的緣故。雖然巴士的班次並不固定，但對於不趕時間的人而言，不會產生問題。這一點，地下鐵因不受地面上阻塞的影響，所以對於分秒必爭的人來說，地下鐵是方便多了。

人類已經無法滿足只在地球表面上移動，因此飛天、鑽地的景象也就登場了。從某種意義來說，交通已從二度空間，進展到三度空間的境界。我們不得不承認，這是一項突破性的進步和發展。

然而。所謂進步，往往就是疲憊的代名詞。爲了搭飛機，尙未能適應時必須繃緊神經；爲了搭乘地下鐵，亦得儲備足夠的體力，上下樓梯。生龍活虎的人當然可以飛天鑽地，但是體力不佳者，能在地面上蛇行就該心滿意足了。

也有人介於這兩者之間。走樓梯稍嫌吃力，但還不至於老到無法搭乘地下鐵。雖然喜歡搭著巴士一邊瀏覽街景，一邊前行，但沒有多餘的時間。因此，出門時總會猶豫，今天究竟是利用二度空間好呢？還是利用三度空間好？到頭來，只得視當天之所需及心情，來選擇交通工具了。

乘客利用長長的階梯進站、出站

会話・會話

■会話文Ⅰ CD 1 No.9

知人同士。Aは女性、Bは男性。

A：どちらで行きますか。

B：どちらって。

A：バスでも地下鉄でも行けるんですけど。

B：バスはよく来ますか。

A：まあまあですね。15分に1本ぐらいです。

B：でも不規則でしょう、時間が。

A：ええ、そうですね。

B：時には1本とばしたり……

A：ということも、ないとは言えませんね*。

B：じゃあ、あてになりませんね。

A：ええ。

B：じゃ、地下鉄のほうがいいんじゃないですか。

A：ええ。ただ、この間ちょっと足をいためたと言ってらしたので。

B：ああ、あれはもうなおりましたから、大丈夫です。

A：そうですか。じゃ、地下鉄で行きましょう。

（歩き出しながら）

B：たしかに地下鉄って、あまり楽しい乗り物じゃありませんね。

A：ええ。

B：バスと違って、外が見えないし……

A：ええ、そうですね。うちの母は、地下にもぐるのはいやだといって、絶対に地下鉄に乗らないんですよ。

B：そうですか。

A：かなりの年ですから、仕方ありませんけど。

B：そういえば、地下鉄にはあまりお年寄りは乗ってませんね。

A：ええ、階段が大変だからでしょうね。

B：交通渋滞にまきこまれなくて、いいんですけどね。

A：そうですね。いそがしい人は地下鉄ってこと*ですね。

■會話 I

兩個熟人。A是女性，B是男性。

A：搭哪一種去？

B：什麼哪一種？

A：可以搭巴士，也可以坐地下鐵去。

B：巴士班次多嗎？

A：普通。大概每隔十五分鐘一班。

B：不過，時間或許不固定吧？

A：嗯，的確。

B：有時還脫班……。

A：這種情形也有可能。

B：那就靠不住囉！

A：嗯。

B：那麼，地下鐵不是比較好嗎？

A：嗯，不過，前陣子聽您說腳受傷……。

B：啊，已經好了，沒問題。

A：這樣子啊！那麼咱們就搭地下鐵去吧！

（走著走著）

B：地下鐵這玩意兒，的確不是什麼有趣的交通工具哪！

A：是啊。

B：地下鐵和巴士不同，無法眺望窗外。

A：說的也是！我母親不喜歡鑽到地下，所以絕不搭乘地下鐵！

B：這樣子阿！

A：老人家，沒辦法。

B：這麼一提，老年人的確很少搭地鐵！

A：嗯，大概是爬樓梯太辛苦的緣故吧？

B：可是地下鐵不堵車，挺方便的……。

A：是啊！趕時間的人通常是搭地下鐵。

■会話文 II CD 1 No.10

結婚直前の男女の会話。

女：わたし、飛行機きらい。一度乗ったんだけど、離陸するとき、耳がキーンとして、いやだったから、もう乗らないってきめたの。

男：だって、新婚旅行は海外にしたいって、言ってたじゃないか。

女：そうよ。

男：じゃ、どうするの。

女：船で行くの。

男：船でハワイ……？　時間がかかるよ。

女：いいじゃないの。一生に一度のことですもの。

男：そうだねえ。でも休暇は一週間だし。

女：二週間にしたら？

男：そうも行かないし……

女：じゃ、十日……

男：じつはぼく、船に酔うんだよ。

女：だって、小さいボートじゃないのよ。大きな船だから、酔ったりしないわよ。

男：でも海はきらいなんだよ。子供のとき、おぼれかけたことがあって。

女：じゃ、仕方がないわ。国内にして、鉄道で行きましょう。

男：そうしようか。

女：でも、これからわたしたち、一緒に海外旅行できないのね。

男：そんなことないよ。そのうち君の飛行機ぎらいがなおるかもしれないし、ぼくの海ぎらいも変わるかもしれないよ。

女：そうね。

男：愛（あい）はすべてを可能（かのう）にする*さ。

女：うふっ。

■會話 II

即將結婚的一對男女的對話。

女：我不喜歡搭飛機。曾經搭過一次，起飛時耳鳴不停，好難過。所以發誓以後絕不再搭飛機了。

男：咦，妳不是說蜜月旅行想到國外去嗎？

女：是啊！

男：那怎麼辦？

女：坐船去啊！

男：坐船去夏威夷……？太耗時間了。

女：有什麼不好？一輩子才這麼一次！

男：說的也是。不過，假期才一個禮拜！

女：兩個禮拜如何？

男：辦不到啊……。

女：不然十天……。

男：老實說，是因爲我會暈船哪！

女：不是小船啊！是坐大船，不會暈船的。

男：但是，我對海沒有好感。因爲小時候差點淹死。

女：那就沒輒了。我們只好搭火車在國內旅行了。

男：就這麼決定吧！

女：可是，今後我們就無法一起到國外旅遊囉！

男：沒那回事！說不定到時候妳不再排斥飛機，而我也不會討厭海了。

女：或許吧！

男：愛是萬能的！

女：（噗哧一笑）

単語（たんご）のまとめ・單字總整理

■本文（ほんぶん）

地下鉄［ちかてつ］……………………………地下鐵
老人［ろうじん］………………………………老人
朝夕［あさゆう］………………………………早班
通勤［つうきん］………………………………通車上班
サラリーマン ……………………………………上班族
昼ごろ［ひる（ごろ）］…………………………白天
デパート …………………………………………百貨公司
通う［かよ（う）］………………………………往返、流通
主婦［しゅふ］…………………………（家庭）主婦
高齢［こうれい］……………………………年歲大、高齡
階段［かいだん］………………………………………樓梯
むり ……………………………………………勉強、困難
いっぽう ………………………………………另一方面
外の［そと（の）］……………………………………外面的
景色［けしき］………………………………景色、景緻
乗り降り［の（り）お（り）］…………………上下車
楽［らく］………………………………………輕鬆、舒服
不規則［ふきそく］………………………不固定、不規則
急ぐ［いそ（ぐ）］……………………………急忙、趕時間
問題にならない［もんだい（にならない）］
……………………………………………………不成問題

その点[(その)てん]……………………………這一點
地上[ちじょう]……………………………………地面上
混雑[こんざつ]…………………………混亂、擁擠
影響される[えいきょう(される)]
……………………………………………………受影響
便利[べんり]…………………………………………方便
地球[ちきゅう]………………………………………地球
表面[ひょうめん]……………………………表面、表層
移動する[いどう(いる)]……………………………移動
満足する[まんぞく(する)]…………滿足、滿意
空を飛ぶ[そら(を)と(ぶ)]……………在空中飛翔
地下[ちか]…………………………………地底、地下
もぐる ………………………………………鑽入、潛入
いわば ……………………………………就某種意義來說
二次元[にじげん]…………………………………二度空間
三次元[さんじげん]………………………………三度空間
交通[こうつう]………………………………………交通
進歩[しんぽ]…………………………………………進步
発展[はってん]………………………………………發展
つねに ………………………………………常常、經常
疲れる[つか(れる)]…………………………疲憊、疲倦
飛行機[ひこうき]……………………………………飛機
なれないうちは………尚無法適應時、還不習慣時
緊張[きんちょう]……緊張（神經、精神、肌肉）
要求される[ようきゅう(される)]
……………………………………（被）需求、要求
利用する[りよう(する)]……………………………利用
上り下りする[のぼ(り)くだ(りする)]
……………………………………………………上上下下
体力[たいりょく]……………………………………體力
必要[ひつよう]……………………………必要、需要
健康で[けんこう(で)]………………健康（而且）
元気[げんき]…………………精力充沛、有精神
進出できる[しんしゅつ(できる)]
…………………………………………能參與、能進入
はい回る[(はい)まわ(る)]………………到處爬行
両者[りょうしゃ]……………………………………兩者
中間[ちゅうかん]……………………………………中間
やや ……………………………………………………稍微
つらい ………………………………………辛苦、困難
様子[ようす]…………………………模樣、外觀、樣子
時間的余裕[じかんてきよゆう]
……………………………………多餘的時間、空間
（時間的余裕がある ……不忙 ）
出がけに[で(がけに)]……………出門時、外出時
さて ……………………………………………………且說
迷う[まよ(う)]…………………………………猶豫、迷失
結局は[けっきょく(は)]……………結果、最後
気分[きぶん]…………………………………情緒、心情
選ぶ[えら(ぶ)]…………………………………………選擇

■会話文Ⅰ

知人同士[ちじんどうし]…………………熟人之間
まあまあ ……………………………普通、馬馬虎虎
一本[いっぽん]…………………………………一班（車）
とばす ………………………………………省略、跳過
ただ ……………………………………………只是、不過
いためる ……………………………………受傷、傷害
言ってらした[い(ってらした)]
……………………………………………您說過（敬語）
たしかに ………………………………………………的確
楽しい[たの(しい)]……………………愉快的、快樂的
乗り物[の(り)もの]………………………交通工具
絶対に～ない[ぜったい(に～ない)]………絕不～
かなりの年[(かなりの)とし]…………年紀相當大
仕方ありません[しかた(ありません)]
…………………………………………………沒辦法
そういえば ………………………………經你這麼一提
お年寄り[(お)としよ(り)]…………………老年人
交通渋滞[こうつうじゅうたい]…………交通阻塞
まきこまれる ……………………………被捲入、被扯入

■会話文Ⅱ

結婚直前[けっこんちょくぜん]
………………………………………………結婚在即
離陸する[りりく(する)]…………………………起飛
耳[みみ]…………………………………………………耳朵
キーンとして …………………………………………耳鳴
新婚旅行[しんこんりょこう]……………蜜月旅行
海外[かいがい]…………………………………………國外
船[ふね]…………………………………………………船
一生に一度[いっしょう(に)いちど]
……………………………………………………一輩子一次
休暇[きゅうか]…………………………………假期、休假
船に酔う[ふね(に)よ(う)]……………………暈船
おぼれかける ……………………………………差點淹死

国内［こくない］……………………………………國內
鉄道［てつどう］……………………………………鐵路
飛行機ぎらい［ひこうき(ぎらい)］……………………對飛機沒好感、討厭飛機
海ぎらい［うみ(ぎらい)］…………對海沒好感、討厭海
愛［あい］……………………………………愛
すべて……………………………………全部、一切
可能［かのう］……………………………………可能
うふっ……………………………………噗哧（一笑）

■本文

●朝夕は……ということである

在本句中，「ということである」與「～だそうだ」的意思相近。〈我聽說；我了解〉雖然在本句的前一個句子，有著完全不同的意思：〈實際上我所注意到的是……〉或〈實際上我被……嚇到〉。

●デパートに通う

「通う」通常是指去上班的這個動作。可是也被用在指去經常喜歡去或拜訪的地方。例如：「彼女の家に通う」〈他常去拜訪他女朋友的家。〉

●いわば

這個片語引導出（略帶誇張）下面的語句。意思是〈從某種意義上來說……〉。

●人／物

「ひと」是指人們而不指個人。作者在後面句子中用「もの」指個人，表〈在地面上蛇行的人〉。

●……ほどの年でもない

本句相當於「ほどの年よりではない」〈沒那麼老〉。「も」在本段落中，與下一個句子「階段もややつらい」中的「も」意思相同，而且連接兩個否定「ない」成一肯定句。

■会話文 I

●時には1本とばしたり……ということも、ないとは言えませんね。

在日文中，取對方說話內容的結尾部分，繼而完成它，是一種很平常的會話技巧。這樣並不會被認爲是不禮貌或冒犯別人。像「ないとは言えません」與「ないこともない」這種雙重否定句，是用在表示說話者間接同意的聲明中。

●いそがしい人は地下鉄ってこと

這句話等於「……という結論になる」〈結論是……〉。

■会話文 II

●一生に一度のことですもの

「ですもの」是女性用語，意思與「だから」相同。

●そうも行かない

〈辦不到。〉意思相當於「～わけには行かない」。

●愛はすべてを可能にする

這是戲劇化的片語，聽起來像是把一句英文慣用句翻譯成日文似的。

文型練習・句型練習

1．……感じることは、……ということである　CD 1 No.11

本文例——地下鉄に乗っていて感じることは、老人がわりあい少ないということである。

㊟観察の結果や感想を述べはじめるときの表現。「感じる」のほかに「気づく」「思う」なども使われる。

練習　例にならって文を作りなさい。

例：地下鉄に乗る、老人が少ない→地下鉄に乗っていて感じることは、老人が少ないということである。

1．町を歩く、服装が洗練された→

2．新聞を読む、広告がふえた→

3．テレビを見る、コマーシャルが変わった→

4．ラジオを聞く、音楽番組がふえた→

1.……**感覺上是**……

正文範例——搭乘地下鐵，感覺上是老年人所佔的比例較少。

(註)開始敘述觀察結果或感想時的表達方式。「感覺」之外，尚可用「發現到」或「認爲」等字。

練習：請依例造句。

例：搭乘地下鐵、老年人很少→搭乘地下鐵，感覺上老年人很少。

1.走在街上、服裝很講究→

2.看報紙、廣告增加了→

3.看電視、廣告已經改變→

4.聽收音機、音樂節目增加了→

老年人持有免費乘車卡

2．……とは……ものである  No.12

> 本文例——しかし、進歩とはつねに疲れるものである。飛行機に乗るためには、なれないうちはかなりの緊張が要求されるし、地下鉄を利用するためには、階段を上り下りする体力が必要である。

㈲ある事態についての判断を示す形。「は」より「とは」を使うと、これから判断文がくる、ということの暗示になる。

練習Ａ　例にならって文を作りなさい。

例：進歩、疲れる→進歩とは、疲れるものである。

1．新しい職場、疲れる→

2．初めての仕事、疲れる→

3．会社づとめ、大変な→

4．管理職、苦しい→

練習Ｂ　練習Ａで作った文のあとに、次の文をつけなさい。Ａの例にはＢが続き、Ａ－１にはＢ－１が続くようにする。

例：かなりの緊張→進歩とは疲れるものである。なれないうちはかなりの緊張が要求される。

1．大変な努力→

2．なれた人の二倍の準備→

3．大変な緊張→

4．精神的な努力→

2.……所謂……就是……

> **正文範例**——然而，所謂進步，往往就是疲憊的代名詞。爲了搭飛機，尙未能適應時必須繃緊神經；爲了搭乘地下鐵，亦得儲備足夠的體力，上下樓梯。

(註)表示對某事態加以判斷的句型。不用「は」而用「とは」來表達，暗示下面會出現判斷句。

練習A　請依例造句。

例：進步、疲憊→所謂進步，也就是疲憊的代名詞。

1.新的工作場所、疲憊→

2.第一次工作、疲憊→

3.在公司上班、辛苦→

4.當主管、辛苦→

練習B　請將下列各句，接於練習A所造各句之後。A的例句之後接上B句，A-1之後接B-1。

例：繃緊神經→所謂進步，也就是疲憊的代名詞。尙未能適應時必須繃緊神經。

1.相當努力→

2.比已適應的人多一倍的準備→

3.緊繃神經→

4.做精神上的努力→

3．……て……ながら……のが好きだ  No.13

> 本文例——バスに乗って町の中の様子を見ながら行くのは好きだが、あまり時間的余裕はない。

(注)「(動詞)のが好き」の練習であるが、同時に「……ながら」を組み合わせてあるので、複雑になっている。本文では、後半との対照のため「……のは好きだが」となっているが、この練習では後半は切り捨てたので、「が」を用いる。

練習A　例にならって文を作りなさい。

例：町の中の様子を見る、行く→<u>町の中の様子を見ながら行く</u>のが好きだ。

1．食べる、歩く→

2．話す、歩く→

3．飲む、新聞を読む→

4．音楽を聞く、運転する→

練習B　例にならって、練習Aで作った文の前に「……て」をつけて言いなさい。

例：バスに乗る→<u>バスに乗って</u>、町の中の様子を見ながら行くのが好きだ。

1．アイスクリームを買う→

2．友達と待ち合わせる→

3．コーヒーを入れる→

4．ラジオをつける→

練習C　練習Bで作った文の「……のが好きだ」を「のは好きだが」と変え、そのあとの部分を考えて言ってみなさい。以下に一例を示す。

例：時間的余裕がない→バスに乗って町の中の様子を見ながら行くのは好きだが、<u>時間的余裕がない</u>。

1．人通りの多いところではできない→

2．好きな友達にかぎる→

3．朝は時間がない→

4．楽しい曲にかぎる→

3.喜歡一邊……一邊……

> **正文範例**——喜歡搭著巴士<u>一邊</u>瀏覽街景，<u>一邊</u>前行，但沒有多餘的時間。

（註）是「喜歡（＋動詞）」這種句型的練習。加上「一邊……一邊……」的形式，所以變得較爲複雜。正文因爲和後半部分的句子形成對比，所以用「……の<u>は</u>すきだが」的形式，本練習因爲省去後半部，所以改用「が」。

練習A　請依例造句。

例：瀏覽街景、前行→喜歡一邊<u>瀏覽街景</u>一邊前行。

1.吃、走→

2.說、走→

3.喝、看報→

4.聽音樂、開車→

練習B　請依例，在練習A所造的句子之前加上「……て」的形式練習說說看。

例：搭巴士→喜歡搭著巴士，一邊瀏覽街景一邊前行
1.買冰淇淋→
2.和朋友會合→
3.泡咖啡→
4.打開收音機→

練習C 請將練習B所造的句子中的「……のがすきだ」改成「のはすきだが」，想想該如何完成後半句，試著說說看。下面是例句。

例：沒有多餘的時間→喜歡搭著巴士一邊瀏覽街景一邊前行，但沒有多餘的時間。
1.在來往行人很多的地方辦不到→
2.僅限於好友→
3.早上沒有時間→
4.僅限於輕快的曲子→

ディスコース練習・對話練習

1.会話文 I より CD 1 No.14

A：……って、……じゃありませんね。
B：ええ。
A：……と違って、……し……。
B：ええ、そうですね。

練習の目的：Aはある事物についてまず判断を下し、Bがあいづちを打ったあと、他の物と対比させて理由を説明する。Bはこれに賛成する。

練習の方法：基本型の下線の部分を入れかえる。

〈基本型〉

A：(1)地下鉄って、あまり楽しい(2)乗り物じゃありませんね。
B：ええ。
A：(3)バスと違って、(4)外が見えないし……。
B：ええ、そうですね。

入れかえ語句

1．(1)新聞 (2)読み物 (3)雑誌 (4)絵が少ない
2．(1)警官 (2)仕事 (3)ほかの仕事 (4)人にきらわれることが多い
3．(1)コーヒー (2)飲み物 (3)ビール (4)酔わない

1.取材自會話 I

A：……這玩意兒，不是……哪！
B：嗯。
A：……和……不同……。
B：嗯，說的也是。

練習目的：A對某事物先下定論，B附和後，拿其他東西與之相較，並說明理由。B表示贊成。
練習方法：代換基本句型的畫線部分。

〈基本句型〉
A：(1)地下鐵這玩意兒，的確不是什麼有趣的(2)交通工具哪！
B：嗯
A：(3)地下鐵和巴士不同，(4)無法眺望窗外……。
B：嗯，說的也是。

代換語句
1.(1)報紙　(2)讀物　(3)雜誌　(4)圖片少
2.(1)警察　(2)工作　(3)其他工作　(4)常惹人討厭
3.(1)咖啡　(2)飲料　(3)啤酒　(4)不會醉

2.会話文IIより  No.15

A：じつは……んです。
B：だって、……ませんよ。……たりしませんよ。
A：でも……んです。……て。

練習の目的：Aが何かの提案について理由をつけて反対する。Bはその理由は不当であると却下する。Aはさらに反対の理由を付加する。

練習の方法：基本型の下線の部分を入れかえる。

〈基本型〉
A：じつはわたし、(1)船に酔うんです。
B：だって、(2)大きな船だから、酔ったりしませんよ。
A：でも、だめなんです。(3)子供のとき、おぼれかけたことがあって。

(注)この形は知人の間で使われるていねいな話しかた。友人間なら会話文IIのような文末を用いる。

入れかえ語句
1.(パーティでスピーチを頼まれてことわる)
(1)あがってしまう　(2)小さなパーティだから、あがったり　(3)声がふるえてしまって
2.(山登りをさそわれてことわる)
(1)あまり歩けない　(2)途中までバスだから、あまり歩いたり　(3)山はこわくて
3.(夕食にさそわれてことわる)
(1)食事制限をしてる　(2)ほんの少しだから、ふとったり　(3)すぐふとる体質らしくて

2.取材自會話II

A：老實說，是因爲……。 B：因爲……，不會的。……不會……的。 A：但是……。因爲……。

練習目的：A對某個提案，提出理由加以反對。B認爲理由不當而將其駁回，並說明反對理由。

練習方法：代換基本句型的畫線部分。

〈基本句型〉

A：事實上，是因爲我會(1)暈船。

B：是坐(2)大船，所以不會暈船的。

A：但，還是怕。(3)因爲小時候差點淹死。

(註)這是彼此認識的人所使用的鄭重表達方式。如果是熟朋友間的對話，則將採用像會話II那樣的句尾形式。

代換語句

1.（婉拒別人請你在酒會上致詞）

(1)會怯場　(2)因爲是小型酒會。會怯場　(3)聲音會發抖

2.（婉拒別人邀請你去登山）

(1)不太能走　(2)有一半的路程搭巴士，不太需要走路　(3)對山有恐懼感

3.（婉拒別人邀請你共進晚餐）

(1)正在節食當中　(2)份量很少，不會胖的　(3)好像是容易發胖的體質

漢字熟語練習・漢字詞彙練習

1．地(地下鉄、地上、地球)

地方[ちほう]……地方、地區
地域[ちいき]……區域、地區
地区[ちく]……地區、區域
地帯[ちたい]……地帶
地理[ちり]……地理
地上[ちじょう]……地面上
地下[ちか]……地底下
地下鉄[ちかてつ]……地下鐵
地図[ちず]……地圖
地球[ちきゅう]……地球
地位[ちい]……地位
地震[じしん]……地震
土地[とち]……土地
団地[だんち]……社區
各地[かくち]……各地（方）
空地[あきち]……空地
～地（住宅地）[～ち（じゅうたくち）]……～地

2．下(地下鉄、地下)

下車する[げしゃ（する）]……下車
下宿する[げしゅく（する）]……住宿、租屋
下旬[げじゅん]……下旬
以下[いか]……以下
地下[ちか]……地下
地下鉄[ちかてつ]……地下鐵
上下（する）[じょうげ（する）]……上上下下
目下[もっか]……目前
部下[ぶか]……部下、部屬
廊下[ろうか]……走廊
下りる[お（りる）]……下車
下ろす[お（ろす）]……卸下
下さる[くだ（さる）]……給（敬語）
下げる[さ（げる）]……降低

下着[したぎ]……………………………………內衣褲
下り[くだ（り）] ………………………下降、下鄉

3．通(通勤、通う、交通)
通信（する）[つうしん（する）]
……………………………………………通信、通訊
通勤（する）[つうきん（する）]…………上下班
通勤客[つうきんきゃく]………………上下班的人
通学（する）[つうがく（する）] …………通學
通知する[つうち（する）] ……………………通知
通帳[つうちょう]……………………………………存摺
通産省[つうさんしょう]
……………………………………………通商產業部
交通[こうつう]…………………………………交通
交通事故[こうつうじこ]…………交通事故、車禍
普通（の）[ふつう（の）] ……………………普通
通じる[つう（じる）]
……………………………………………通曉、暢通
通る[とお（る）] ……………………………………通過
～通り(従来通り)[～とおり(じゅうらいどおり)]
………………………………照～的樣子（照舊）
通う[かよ（う）]
……………………………………………通行、往來

4．間(時間、中間、人間)
間接[かんせつ]…………………………………間接
間隔[かんかく]…………………………………間隔
時間[じかん]……………………………………時間
期間[きかん]……………………………………期間
中間[ちゅうかん]………………………………中間
週間[しゅうかん]……………………………週、星期
年間[ねんかん]……………………………年、全年
夜間[やかん]……………………………………夜間
民間（の）[みんかん（の）] …………………民間
人間[にんげん]…………………………………人類、人
世間[せけん]……………………………世界上、社會上
間[あいだ、ま]……………………………之間、間隔
間に合う[ま（に）あ（う）]
……………………………………………來得及、趕得上
間違い[まちが（い）] …………………………錯誤
手間[てま]………………（工作所需）時間、勞力
仲間[なかま]……………………………………伙伴
昼間[ひるま]……………………………………白天
茶の間[ちゃ（の）ま] ………………飯廳、起居室

5．利(便利、利用)
利益[りえき]……………………………………利益
利用（する）[りよう（する）]
……………………………………………………利用
利子[りし]………………………………………利息
利息[りそく]……………………………………利息
権利[けんり]……………………………………權利
便利（な）[べんり（な）] ……………便利、方便
勝利[しょうり]…………………………………勝利
有利（な）[ゆうり（な）] ……………有利（的）
不利（な）[ふり（な）] ………………不力（的）
利く[き（く）] ……………………………………有效

6．二(二次元)
二[に]………………………………………………二
二重[にじゅう、ふたえ]………………二層、雙重
二～(二度)[に～(にど)] …………二～（兩次）
二分の一[にぶん（の）いち]……………二分之一
二月[にがつ]……………………………………二月
二カ月[に（か）げつ]………………………兩個月
一石二鳥[いっせきにちょう]
………………………………一舉兩得、一箭雙雕
二つ[ふた（つ）] ………………………………兩個
二人[ふたり]………………………………二人、兩個人
二日[ふつか]……………………………二號、二日
二十日[はつか]……………………二十號、二十日

7．進(進歩、進出する)
進歩（する）[しんぽ（する）] ………………進步
進出（する）[しんしゅつ（する）]……擴張勢力
進行（する）[しんこう（する）]
……………………………………………………進行
促進（する）[そくしん（する）] ……………促進
先進国[せんしんこく]…………………………先進國家
前進（する）[ぜんしん（する）] ……………前進
進む[すす（む）] ………………………前進、進展
進める[すす（める）]
……………………………………………使前進、推動

8．行(飛行機、行く)
行動（する）[こうどう（する）]
……………………………………………………行動
行進（する）[こうしん（する）] ……行進、遊行
行為[こうい]……………………………………行爲
行使（する）[こうし（する）] ………………行使

行政[ぎょうせい] ……………………………行政
行事[ぎょうじ] ……………………………例行活動
行列[ぎょうれつ] …………………………行列、隊伍
銀行[ぎんこう] ……………………………銀行
実行（する）[じっさい（する)]
……………………………………………實行
旅行（する）[りょこう（する)] ………旅行
急行[きゅうこう] …………………………快車
飛行機[ひこうき] …………………………飛機
代行（する）[だいこう（する)]
……………………………………代爲執行、代理
暴行[ぼうこう] …………………………暴行、強暴
行く[い（く)] ……………………………前往、去
行う[おこな（う)]
……………………………舉行、做、實行、進行
行方[ゆくえ] ……………………………行蹤、去向

9．必(必要)

必要（な）[ひつよう（な)] …………必要（的）
必然（の）[ひつぜん（の)] …………必然（的）
必死（の）[ひっし（の)] ……………拼命（的）
必ず[かなら（ず)] ……………………一定、當然

10．要(必要、要求する)

要求（する）[ようきゅう（する)]……要求、需要
要請（する）[ようせい（する)]
……………………………………請求、要求
要因[よういん] ……………………要素、主要原因
要旨[ようし] ……………………………要旨、要點
要望（する）[ようぼう（する)] ……希望、要求
要領[ようりょう] …………………………要領
重要（な）[じゅうよう（な)] ………重要（的）
必要（な）[ひつよう（な)] …………必要（的）
主要（な）[しゅよう（な)] …………主要（的）
需要[じゅよう] ……………………………需要
要る[い（る)]……………………………要、需要

11．気(元気、気分)

気温[きおん] ……………………………氣溫
気候[きこう] ……………………………氣候
気象庁[きしょうちょう]
……………………………………………氣象局
気圧[きあつ] ……………………………氣壓
気分[きぶん] ……………………………心情、氣氛
電気[でんき] ……………………………電、電燈
空気[くうき] ……………………………空氣
人気[にんき] ……………………………聲望、人緣
景気[けいき] ……………………………景氣
元気（な）[げんき（な)]
……………………………………精神、有精神的
病気[びょうき] …………………………生病、疾病
気がつく、気づく[き（がつく)、き（づく)]
……………………………………注意到、發覺
気持ち[きも（ち)]………………………心情、心境

12．中(中間)

中[ちゅう、なか] ………………………中間
中心[ちゅうしん] ………………………中心、核心
中央[ちゅうおう] ………………………中央、中心
中学[ちゅうがく] ………………………初中、國中
中小企業[ちゅうしょうきぎょう]
……………………………………………中小企業
中止（する）[ちゅうし（する)] ……………中止
中旬[ちゅうじゅん]
……………………………………………中旬
中年[ちゅうねん]
……………………………………………中年
中立[ちゅうりつ] ………………………………中立
中間[ちゅうかん] ………………………………中間
中継（する）[ちゅうけい（する)]
……………………………………………轉播
中毒（する）[ちゅうどく（する)]……………中毒
中元[ちゅうげん] ……………中元節、中元節禮品
中古[ちゅうこ、ちゅうぶる]
……………………………………………中古、二手
途中[とちゅう] …………………………中途、途中
集中(する)[しゅうちゅう(する)] ……………集中
日中[にっちゅう]
……………………………日本和中國、一天之中
～中（午前中）[～ちゅう（ごぜんちゅう)]
……………………………在～之中（中午以前）
～中（会議中）[～ちゅう（かいぎちゅう)]
……………………………在～之中（開會中）
～中（世界中）[～じゅう（せかいじゅう)]
……………………………整個～（全世界）
中（家の中）[なか（いえのなか)]
……………………………………………中（家中）

夜中[よなか]……………………………………半夜
中国[ちゅうごく]………………………………中國

■漢字詞彙複習

1．このへんで下車して歩いて行きましょう。
2．通学の途中で交通事故にあった。
3．この地域は地震が多いそうだ。
4．会議中だったので、しばらく廊下で待たされた。
5．この駅は普通電車は止まるが、急行は止まらない。
6．景気が悪いので大きな利益は期待できない。
7．一週間に二度通うことになった。
8．通勤には地下鉄を利用している。
9．飛行機で旅行する人が多くなった。
10．気象庁の話では二日から天気が悪くなるそうだ。
11．銀行の前に行列ができている。
12．部下が二人病気になったので、いそがしい。
13．茶の間の中心は小さな子供だ。
14．交通は便利だが空気がよごれている。
15．夜間には気温が下がる。
16．その行事は中止になった。
17．行政機関が中央に集中している。
18．来月の中旬にまた来ます。
19．彼は重要な地位についたそうだ。
20．電気の需要が多くなった。

1.在這邊下車走路去吧！
2.上學途中發生車禍。
3.聽說這一帶常發生地震。
4.因爲正在開會，只好在走廊上等了片刻。
5.這一站只停普通車，不停快車。
6.因爲不景氣，所以別奢望能大發利市。
7.一個禮拜往返兩次。
8.搭乘地下鐵上下班。
9.搭飛機旅遊的人逐漸增加。
10.根據氣象局報導，自二號起天氣開始轉壞。
11.銀行前面大排長龍。
12.因爲有兩個部屬生病，所以很忙。
13.在飯廳正中央的是一個小孩子。
14.交通雖然便利，但空氣不佳。
15.夜間氣溫下降。
16.那項活動已經停辦了。
17.行政機構集中於首都。
18.下個月中旬還會再來。
19.聽說他升任要職。
20.需要的電量增加了。

東京月台前面混亂的景象

応用読解練習・應用閱讀練習

1 街を知るには絶対脱モグラ派

2 パリに限らず、外国に行くととたんに私は脱モグラになってしまう。地下鉄(メトロ)が便利なのは十分わかっているが、もったいなくてなかなか地下にもぐる気がしなくなるのだ。もちろん急いでいる時は一番確実で速いから素直にお世話になるけれど、そうじゃない限りは頑張ってバスに乗る。あるいは歩く。

「頑張って」と大ゲサなことを言ったのには理由がある。バスは路線図の読み方が地下鉄より複雑だし、どの線とどの線が接続しているのかちゃんと確認しないとわからない。それに、地下鉄の駅と違ってうっかりしていると降りたいバス停留所も見逃してしまうことになるので、利用するにはかなり覚悟がいるのだ。

それでも、間違いに気づいたら即降りて、大部分の路線では反対側を走ってるはずの同じ番号のバスに乗って戻ってくればいいわけで、それほどとんでもない場所に連れて行かれはしない。

「CAT」(1989.5月号)

旅の思い出は私好みのポストカード

地球をひとっぱしり！ 2 佐藤友紀

夏の大バカンスシーズン以外は、いつ行っても、オペラ、バレエ、芝居、映画、コンサート、美術展……と必ず何かしらやっているパリ。たとえば、シャトレの噴水をはさみ、かたやシャトレ座ではベジャール・バレエ団が公演してるかと思えば、向かい側のテアトル・ド・ラ・ビルではピナ・バウシュのブッパタール舞踊団が公演中という具合。これはっかりは、近頃金持ちになった日本でもまだまだかなわない。

それに、すっかり団体客が増えてしまった最近のブロードウェイ・ミュージカルとも違って、あくまで個人で見に来ている客が多いというのもあの街っぽくていい。

今年は革命[illegible]年とバスチーユの新オペラ座の完成もあって、様々なイベントや公演が目白押しで、もう七月までホテルも満員、などという話も耳にするけれど、なあにパリは逃げて行かないさ、なんて半分負け惜しみですね、これは。

1 街を知るには絶対脱モグラ派

根っからパリ好きの知人などは「パリに来たらやっぱり何はさておいてシャンゼリゼに行ってしまうの」と言うが、私は逆だ。常宿がセーヌ川左岸のサンジェルマン・デプレにあるせいか、はっと気がつくと一週間や一カ月の滞在中にも一回もシャンゼリゼに行ってない、なんてこともある。もっとも凱旋門からコンコルド広場、そしてルーブル美術館に続く一本の道は、左岸にいても何かと必ず視界に入ってくるけれど。

▲映画「フランティック」の監督ロマン・ポランスキーがステージで主演したカフカ原作、「変身」のポストカード

2 パリに限らず、外国へ行くととたんに私は脱モグラになってしまう。地下鉄が便利なのは十分わかっているが、もったいなくてなかなか地下にもぐる気がしなくなるのだ。もちろん急いでいる時は一番確実で速いから素直にお世話になるけれど、そうじゃない限りは頑張ってバスに乗る。あるいは歩く。

「頑張って」と大ゲサなことを言ったのには理由がある。バスは路線図の読み方が地下鉄よりも複雑だし、どの線とどの線が接続しているのかちゃんと確認しないとわからない。それに、地下鉄の駅と違ってうっかりしていると降りたいバス停留所も見逃してしまうことになるので、利用するにはかなり覚悟がいるのだ。

それでも、間違いに気づいたら即降りて、大部分の路線では反対側を走ってるはずの同じ番号のバスに乗って戻ってくればいいわけで、それほどとんでもない場所に連れて行かれはしない。

有効期間一週間からの定期カルト・ランジュを購入すればバスも地下鉄も乗り放題だから、もっぱらタダの感覚でパリ観光を楽しめるのはケチな人間にはピッタリ。なお付け加えれば、地下鉄だけの時は点と点でしかなかったいろいろな地名がちゃんと線でつながるのも地上派のメリットだ。

■字彙表

1

街[まち] ……………………………………街道、城市
絶対[ぜったい] ……………………………………絕對
脱モグラ派[だつ(モグラ)は]
非鼴鼠族。作者新造之詞。指不像鼴鼠那樣專門往地下鑽搭地鐵的人而言。

2

～に限らず[(～に)かぎ(らず)]
……………………………………………………不限於～
～とたんに ……………………………………一～就～
メトロ ………………………………(巴黎的）地下鐵
便利[べんり] ……………………………………方便
もったいない ……………………………………可惜
地下にもぐる[ちか(にもぐる)]
……………………………………………………鑽到地下
～気がしない[(～)き(がしない)]
………………………………………不想～、無意～
急いでいる[いそ(いでいる)] ………………趕時間
一番確実で速い[いちばんかくじつ(で)はや(い)]
……………………………………………最可靠又快速
素直に[すなお(に)]
………………………………………老老實實、乖乖地
お世話になる[(お)せわ(になる)]
…………………………受到照顧（這裡指搭地鐵）
そうじゃない限り[(そうじゃない)かぎり]
……………………………………………………除非如此
頑張って[がんば(って)] …………鼓起勇氣、努力
大ゲサ[おお(ゲサ)] ……………誇張、誇大其詞
理由[りゆう] ……………………………………理由
路線図[ろせんず] ………………………………路線圖
複雑[ふくざつ] …………………………………複雜
線[せん] …………………………………………路線
接続している[せつぞく(している)]
…………………………………………連接、銜接
ちゃんと確認しないと[(ちゃんと)かくにん(しないと)] ………………………………如不詳加確認
～と違って[(～と)ちが(って)] ………和～不同
うっかりしていると
……………………………………………………一不小心
降りたいバス停留所[お(りたいバス)ていりゅうじょ] ……………………………想下車的巴士站牌
見逃してしまう[みのが(してしまう)]
…………………………………………看漏、錯過
利用するには[りよう(するには)]
……………………………………………………利用時
覚悟がいる[かくご(がいる)]
…………………………………………必須有心理準備
気づく[き(づく)] …………………注意到、發現
即[そく] …………………………………………立刻
大部分の路線[だいぶぶん(の)ろせん]
……………………………………………大部分的路線
反対側[はんたいがわ]
…………………………………………對面、對街
はず ………………………………………應該、理應
同じ番号[おな(じ)ばんごう]……………相同號碼
戻ってくる[もど(ってくる)]…………回來、折回
～わけで …………………………………………因爲～
とんでもない場所[(とんでもない)ばしょ]
………………………………………意想不到的地方
連れて行かれはしない[つ(れて)い(かれはしない)]
不至於被帶到～（「行かれはしない」是「行かれない」的強調形）

■應用閱讀練習翻譯

1

要認識街道，一定得當非鼴鼠族！！

2

不僅限於巴黎，只要一到國外，我就成爲非鼴鼠族。雖然相當瞭解地鐵的方便，但總覺得很可惜，而不想往地下鑽。當然，趕時間的時候，由於地鐵最可靠速度又快，我會乖乖地接受它的服務，不過除非如此，還是會鼓起勇氣坐公車或步行。

我誇大其詞說「鼓起勇氣」是有理由的。看公車路線圖要比地下鐵來得複雜，不仔細確認哪一條和哪一路銜接，就會一頭霧水。而且，和地鐵車站不同，一不小心就會錯過該下車的巴士站牌，因此搭公車，要有相當的心理準備。

儘管如此，一發現不對勁立刻下車，大部分的路線只要改搭應該會行駛於對面的相同號碼的巴士往回走即可，因此不至於被載到太離譜的地方。

電動扶梯載送旅客上街

レッスン 3　早く早く！

本文・正文　CD 1 No.16

書店の店内にさまざまな雑誌が並んでいる。月刊誌、週刊誌、季刊誌。とくに多いのは月刊誌であるが、たいてい実際より早く出る。十月号が出るのは十月でなくて九月である。時には八月のうちに出たりする。中の記事はすべて十月にふさわしい記事である。「十月の料理」「秋のおしゃれ」「スポーツの秋」「読書の秋」等々。読み終わって目をあげると、真夏の太陽がギラギラと光っている。

テレビのコマーシャルも早め早めに出る。まだ暑いうちから、「そろそろ寒くなりますから、暖房器具のご用意を」と呼びかける。正月がすぎるとひな人形の宣伝が始まる。マスコミが四季の移りかわりを早め早めに教えている。現実の季節とマスコミの季節と、二つの季節を同時に経験する生活は、精神的にいそがしく、疲れる。

ある心理学者の調査によると、母親が幼児に対して使う言葉で最も頻度が高いのは、「早く」だそうである。「早く起きなさい」「早く食べなさい」「早く着がえて」「早く帰るんですよ」と母親は幼児をせき立てる。

今や幼児だけでなく成人まで、マスコミの「早く早く」にせき立てられて生活している。「急がないで、ゆっくり」という声を聞くことはあまりにも少ない。早く次の季節の準備をし、早く仕事をし、早くレジャーの予約をしているうちに、早く死んでしまうのではなかろうか。死んであの世へ行ってはじめて、「どうぞごゆっくり」と言ってもらえるのだろうか。

■正文翻譯

趕快！趕快！

書店裡陳列著各門各類的雜誌。有月刊、週刊、季刊。特別以月刊爲多，其出刊大抵要比實際來得早。十月號的刊物，不是十月出刊，而是在九月，偶爾也在八月中旬即已上市。內容都是有關十月份的話題。像「十月食譜」、秋季流行訊息」「運動的季節——秋季」、「秋天才是讀書天」等等。翻閱之後，抬頭一望，夏日豔陽依然炫目耀眼。

電視上的廣告，亦提早登場。打從炎夏期間便開始呼籲：「寒冬將至，該開始準備暖氣設備了。」新年甫過，隨即開始宣傳女兒節擺飾的日本娃娃。大眾傳播媒體總是迫不及待地傳送四季遞嬗的訊息。生活上，必須同時感受現實與大眾傳播上兩種不同季節的存在，無異是種精神上的疲勞轟炸。

根據某心理學家的調查指出，母親對孩童所說的話當中，使用頻率最高的，據說是「趕快！」一詞。例如催促小孩「趕快起床！」、「趕快吃！」、「趕快換衣服！」、「趕快回家！」等等。

而今，不只是小孩，連大人都在傳播媒體的催促聲中，過著「趕快！趕快！」的生活。「別急，慢慢來！」之類的話，已鮮少聽到。在「趕快爲下一季做準備」、「趕快工作」、「趕快預約休閒活動」的快步調生活中，不是也會死得比較快嗎？大概要等到死後，去了另一個世界，才能再聽到「請慢慢來」之類的話語吧？

会話（かいわ）・會話

■会話文Ⅰ CD 1 No.17

知人（ちじん）の会話。電車（でんしゃ）のプラット・ホームで出会（であ）った男女（だんじょ）。Aは男（おとこ）、Bは女（おんな）。

A：それ、何（なん）の雑誌（ざっし）ですか。

B：あ、これ、料理（りょうり）の雑誌です。

A：おいしそうな料理の写真（しゃしん）がたくさんのってますね。

B：ええ、きれいでしょう？

A：十一月（じゅういちがつ）の料理——え、まだ九月（く）の終（お）わりじゃありませんか。

B：そうですね。でも、雑誌ってみんな早（はや）く出（で）ますからね。

A：それにしても、ちょっと早すぎますね。

B：そうですね。

A：あまり早いと、実際と合わないんじゃないでしょうか。

B：そうですね。おしゃれの記事なんか、変に感じることありますよ。

A：たとえば？

B：少し涼しくなったと思うころ、毛皮のコートの写真がのっていたり。

A：なんだか宣伝にせき立てられてるみたいですね。

B：ええ、テレビのコマーシャルもそうですものね。

A：そうそう*、お母さんが小さい子供に言う言葉で、一番よく使うの、何だと思いますか。

B：さあ……

A：「早く」だそうです。

B：そう言えば*、母親ってよく小さい子供に「早く早く」って言いますね。

A：ぼくも子供のころよく言われたと思いますよ。

B：わたしたち、子供のころからせき立てられるのになれてるのかもしれませんね。

A：そうですね。あ、電車が来ました。

B：いまにアナウンスがありますよ、「お早くお乗り下さい」って。

A：そうですね。急ぎましょう。

■會話 I

熟人間的會話。在電車月台上邂逅的男女。A是男性，B是女性。

A：那是什麼雜誌？

B：啊！這是烹飪雜誌。

A：照片蠻多的，看起來好像很好吃哩！

B：嗯，很吸引人吧！

A：十一月的食譜。咦，不是才九月底嗎？

B：是啊，不過，雜誌一般都很早出刊。

A：雖然如此，不過還是早了一點吧！

B：的確。

A：太早的話，不是會跟現實脫節嗎？

B：說的也是。像服飾方面的報導，有時覺得好奇怪喔！

A：比如說？

B：才清涼初透，毛皮大衣的照片便紛紛登場……。

A：總覺得好像被宣傳逼快腳步似的。

B：嗯，電視上的廣告也差不多是如此。

A：對了，妳猜，母親對小孩說話時，最常說的是哪一句？

B：嗯……。

A：據說是「趕快」！

B：聽你這麼一說，做母親的確實常催促小孩「趕快！趕快！」。

A：我想，我小時候大概也常被催促。

B：也許我們從小就被催促，已經習慣了。

A：的確。啊，電車來了。

B：現在就可以聽到播音：「請趕快上車！」

A：是啊，咱們還是趕快上車吧！

■会話文II CD 1 No.18

夫婦の会話。それぞれ新聞を読んでいる。

妻：あら、これ、見て。

夫：なに。

妻：これ、これ。

夫：この冬の暖房器具、お買いどく……。

妻：ええ。

夫：まだ涼しくなったばかりじゃないか。

妻：でも、もういろんな冬のもの宣伝してるわ。テレビなんかもっと前からよ。

夫：冬はまだまだ先だよ。

妻：でも、早く買っておいてもいいじゃない、くさる物じゃないんですもの。

夫：そりゃそうだけど、あとになったら、もっと安くなるかもしれないよ。

妻：安くなるかもしれないけど、いい物がなくなってしまうかもしれないわ。

夫：この前もそう言ってワンピース買って、あとで安くなったといってがっかりしてたじゃないか。

妻：あれは例外よ。

夫：とにかく、宣伝にのせられる*のは損だよ。もう少し待とうよ。

妻：急に寒くなったらどうするの。

夫：そのときはがまんするさ。

妻：そう。じゃ、厚いセーターでも買っておこうかしら。

夫：ぼくもほしいな。

妻：いえ、がまん強い人*はいらないでしょ。

■會話II

夫妻間的對話。兩人正在看報紙。

妻：咦，你看這個！

夫：什麼？

妻：這個、這個。

夫：今冬暖氣特賣……。

妻：嗯。

夫：不是才剛入秋嗎？

妻：可是，冬季用品已經開始宣傳廣告了。電視上的廣告更早哩！

夫：冬天還早得很嘛！

妻：不過，及早購買有什麼關係？又不是會壞掉！

夫：說的是沒錯，可是再過一陣子，也許更便宜也說不定呀！

妻：或許比較便宜，但好貨恐怕會被搶購一空。

夫：記得妳上次也這麼說。買了一件洋裝，後來降價才懊惱不已！

妻：那次是例外！

夫：總之，太相信廣告可會吃虧的，還是再等一陣子吧！

妻：萬一突然變冷了，怎麼辦？
夫：那時我會忍耐的。
妻：是嗎？那麼我該預先買件厚毛衣備用吧！
夫：我也想要一件。
妻：免啦，有耐力的人應該用不著吧！

単語のまとめ・單字總整理

■本文

書店［しょてん］……………………………書店、書局
店内［てんない］……………………………店裡、店內
さまざまな……………………各式各樣、各種各類
雑誌［ざっし］…………………………………雜誌
並んでいる［なら（んでいる）］
……………………………………………排列著
月刊誌［げっかんし］……………………月刊雜誌
週間誌［しゅうかんし］…………………週刊雜誌
季刊誌［きかんし］
…………………………………………季刊雜誌
実際より早く［じっさい（より）はや（く）］
………………………………比實際（時間）早
十月号［じゅうがつごう］…………十月號（刊物）
記事［きじ］……………………文章、消息、報導
ふさわしい………………………適合的、相稱的
料理［りょうり］………………烹飪、做菜、菜餚
秋のおしゃれ［あき（のおしゃれ）］
…………………………………秋季流行服飾
スポーツの秋［（スポーツの）あき］
……………………………運動的季節——秋季
読書［どくしょ］……………………………讀書
目をあげる［め（をあげる）］
………………………………張開眼睛、舉目
真夏［まなつ］……………………………盛夏、仲夏
太陽［たいよう］……………………………太陽
ギラギラと光る［（ギラギラと）ひか（る）］
…………………………閃閃發光、炫目耀眼
コマーシャル
…………………………………………商業廣告
早め［はや（め）］…………………………提早
暖房器具［だんぼうきぐ］………………暖氣設備
ご用意を［（ご）ようい（を）］
…………………………………………請準備
呼びかける［よ（びかける）］…………………呼籲
正月［しょうがつ］………………………新年、元月
ひな人形［（ひな）にんぎょう］
…………………三月三日女兒節擺飾的日本娃娃
宣伝［せんでん］……………………………宣傳
四季［しき］…………………………………四季
移りかわり［うつ（りかわり）］…………轉變、變遷
現実の季節［げんじつ（の）きせつ］
…………………………………………實際的季節
マスコミの季節［（マスコミの）きせつ］
……………………大眾傳播（宣傳廣告）的季節

同時に［どうじ（に）］……………………………同時
経験する［けいけん（する）］……………體驗、經驗
精神的に［せいしんてき（に）］………………精神上
心理学者［しんりがくしゃ］……………心理學家
調査［ちょうさ］……………………………調查
母親［ははおや］……………………………母親
幼児［ようじ］……………………………幼童、小孩
頻度が高い［ひんど（が）たか（い）］
…………………………………………頻率很高
せき立てる［（せき）た（てる）］………………催促
今や［いま（や）］………………………現今、如今
成人［せいじん］……………………………大人
準備［じゅんび］……………………………準備
レジャー……………………………………休閒、餘暇
予約［よやく］………………………………預定
あの世［（あの）よ］……………………陰間、黃泉

■会話文 I

知人［ちじん］………………………………熟人
それにしても………………………………雖然如此
おしゃれ…………………………裝飾打扮、時髦
毛皮［けがわ］…………………………毛皮、皮革

■会話文II

お買いどく[(お)か(いどく)]……買得便宜、特價
宣伝する[せんでん(する)]……………宣傳、廣告
くさる……………………………………腐壞、爛
この前も[(この)まえ(も)]
……………………………………………上一次也～
ワンピース…………………………………洋裝
例外[れいがい]……………………………例外
～にのせられる…………………………爲～所騙
損[そん]……………………………………吃虧
がまんする…………………………………忍耐
厚い[あつ(い)]……………………………厚的
がまん強い[(がまん)づよ(い)]
………………………………有耐力、耐性強的

ノート・文法註釋

■本文

●ギラギラと

用來形容亮光、強光的照射，例如陽光。而「キラキラ」是描述較小物體所發出的柔光，如星星。

●早め

形容詞的字尾改成「め」時，就帶有〈比平常更……〉的語感。例如：「あとで縮むかもしれないから、大きめのシャツを買った。」〈也許以後會縮水，所以買了寛大一點的襯衫〉。「食物は多めに用意した方がいい、みんな若くて元気だから。」〈最好多準備一些食物，因爲都是一些精力充沛的年輕人。〉

●そろそろ寒くなります

「そろそろ」原意是〈慢慢的、逐漸〉。在此是表示〈寒冷的季節將至〉之意。例如：「もう、そろそろ来るころです。」〈應該快來了。〉

●暖房器具のご用意を

這個句子後面省略了「なさって下さい」或是「なさったらどうですか」。另外，也有省略句尾「して下さい」的句型。例如：「そろそろ出掛ける用意を。」〈該準備出門了。〉

●調査によると

與此同義的表達方式是「調査によれば」及「調査では」。在此不能用「調査により」〈由於調査……〉。

■会話文I

●そうそう

在突然想起什麼事的時候使用。例如：「そうそう、すっかり忘れていた。これ、旅行のおみやげです。」〈哦，對了，差點忘記。這是旅行時買的土產。〉

●そう言えば

當對方的話喚起你的記憶，或是你想到更具體的例子來支撐對方的論調時使用。意思是〈聽你這麼一說……〉。會話I裡出現的是這兩種用法中的第二種。

■会話文II

●～にのせられる

比方太相信廣告之類而採取行動。例如：「友達にのせられて、株を買ってしまったが、後悔している。」〈太相信朋友而購買了股票，如今後悔莫及。〉又例如：「君はのせられやすいから、気をつけろよ。」〈你太容易相信別人，最好小心爲妙！〉

●がまん強い人

指會話中的先生〈有耐力、能忍耐〉而言。以「〜づよい」結尾的詞語尚有「しんぼうづよい」〈有耐性〉及「ねばりづよい」〈有黏性、有耐力〉。

文型練習・句型練習

1．……うちから、…… CD 1 No.19

本文例——まだ暑いうちから、「そろそろ寒くなりますから、暖房器具のご用意を」と呼びかける。

(注) 時期が早すぎる行動を批判的に述べる。「涼しくなる前に」というより、「まだ暑いうちから」と言うほうが、早すぎるという気持ちが出る。練習方法としてはまずAの文を作り、次にBの文を合わせるが、Aの練習をしながら、Bにはどんな語句がくるか考えてみなさい。

練習A 例にならって文を作りなさい。

例：暖房器具→「そろそろ暖房器具のご用意を」と呼びかける。

1．こたつ→
2．ひな人形→
3．冷房器具→
4．受験勉強→

練習B 練習Aで作った文の前に、例にならって次の語句を入れなさい。

例：暑い→まだ暑いうちから、「そろそろ暖房器具のご用意を」と呼びかける。

1．暑い→
2．一月が終わらない→
3．寒さが残っている→
4．幼稚園にかよっている→

1.**打從……期間便開始……**

正文範例——打從炎夏期間便開始呼籲：「寒冬將至，該開始準備暖氣設備了。」

(註) 這個句型是批評〈爲時過早〉。比「涼しくなる前に」〈在天氣轉涼之前〉感覺上更早。
練習方法：首先造A的句子，然後再接上B的句子。做練習A時，邊想想B該怎麼說。
練習A 請依例造句。

例：暖氣設備→呼籲大家：「該開始準備暖氣設備了。」
1.取暖用的被爐→
2.女兒節擺飾的日本娃娃→
3.冷氣設備→
4.升學考試→

練習B 在練習A所造的句子前面，依例添加下列各句。

例：炎熱的→打從炎熱期間便開始呼籲：「寒冬將至，該開始準備暖氣設備了。」
1.炎熱的→
2.一月期間→
3.寒氣猶存→
4.上幼稚園→

2．……で最も……のは、……そうである

No.20

> 本文例——ある心理学者の調査によると、母親が幼児に対して使う言葉で最も頻度が高いのは、「早く」だそうである。

(注)「最も……」の句は「……で」あるいは「…の中で」に続く。「に」を使わぬこと。

練習A 例にならって文を作りなさい。

例：頻度が高い、「早く」→最も頻度が高いのは、「早く」だそうである。
1．頻度が高い、「良い」→
2．人気がある、「愛」→
3．雨量が多い、九月→
4．客の乗り降りが多い、新宿駅→

練習B 練習Aで作った文の前に、例にならって次の語句を入れなさい。

例：母親が幼児に対して使う言葉→母親が幼児に対して使う言葉で最も頻度が高いのは、「早く」だそうである。
1．婦人雑誌の中で使われる言葉→
2．女性が好む漢字の中→
3．一年のうち→
4．全国の駅のうち→

練習C 練習Bで作った文の前に、例にならって語句を入れなさい。

例：ある心理学者→ある心理学者の調査によると、母親が幼児に対して使う言葉で最も頻度が高いのは、「早く」だそうである。
1．ある言語学者→
2．あるテレビ局→
3．気象庁→
4．ＪＲ→

2.……當中，最……的，據說是……

> **正文範例**——根據某心理學家的調查指出，母親對孩童所說的話當中，使用頻率最高的，據說是「趕快！」一詞。

(註)「最も……」〈最……〉通常是接在「……で」或「……の中で」〈……當中〉之後。助詞不用「に」。

練習A 請依例造句。

例：頻率高、「趕快！」→頻率最高的，據說是「趕快！」一詞。

1.頻率高、「良好」→

2.受歡迎、「愛」→

3.雨量多、九月→

4.上下車的乘客很多、新宿車站→

練習B 在練習A所造的句子前面，依例添加下列各句。

例：母親對孩童所說的話當中→母親對孩童所說的話當中，頻率最高的，據說是「趕快」一詞。

1.婦女雜誌中所使用的字眼→

2.女性喜愛的漢字當中→

3.一年當中→

4.全國的車站當中→

練習C 在練習B所造的句子前面，依例添加下列各句。

例：某心理學家→根據某心理學家的調查指出，母親對孩童所說的話當中，頻率最高的，據說是「趕快」一詞。

1.某語言學家→

2.某電視台→

3.氣象局→

ディスコース練習（れんしゅう）・對話練習

1.会話文Ⅰより CD 1 No.21

> A：……ってみんな……からね。
>
> B：それにしても……
>
> A：そうですね。
>
> B：あまり……と、……じゃないでしょうか。

練習の目的（もくてき）：Aが一般的（いっぱんてき）な傾向（けいこう）を述（の）べ、Bはその行（い）きすぎを批判（ひはん）し、予想（よそう）される望（のぞ）ましくない結果（けっか）を述（の）べる。

練習の方法（ほうほう）：基本型（きほんけい）の下線（かせん）の部分（ぶぶん）を入（い）れかえる。

〈基本型〉

A：(1)雑誌（ざっし）ってみんな(2)早（はや）いですからね。

B：それにしても、ちょっと(3)早すぎますね。

A：そうですね。

B：あまり(2)早いと、(4)実際（じっさい）に合（あ）わないんじゃないでしょうか。

入れかえ語句

1．⑴辞書　⑵字が小さい　⑶小さすぎます　⑷目に悪い

2．⑴宣伝　⑵大げさ　⑶大げさすぎます　⑷事実と違ってしまう［Bの⑵は「大げさだ」］

3．⑴親　⑵子供に甘い　⑶甘すぎます　⑷子供のためにならない

4．⑴政治家　⑵年寄り　⑶年をとりすぎています　⑷いい政治はできない［Bの⑵は「年寄りだ」］

1.取材自會話Ⅰ

> A：……一般都……的。
> B：雖然如此……。
> A：的確。
> B：太……，不是會……？

練習目的：A敘述一般情況，而B則批評操之過急，提出可以想見的不良後果。

練習方法：代換基本句型的畫線部分。

〈基本句型〉

A：(1)雜誌一般都(2)提早出刊的。

B：雖然如此，還是(3)早了一點吧！

A：的確。

B：太(2)早的話，不是會(4)跟現實脫節嗎？

代換語句

1.(1)辭典　(2)字很小　(3)太小　(4)傷害眼睛

2.(1)宣傳　(2)誇張　(3)太誇張　(4)和事實不符〔B的(2)是「大げさだ」〕

3.(1)父母親　(2)寵小孩　(3)太寵　(4)反而對小孩不好

4.(1)政治家　(2)年紀大　(3)年紀太大　(4)無法把政治搞好〔B的(2)是「年寄りだ」〕

2.会話文Ⅱより  No.22

> A：……はまだまだ先ですよ。
> B：でも、早く……ておいてもいいじゃありませんか。
> A：そりゃそうですけど……

練習の目的：Aは行動を始める時期が早すぎると言い、Bは早く始めてもいいと反対する。Aはもっとあとのほうが有利であることを強調する。（練習は「です・ます」体にしてあるが、親しい友人の間なら会話文Ⅱのようにする。）

練習の方法：基本型の下線の部分を入れかえる。

〈基本型〉

A：⑴冬はまだまだ先ですよ。

B：でも、早く⑵買っておいてもいいじゃありませんか。

A：そりゃそうですけど、あとになったら、(3)もっと安(やす)くなるかもしれませんよ。

入れかえ語句

1．(1)休(やす)み (2)予約(よやく)して (3)事情(じじょう)が変(か)わる

2．(1)結婚(けっこん)するの (2)婚約(こんやく)して (3)気(き)が変わる

3．(1)退職(たいしょく)するの (2)あとの仕事(しごと)をきめて (3)もっといい仕事が見(み)つかる

2.取材自會話II

A：……還早得很嘛！
B：不過，及早……有什麼關係？
A：說的是沒錯，可是……。

練習目的：A覺得現在做操之過急，B則反駁說應該未雨綢繆。A強調延後進行較有利。（練習是用「です．ます」體，如果是好友之間，應該用會話II的語氣。）

練習方法：代換基本句型的畫線部分。

〈基本句型〉

A：(1)冬天還早得很嘛！
B：可是，及早(2)購買有什麼關係？
A：說是沒錯，可是再過一陣子，也許(3)更便宜也說不定呀！

代換語句

1.(1)假期 (2)預約 (3)事情有所改變
2.(1)結婚 (2)訂婚 (3)改變主意
3.(1)退休 (2)決定以後的工作 (3)找到更理想的工作

漢字熟語練習(かんじじゅくごれんしゅう)・漢字詞彙練習

1．書〈書店、読書〉

書類[しょるい]……文件
書店[しょてん]……書局
書記[しょき]……秘書、書記
白書[はくしょ]……白皮書
辞書[じしょ]……辭典
読書[どくしょ]……看書、閲讀
証書[しょうしょ]……證書
遺書[いしょ]……遺書
洋書[ようしょ]……西洋書、外文書
図書館[としょかん]……圖書館
履歴書[りれきしょ]……履歷表
書く[か（く）]……書寫、寫
書留[かきとめ]……掛號郵件
葉書[はがき]……明信片

2．店〈書店、店内〉

店主[てんしゅ]……店主、老闆
店員[てんいん]……店員
店内[てんない]……店內、店裡
支店[してん]……分公司
書店[しょてん]……書局、書店
開店[かいてん]……開店
商店[しょうてん]……商店
売店[ばいてん]……（車站、戲院等內所設的）販賣部
～店（カメラ店）[～てん（カメラてん）]……～店（照相館）
店の人[みせ（の）ひと]……看店的人

3．月〈月刊誌、十月〉

月刊誌[げっかんし]……………………月刊雜誌
月収[げっしゅう]…………………每個月的收入
月末[げつまつ、つきずえ]
……………………………………………………月底
来月[らいげつ]……………………………下個月
今月[こんげつ]……………………………這個月
先月[せんげつ]……………………………上個月
一カ月[いっ（か）げつ]…………………一個月
正月[しょうがつ]
…………………………………………正月、新年
十月[じゅうがつ]…………………………十月
月[つき]……………………………月份、月亮
毎月[まいつき、まいげつ]………………每個月
ひと月[（ひと）つき]……………………一個月
半月[はんつき]
……………………………………………………半個月

4．実〈実際、現実〉

実に[じつ（に）]………………………實在、的確
実現（する）[じつげん（する）]
……………………………………………………實現
実情[じつじょう]……………實際情況、實情
実用[じつよう]……………………………實用
実力[じつりょく]…………………………實力
実施（する）[じっし（する）]
……………………………………………………實施
実際[じっさい]……………………………實際
実行（する）[じっこう（する）]
……………………………………………………實行
実験（する）[じっけん（する）]…………實驗
事実[じじつ]………………………………事實
現実[げんじつ]……………………現實、實在
確実（な）[かくじつ（な）]………………確實
真実[しんじつ]……………………眞實、眞理
実がなる[み（がなる）]…………………結果實
実り[みの（り）]……………………結果實、收成

5．十〈十月号、十月〉

十分[じゅうぶん]…………………足夠、充分
十分[じっぷん]……………………………十分鐘
十人[じゅうにん]…………………………十個人
十月[じゅうがつ]…………………………十月
十本[じっぽん]…………………十枝（根、卷）
赤十字[せきじゅうじ]……………………紅十字
（八つ、九つ）十[やっ（つ）、ここの（つ）、とお]…………………………………………………十
十日[とおか]………………………十號、十天
二十日[はつか]…………………二十號、二十天

6．時〈時には、同時に〉

時間[じかん]………………………………時間
時期[じき]…………………………………時期
時刻[じこく]………………………………時刻
時代[じだい]………………………………時代
何時[なんじ]……………………幾點（鐘）
臨時[りんじ]……………………臨時、暫時
一時[いちじ]…………一點（鐘）、暫時、臨時
当時[とうじ]………………………………當時
同時に[どうじ（に）]……………………同時
時には[とき（には）]……………偶爾、有時候
時計[とけい]……………………………鐘、錶
時々[ときどき]……………………………有時候

7．記〈記事〉

記者[きしゃ]………………………………記者
記事[きじ]…………………………報導、消息
記録（する）[きろく（する）]
……………………………………………………紀錄
記入（する）[きにゅう（する）]
…………………………………………寫上、寫
記念（する）[きねん（する）]
……………………………………………………紀念
記憶（する）[きおく（する）]………記憶、回憶
書記[しょき]……………………秘書、書記
日記[にっき]………………………………日記
伝記[でんき]………………………………傳記
手記[しゅき]…………………手記、親手記錄
記す[き（す）、しる（す）]…………記下、寫下

8．事〈記事、仕事〉

事実[じじつ]………………………………事實
事件[じけん]……………………事件、案件
事故[じこ]…………………………意外事故
事情[じじょう]…………………情形、情況
事務[じむ]…………………………………業務
事務所[じむしょ]…………………………辦公室
事業[じぎょう]……………………………事業
工事[こうじ]………………………………工程

知事[ちじ] ………………都、道、府、縣的首長
軍事[ぐんじ] ………………………………軍事
記事[きじ] …………………………消息、報導
人事[じんじ] ………………………………人事
火事[かじ] …………………………………火災
行事[ぎょうじ] ……………按照慣例舉行的活動
大事[だいじ、おおごと] ………大事、重要的事
返事[へんじ] ………………………回音、回答
無事（な)[ぶじ（な)] ……………………安全
領事[りょうじ] ……………………………領事
事[こと] ……………………………事情、事件
仕事[しごと] ………………………………工作

9．料〈料理〉

料金[りょうきん] …………………………費用
料理（する)[りょうり（する)]
……………………………………烹飪、菜餚
材料[ざいりょう] …………………………材料
無料（の)[むりょう（の)] ………………免費
燃料[ねんりょう] …………………………燃料
原料[げんりょう] …………………………原料
食料[しょくりょう] ………………食物、糧食
給料[きゅうりょう] ………………………薪資
入場料[にゅうじょうりょう] ………門票票價

10．理〈料理、心理学者〉

理由[りゆう] ………………………………理由
理解（する)[りかい（する)] ………理解、明白
理事[りじ] …………………………………董事
理論[りろん]………………………………理論
管理（する)[かんり（する)] ………………管理
合理的（な)[ごうりてき（な)] …………合理的
整理（する)[せいり（する)]
……………………………………………整理
代理[だいり] ………………………………代理
総理[そうり] ………………………總理、首相
無理（な)[むり（な)] …勉強(的)、不合理(的)
地理[ちり] …………………………………地理
料理[りょうり] ……………………烹飪、菜餚
心理学[しんりがく] ……………………心理學

11．生〈生活〉

生活（する)[せいかつ（する)] ……………生活
生産（する)[せいさん（する)] ……………生産
生徒[せいと] ……………………（中小）學生
生命[せいめい] ……………………………生命
生計[せいけい] ……………………………生計
先生[せんせい] ……………………………老師
学生[がくせい] ……………………………學生
発生（する)[はっせい（する)]
……………………………………………發生
一生[いっしょう]…………………一生、一輩子
誕生日[たんじょうび] ……………………生日
人生[じんせい]
……………………………………………人生
衛生[えいせい] ……………………………衛生
高校生[こうこうせい] ……………………高中生
厚生省[こうせいしょう]
…………………………………………衛生署
生かす[い（かす)]
……………………………………………生存
生きる[い（きる)]…………………………活用
生まれる[う（まれる)]……………被生出來
生もの[なま（もの)]……………生的東西
生える[は（える)]
……………………………………生長、成長
芝生[しばふ] ……………………草地、草坪

12．活〈生活〉

活用（する)[かつよう（する)]
…………………………………………用、活用
活躍（する)[かつやく（する)] ……………活躍
活動（する)[かつどう（する)] ……………活動
活発（な）[かっぱつ（な)]…………………活潑
生活（する)[せいかつ（する)]
……………………………………生活、生計
復活（する)[ふっかつ（する)] ……………復活

■漢字詞彙複習

1．当時は給料が少なくて生活がくるしかった。
2．図書館へ行って辞書をひいてみよう。
3．理論はいいが実行は無理だ。
4．ゆうべの火事で書類がやけてしまった。
5．彼は今、知事として活躍している。
6．その事件のことはよく記憶しています。
7．十分に考えてから実行するべきだ。
8．履歴書を書いて、書留で送った。
9．きのう店内でちょっと事故がありました。
10．料理の材料を買いに行くところです。
11．実力の生かせる仕事をしたい。
12．入場料はいりません、無料です。
13．総理は行けませんので代理の人が行きます。
14．先生も生徒も事情をよく理解した。
15．この実験には時間がかかる。
16．あの店はいつ開店したんですか。
17．月末になると事務の仕事がいそがしくなる。
18．工事中は事故に注意して下さい。
19．芝生にねころんで読書をするのはたのしい。
20．半月ほどまえに、おそろしい事件が発生した。

1.那時候薪水少，生活很苦。
2.到圖書館查查辭典吧！
3.理論不錯，可是難以實行。
4.文件因昨夜的火災而付諸一炬。
5.他目前擔任地方首長相當活躍。
6.那次意外事件，記憶猶新。
7.應該三思而後行。
8.履歷表填畢後，已用掛號寄出了。
9.昨天店裡出了點意外。
10.正要去買菜。
11.想找份能發揮自己實力的工作。
12.不需要門票，是免費的。
13.總理無法前往，有代理人會去。
14.老師和學生都很瞭解情況。
15.這個實驗相當耗時。
16.那家商店是何時開幕的？
17.一到月底，業務就很忙。
18.施工期間請注意，以免發生事故。
19.躺在草坪上看書是一大樂事。
20.大約半個月前，發生了一件可怕的案子。

応用読解練習・應用閱讀練習

（おう よう どっ かい れん しゅう）

「朝日新聞」夕刊（1989.4.4）

1 しごとの周辺

忙しい

2 昨年の秋まで一年間、ワルシャワ大学講師としてポーランドに滞在していたのだが、帰国後の第一印象は、ともかく忙しい社会にまた舞い戻ってきたということだった。

ポーランドという国は現在、経済的な混乱の真っただなかにあり、消費物資も不足ぎみなので、「貧しい国」と見られることが多い。しかし、時間に関しては日本より豊かだったのかも知れない、と今にして思う。少なくとも、あそこに流れていたのは日本とは異質な時間だった。

経済がどんな危機的状態にあっても、夏には数週間必ず休暇をとり、仕事を忘れて田舎でのんびり過ごす——これがぼくの見たポーランド人の生活様式である。こんな場合、日本だったら「休日返上」になりかねないところだから、これはもう、休暇に関する根本的な哲学が違うとしか言いようがない。

ポーランドでは月刊誌の発行が数カ月遅れることも稀（まれ）ではなく、数年遅れという学術誌さえある。日本の編集者がこれをみたら、呆（あき）れて開いた口がふさがらないのではないだろうか。

原稿を渡してから何年も活字にならないという「ポーランド式非能率」がいいわけはない。しかしその一方で、日本の出版界が忙しすぎるのも確かだろう。

日本に原稿を送ってからわずか数カ月後に刷り上がったぼくの著書をワルシャワ大学の同僚に見せたとき、最初の反応は、「えっ、もう？」というものだった。

それが日本人の能率のよさに驚嘆したものだったのか、それとも拙速さに対する批判だったのか、いまでもよくわからない。

（ロシア・ポーランド文学者）

沼野 充義

1 しごとの周辺

2 昨年の秋まで一年間、ワルシャワ大学講師としてポーランドに滞在していたのだが、帰国後の第一印象は、ともかく忙しい社会にまた舞い戻ってきたということだった。

ポーランドという国は現在、経済的な混乱の真っただなかにあり、消費物資も不足ぎみなので、「貧しい国」と見られることが多い。しかし、時間に関しては日本より豊かだったのかも知れない、と今にして思う。少なくとも、あそこに流れていたのは日本とは異質な時間だった。

経済がどんなに危機的状態にあっても、夏には数週間必ず休暇をとり、仕事を忘れて田舎でのんびり過ごす——これがぼくの見たポーランド人の生活様式である。こんな場合、日本だったら「休日返上」になりかねないところだから、これはもう、休暇に関する根本的な哲学が違うとしか言いようがない。

ポーランドでは月刊誌の発行が数カ月遅れることも稀(まれ)ではなく、数年遅れという学術誌さえある。日本の編集者がこれをみたら、呆(あき)れて開いた口がふさがらないのではないだろうか。

■字彙表

1

周辺［しゅうへん］…………周遭環境

2

昨年［さくねん］…………去年

講師［こうし］…………講師

滞在する［たいざい(する)］…………逗留、停留

帰国後［きこくご］…………回國後

第一印象［だいいちいんしょう］…………第一印象

忙しい［いそが(しい)］…………忙碌

社会［しゃかい］…………社會

舞い戻る［ま(い)もど(る)］…………回到、重返

現在［げんざい］…………現在目前

経済的な［けいざいてき(な)］…………經濟上的

混乱[こんらん]……………………………………混亂
真っただなか[ま(っただなか)]……………正當中
消費物資[しょうひぶっし]………………消費物資
不足ぎみ[ふそく(ぎみ)]
……………………………………………略微缺乏
貧しい[まず(しい)]……………………貧困、貧窮
～に関しては[(～に)かん(しては)]
……………………………………有關～、關於～
豊か[ゆた(か)]……………………………………豐富
今にして[いま(にして)]………………………現在
少なくとも[すく(なくとも)]…………………至少
流れる[なが(れる)]………………………流、經過
異質な[いしつ(な)]……………………不同性質的
経済[けいざい]……………………………………經濟
危機的状態[ききてきじょうたい]
……………………………………………危險狀態
数週間[すうしゅうかん]………………………數週
必ず[かなら(ず)]…………………………………必定
休暇をとる[きゅうか(をとる)]
…………………………………………………休假
田舎で[いなか(で)]…………………………在鄉下
のんびり…………………………………………悠閒地
過ごす[す(ごす)]……………………………過日子
生活様式[せいかつようしき]……………生活模式
休日返上[きゅうじつへんじょう]
……………………………………………放棄休假

なりかねない……………………………很有可能～
根本的[こんぽんてき]……………………根本的
哲学[てつがく]…………………………哲學、人生觀
～としか言いようがない[(～としか)い(いようがない)]………………………………只能說～
月刊誌[げっかんし]……………………月刊雜誌
発行[はっこう]…………………………………發行
数カ月[すうかげつ]……………………………數個月
遅れる[おく(れる)]……………………………延遲
稀[まれ]………………………………稀少、希罕
学術誌[がくじゅつし]…………………學術雜誌
編集者[へんしゅうしゃ]……………………編輯
あきれて………………………………吃驚、愕然
開いた口がふさがらない[あ(いた)くち(がふさがらない)]……………………瞠目結舌、目瞪口呆

■應用閱讀練習翻譯

1

工作的周遭環境

2

到去年秋天爲止整整一年，我擔任華沙大學的講師，待在波蘭。回國後的第一個感覺是，我又回到忙碌的社會。

波蘭這個國家，目前陷於混亂，消費物資也略爲缺乏，因此常被視爲「貧窮的國家」。但我現在覺得：就時間而言，波蘭或許比日本豐富。至少，那裡所過的時間和日本性質大不相同。

不管經濟處於如何危險的狀態，夏天必定休好幾個禮拜的假，拋開工作，在鄉下悠閒度日，——這是我所見到的波蘭人的生活方式。這種情形在日本的話，很有可能會「放棄休假」，因此，這只能說雙方對休假的根本理念有別。

在波蘭，月刊雜誌延遲數月發行並不希罕，連學術雜誌都有拖了幾年才發行的。日本的編輯看到這種情形，大概會瞠目結舌吧！

レッスン 4 実感

本文・正文 CD 2 No.1

外国旅行だけでなく国内旅行にも、飛行機を利用する人が多くなった。たしかに*飛行機は速い。地球の反対側の国までも、半日ぐらいで飛ぶことができる。しかし*、飛行機の旅行は、空港から空に上がり、空から空港へ下りたような感じで、長い距離を移動したという実感があまりない。新幹線のような速い電車で行く場合もこれに似ている。沿線の景色をゆっくりながめながら、次第に目的地に近づいていく興奮を感じるということが少ない。旅の苦労も減ったが、旅の実感もうすくなった。

料理も高速化している。昔は火加減*を見ながら長い時間をかけて煮こんだ料理も、現在の電子レンジならわずか数分でできてしまう。何度もなべのふたを取って味見をしたり、台所から流れてくるうまそうなにおい*にわくわくしたりするひまがない。

高速化だけでなく、安全や能率の追求も、実感の減少につながる*。銀行振り込みやクレジット・カードなどが普及した結果、現金を手にすることが少なくなった。月給日に月給袋を受けとって、一か月間汗を流して*働いた苦労を忘れる。あるいは、ボーナスの出た日、いつもより厚い封筒をしっかりと握って家へ急ぐ——そうした風景*があまり見られなくなった。

世の中はますます高速化し、安全を求め、能率を高めていく。生活が変化すると同時に感動の性格も変わるのは当然であろうが、やはり失われていく「実感」がなつかしい。

■正文翻譯

真實感

不只是國外旅行，國內旅行也一樣，搭飛機的人越來越多了。飛機的確很快，只要半天時間就可以飛抵地球背面的國度。但是，搭飛機旅行在感覺上只是從機場起飛升空，從空中下降至機場，不太有長途移動的眞實感。坐新幹線這種快速電車的情形也與此類似，很少能感受到沿途悠閒地欣賞風景，慢慢接近目的地的興奮心情。旅行的辛苦固然減少，但是旅行的眞實感也淡薄許多。

烹飪也已經高速化，以前一面看火侯花時間慢慢燉煮的菜餚，現在用微波爐只要數分鐘就大功告成。沒有時間去頻頻翻開鍋蓋嚐口味，或是享受菜香瀰漫廚房的心跳感。

不光是高速化，追求安全以及效率也和眞實感的減少有關。銀行匯款及信用卡普及的結果，拿現金的機會變少了。領餉日拿到薪水袋，忘掉一個月揮汗工作的辛勞，或是在發年終獎金的日子，緊握住比平常厚實的薪餉趕回家——這種情景已經難得一見。

社會將日趨高速化，追求安全，邁向高效率。在生活改變的同時，感動的性質也隨之改變，這或許是理所當然！但是對於逐漸失去的「眞實感」，仍然會懷念不已。

会話・會話

■会話文Ⅰ CD 2 No.2

同僚が会社で話している。Aは女性、Bは男性。Bは海外出張から帰って出勤したところ。

A：あら、竹井さん、おかえりなさい。*

B：留守中はどうもおせわさまでした。

A：いえ、おつかれさまでした。

B：いやあ、たいした仕事はしなかったんですが。

A：でも、海外出張ですもの、移動だけでもたいへんだったでしょう。

B：ええ、まあ。飛行機の乗りつぎってめんどうですからね。

A：やっと日本へ帰ってきて、長い旅行だったなあって感じてらっしゃるでしょ。

B：いえ、それがどうも変なんですよ。

A：え。

B：なんだか空港から空へ上がって、また空港へ下りたって感じで。

A：へえ。

B：長い距離を移動したって実感があまりないんですよ。

A：そうですか。でも、飛行機の窓から外が見えたでしょう。

B：ぼくの席は窓ぎわじゃなかったし、たまに外が見えても空の雲ばかり。

A：ああ、そうかもしれませんね。

B：それに、空港なんて、どこの空港も似たようなもんでしょう。

A：そうですね。地下鉄なんかも、駅の名前を読まないと、ほかの駅と区別がつきませんもの。

B：ま、ぜいたくな不満でしょうね。高速化のおかげでこんなに早く帰れたのに、実感がどうのこうのって言うのは。

A：それはそうですけど、あまり速くなると、旅行の感激は減るかもしれませんね。

■會話 I

同事在公司談話。A是女性，B是男性。B剛從國外出差回到公司上班。

A：竹井你回來了！

B：我不在的時候，偏勞妳了。

A：別這麼說，您辛苦了。

B：不會啦，沒做什麼大不了的工作。

A：可是到國外出差，光是來回就夠累人吧！

B：嗯，是沒錯。因爲轉機挺麻煩的。

A：好不容易回到日本，一定覺得旅途很漫長吧！

B：也不會，只是感覺上很奇怪！

A：哦。

B：我覺得只是從機場起飛升空，然後又下降到機場。

A：哦。

B：不太有長途移動的眞實感。

A：眞的嗎？不過，從飛機的窗戶可以看到外面，不是嗎？

B：我的座位不靠窗，即使偶而看到外面，也盡是天空的雲。

A：啊，或許吧！

B：而且機場啊，哪裡的機場都差不多，不是嗎？

A：是啊。地下鐵也一樣，不看站名，根本無法和另外的車站分辨。

B：這或許太挑剔了吧。拜高速化之賜才能這麼快回來，卻一直抱怨眞實感如何如何。

A：話雖如此，但是速度太快，旅行的興奮或許會減低吧？

■会話文Ⅱ  No.3

母と息子。息子はこの4月に就職。はじめての月給日。

息子：ただいま。

母：おかえりなさい。

息子：はい、これ。

母：これ？

息子：ぼくの初月給。

母：そう、そう、きょうははじめての月給日ね。さっそく神棚にそなえましょう。

息子：それほどのものじゃない*けどね。

母：そんなことありません。つとむの一か月の汗と涙の結晶ですもの。

息子：でもね、その封筒にはお金は入ってないよ。明細書だけだよ。

母：道理で*軽いと思ったわ。

息子：銀行振り込みだからね。現金はわたさないの。

母：なんだか実感がわかないわね。

息子：仕方がないよ。帰りの電車の中ですられたりするよりまし*だよ。

母：そうね。このほうが安全ね。

息子：それに、一枚抜いてないかなんて、数えてみる手数もいらないし。

母：ほんと。

■會話Ⅱ

母親和兒子間的對話，兒子今年四月開始上班。今天是第一次發餉日。

兒子：我回來了。

母親：你回來了呀！

兒子：喏，這個。

母親：這是什麼？

兒子：我第一次領的薪水。

母親：對了，今天是你第一次發餉的日子。我馬上把它供到神龕上吧！

兒子：沒什麼大不了的……。

母親：誰說的，這是阿勤你辛辛苦苦工作一個月的血汗錢哪！
兒子：不過，信封裡沒放錢喲，只有明細表。
母親：怪不得那麼輕。
兒子：直接匯入銀行，所以不發現金。
母親：總覺得沒有眞實感。
兒子：沒辦法啊。總比在電車中被扒走的好。
母親：對，這樣比較安全。
兒子：而且不用擔心是否會少一張，省去了數鈔票的麻煩。
母親：這倒是眞的。

単語のまとめ・單字總整理

■本文

実感[じっかん] ……眞實感
外国旅行[がいこくりょこう] ……國外旅行
国内旅行[こくないりょこう] ……國內旅行
飛行機[ひこうき] ……飛機
利用する[りよう(する)] ……利用
たしかに ……確實
地球[ちきゅう] ……地球
反対側[はんたいがわ] ……另一邊、另一方
半日[はんにち] ……半天
飛ぶ[と(ぶ)] ……飛
空港[くうこう] ……機場
空[そら] ……天空
感じ[かん(じ)] ……感覺
距離[きょり] ……距離
移動する[いどう(する)] ……移動
新幹線[しんかんせん] ……新幹線（子彈列車）
似ている[に(ている)] ……相似、類似
沿線[えんせん] ……沿線、沿途
景色[けしき] ……景緻、風景
次第に[しだい(に)] ……漸漸地
目的地[もくてきち] ……目的地
近づく[ちか(づく)] ……接近
興奮[こうふん] ……興奮
旅[たび] ……旅行
苦労[くろう] ……辛勞、辛苦
減る[へ(る)] ……減少
うすい ……淡薄
料理[りょうり] ……料理、菜餚
高速化している[こうそくか(している)] ……已經高速化
昔[むかし] ……以前、從前
火加減[ひかげん] ……火候、火力
煮こむ[に(こむ)] ……燉煮
現在[げんざい] ……現在
電子レンジ[でんし(レンジ)] ……微波爐
わずか ……僅、只
数分[すうふん] ……數分鐘
何度も[なんど(も)] ……好幾次
ふた ……蓋子
味見をする[あじみ(をする)] ……嚐口味
台所[だいどころ] ……廚房
流れてくる[なが(れてくる)] ……瀰漫、飄散
うまそうな ……好像很好吃的～
におい ……香味
わくわくする ……興奮、心動
安全[あんぜん] ……安全
能率[のうりつ] ……效率
追求[ついきゅう] ……追求
減少[げんしょう] ……減少
～につながる ……和～有關係
銀行振り込み[ぎんこうふ(り)こ(み)] ……匯入銀行戶頭
クレジット・カード ……信用卡

普及する[ふきゅう(する)]……………………普及
結果[けっか]……………………………………結果
現金[げんきん]…………………………………現金
手にする[て(にする)]……………拿在手中、獲得
月給日[げっきゅうび]
…………………………………………………發餉日
月給袋[げっきゅうぶくろ]
…………………………………………………薪水袋
汗を流して[あせ(を)なが(して)]
………………………………………揮汗、辛辛苦苦
ボーナス…………………………………年終獎金
厚い[あつ(い)]……………………………………厚
封筒[ふうとう]…………………………………信封
しっかりと…………………………牢牢地、好好地
握る[にぎ(る)]…………………………………握住
急ぐ[いそ(ぐ)]…………………………急忙、趕緊
風景[ふうけい]…………………………風景、景象
世の中[よ(の)なか]……………………………社會
求め[もと(め)]…………………………………追求
高める[たか(める)]……………………………提高
生活[せいかつ]…………………………………生活
変化する[へんか(する)]………………………變化
同時[どうじ]……………………………………同時
感動[かんどう]…………………………………感動
性格[せいかく]…………………………性質、個性
当然[とうぜん]
……………………………………………理所當然
失われる[うしな(われる)]……………(被)失去
～がなつかしい………………………………懷念～

■会話文Ⅰ

同僚[どうりょう]………………………………同事
海外出張[かいがいしゅっちょう]
……………………………………………國外出差
出勤する[しゅっきん(する)]…………………上班
おかえりなさい………………………………你回來了
留守中[るすちゅう]……………………我不在的時候
おつかれさまでした
……………………………………………您辛苦了
いやあ
…不、沒什麼(男性用語，女性用「いいえ」)
たいした仕事[(たいした)しごと]…了不起的工作

～ですもの……………………………………因爲～

移動[いどう]……………………………………移動
ええ、まあ…………………………………嗯、對
乗りつぎ[の(りつぎ)]………接著換乘、繼續改搭
めんどう………………………………………麻煩
やっと…………………………終於、好不容易
変[へん]………………………………………奇怪、怪
へえ……………………………………………哦!
距離[きょり]……………………………………距離
窓[まど]…………………………………………窗戶
席[せき]…………………………………………座位
窓ぎわ[まど(ぎわ)]……………………………窗邊
たまに…………………………………………偶爾
雲[くも]…………………………………………雲
地下鉄[ちかてつ]………………………………地鐵
区別[くべつ]……………………………………區別
区別がつかない[くべつ(がつかない)]
……………………………………………無法區別
ぜいたくな不満[(ぜいたくな)ふまん]
…………………………………………………太挑剔

高速化[こうそくか]……………………………高速化
～のおかげで…………………………………拜～之賜
～がどうのこうのって言う[(～がどうのこうのって)い(う)]
……………………………抱怨不休、說東說西的
感激[かんげき]…………………………感動、興奮
減る[へ(る)]……………………………………減少

■会話文Ⅱ

母と息子[はは(と)むすこ]……………母親和兒子
就職(した)[しゅうしょく(した)]
…………………………………………就業、開始上班
月給日[げっきゅうび]…………………………發餉日
ただいま………………………………………我回來了
初月給[はつげっきゅう]…………第一次領的薪水
そうそう…………………………對了(我想起來了)
さっそく………………………………………立刻
神棚[かみだな]…………………………………神龕
そなえる……………………………………上供、獻
つとむ…………………………阿勤(兒子的名字)

汗[あせ] ……汗
涙[なみだ] ……涙、涙水
結晶[けっしょう] ……結晶
封筒[ふうとう] ……信封
明細書[めいさいしょ] ……明細表
道理で[どうり(で)] ……難怪、怪不得
銀行振り込み[ぎんこうふ(り)こ(み)]
……匯入銀行戶頭
現金[げんきん] ……現金
実感がわかない[じっかん(がわかない)]
……沒有眞實感
すられる ……被扒
まし ……勝過、強過
安全[あんぜん] ……安全
一枚[いちまい]
……一張
抜いてないか[ぬ(いてないか)]
……有沒有被抽掉
数える[かぞ(える)] ……數
手数[てすう] ……麻煩

ノート・文法註釋

■本文

●たしかに……しかし……

對一件事做總結，然後提出相反意見的表達方式。例如：たしかに安い。しかし最高の品とは言えません。〈確實便宜，但不能說是最好的東西。〉

●火加減

如字面所示，「加減」就是時加時減，調節的意思。「火加減」指調節火力大小或火候而言。同一類的複合詞有「手加減」〈斟酌、分寸〉、「匙加減」〈分寸、份量〉。現代日語還有「いい加減」〈適度、敷衍〉一詞，用來指責對方做事馬虎或叫對方適可而止。

●うまそうなにおい

在口頭語中，「うまい」爲男性用語，女性則用「おいしい」。在書面語中，「うまい」並沒有所謂男女用語之別。

●～につながる

「引起～、和～有關」的意思。例如：〈失業者的增加，容易引起社會不安。〉

●汗を流して働く

在句子裡的「汗を流して」〈流汗、揮汗〉是一種比喩方法。

●そうした風景

「そうした」相當於「そのような」。在正文中，「そうした」指的是「月給日」和「急ぐ」之間的所有句子。

■会話文 I

●おかえりなさい

當家人回來時，在家裡的人要說「おかえりなさい」〈你回來了〉。在公司裡也是一樣，看到同事從外面回來時，通常要說這句話。在日本公司，同事被當作家人看待。

●なんだか……って感じで

「なんだか」通常必須和「という感じ」、「のよう」或「みたい」之類的字眼呼應。

●ぜいたくな不満……のは

在對話中，正如B所說的這句話所示，詞句的順序常常顛倒。當然也可以將「ぜいたくな不満ですね」放在句尾，說成「～のはぜいたくな不満ですね」。但這樣的說法，在會話中可能會過於複雜，不容易瞭解。

■会話文 II

●それほどのものじゃない

等於「神棚にそなえるほどのすばらしいものではない。」〈不是什麼大不了的東西，不值得供在神龕上。〉

●道理で……

相當於「～のは当然だ」〈難怪～、是理所當然的〉。例如：A：今日は日曜日だね。B：ああ、そうだね。A：道理で道がすいてるわけだ。〈A：今天是星期天，不是嗎？B：啊，對呀！A：難怪路上車子很少。〉

●まし

句中的意思是〈比～好些、比～強些〉。兩種都不是好的選擇，但前者〈領到年終獎金〉還比後者〈領了後在電車中被扒走來得好些。〉例如：A：ずいぶん上達しましたね。B：いえ、でも前よりは少しましになりました。〈A：你進步了很多了。B：沒有啊，不過比以前好了些。〉

文型練習・句型練習

1．たしかに……。しかし、……

No.4

> 本文例——たしかに飛行機は速い。地球の反対側の国までも、半日ぐらいで飛ぶことができる。しかし、飛行機の旅行は、空港から空に上がり、空から空港へ下りたような感じで、長い距離を移動したという実感があまりない。

㊟「たしかに……。しかし……」は事実を一応認めてから反論、否定する形。ノートを参照。ここでは簡略化した形から始めて次第に複雑な文になるようにした。A、B、Cと続けて練習すれば、まとまった考えを表すことができる。

練習A　例にならって文を作りなさい。

例：飛行機は速い。旅の実感→たしかに飛行機は速い。しかし、旅の実感はあまりない。

1．新幹線は便利である。旅の楽しみ→

2．テレビはおもしろい。ためになる番組→

3．有能な人である。人間としての魅力→

練習B　例にならって、練習Aで作った文の中に新しい文を加えなさい。

例：地球の反対側までも半日で行ける→たしかに飛行機は速い。地球の反対側までも半日で行ける。しかし、旅の実感はあまりない。

1．東京・大阪間の日帰りもできる→

2．人をあきさせない→

3．何(なに)をやっても成功(せいこう)する→

練習C 例にならって、練習Bで作った文の中に新しい句(く)を加えなさい。

例：空港から空に上がり、空から空港へ下りたようで→たしかに飛行機は速い。地球の反対側までも半日で行ける。しかし、空港から空に上がり、空から空港へ下りたようで、旅の実感はあまりない。

1．沿線(えんせん)の景色(けしき)をながめるという→

2．ものを考えさせるような→

3．いっしょにいると楽しくなるような→

1.的確……。但是……

> **正文範例**——飛機的確很快，只要半天時間就可以飛抵地球背面的國度。但是，搭飛機旅行在感覺上只是從機場起飛升空，從空中下降至機場，不太有長途移動的眞實感。

(註)「たしかに……。しかし……」是暫且認定某一事實後，接著又提出反論、否定的用法。請參閱文法註釋。在這裡先用簡略的形式，接著採用複雜的句子。只要照著A.B.C.的順序做練習，即可表達整體的意思。

練習A 請依例造句。

例：飛機很快、旅行的眞實感→飛機的確很快。但是，不太有旅行的眞實感。

1.新幹線很方便、旅行的樂趣→

2.電視很有趣、有益的節目→

3.有能力的人、爲人方面的魅力→

練習B 請依例，在練習A所造的各句內加入新的句子。

例：只要半天時間、就可以到達地球的背面。→飛機的確很快。只要半天時間、就可以到達地球的背面。但是，不太有旅行的眞實感。

1.東京・大阪可一天來回→

2.不會讓人厭倦→

3.不管做什麼都會成功→

練習C 請依例，在練習B所造的各句內加入新的句子。

例：好像只是從飛機場起飛升空，從空中下降至機場→飛機的確很快。只要半天時間、就可以到達地球的背面。但是，好像只是從飛機場起飛升空，從空中下降至機場。不太有旅行的眞實感。

1.眺望沿途景色→

2.令人思考→

3.在一起會覺得很開心→

2．……も……が、……も……  No.5

> 本文例——旅の苦労も減ったが、旅の実感もうすくなった。

㊟同じ……も……の文を繰り返しているが、前の部分と後の部分は、価値観の点で逆になっていることに注意せよ。

練習A　例にならって文を作りなさい。

例：旅の、旅の実感→旅の苦労も減ったが、旅の実感も少なくなった。

1．仕事の、仕事のよろこび→

2．料理の、料理の味わい→

3．編む、編むよろこび

練習B　例にならって、練習Aで作った文の前に新しい文をおいて練習しなさい。

例：交通機関が高速化して→交通機関が高速化して、旅の苦労も減ったが、旅の実感も少なくなった。

1．機械化が進んで→

2．電子レンジなどが普及して→

3．機械編みが一般化して→

2.……**固然**……，**但是**……**也**……

> **正文範例**——旅行的辛苦固然減少，但是旅行的眞實感也淡薄許多。

(註)重覆使用「……も……」的句子，要注意前面部分和後面部分，價値完全相反。

練習A　請依例造句。

例：旅行的、旅行的眞實感→旅行的辛苦固然減少，但是旅行的眞實感也減少了。

1.工作的、工作的樂趣→

2.燒菜的、菜餚的味道→

3.編織、編織的樂趣→

練習B　請依例，在練習A所造的各句前面加入新的句子做練習。

例：交通工具高速化→由於交通工具高速化，旅行的辛苦固然減少，但是旅行的眞實感也減少了。

1.由於不斷機械化→

2.由於微波爐普及→

3.由於機器編織日趨普遍→

3．……結果、……なった  No.6

> 本文例——銀行振り込みやクレジット・カードが普及した結果、現金を手にすることが少なくなった。

㊟変化とその結果を述べる形。「結果」の前には「名詞＋の」あるいは「動詞＋た」の形がくる。

例にならって文を作りなさい。

例：銀行振り込みなど、現金を手にする→銀行振り込みなどが普及した結果、現金を手にすることが少なくなった。

1．銀行振り込みなど、現金を持ち歩く→

2．電話、手紙を書く→

3．予防注射、子どもがこの病気で死ぬ→

4．科学的な考えかた、迷信になやまされる→

3.……結果，……變……了。

> **正文範例**——銀行匯款及信用卡普及的結果，拿現金的機會變少了。

(註)敘述變化及其結果的句型。結果的前面通常採「名詞＋の」或是「動詞＋た」的形式。

請依例造句。

例：銀行匯款之類、拿現金→銀行匯款之類普及的結果，拿現金的機會變少了。

1.銀行匯款之類、帶著現金走→

2.電話、寫信→

3.打預防針、小孩子因爲這個疾病而死亡→

4.合乎科學的想法、受到迷信困擾→

ディスコース練習・對話練習

1.会話文Ｉより CD 2 No.7

> Ａ：おつかれさまでした。
>
> Ｂ：いえ、たいした……なかったんですが。
>
> Ａ：でも、……ですもの、……だけでもたいへんだったでしょう。
>
> Ｂ：ええ、まあ、……ってめんどうですからね。

練習の目的　ＡがＢの苦労をねぎらい、Ｂは苦労の大きさを否定しながらも、その一部を認めるという形。はじめの２行だけでも一応の目的は達しているが、あとの２行はそれを補強する。

練習の方法　基本型の下線の部分を入れかえる。

〈基本型〉

Ａ：おつかれさまでした。

Ｂ：いえ、たいした仕事はしなかったんですが。

Ａ：でも、海外出張ですもの、⑴移動だけでもたいへんだったでしょう。

B：ええ、まあ、(2)飛行機の乗りつぎって

めんどうですからね。

入れかえ語句

1．(1)手続き　(2)税関

2．(1)国際電話　(2)時差の計算

3．(1)食事や宿泊　(2)外国語

4．(1)なれない所へ行く　(2)時差の計算

応用　基本型のうち「海外出張」の部分をも入れかえ、計3か所を入れかえる。

〈基本型〉

A：おつかれさまでした。

B：いえ、たいした仕事はしなかったんですが。

A：でも、(1)海外出張ですもの、(2)移動だけでもたいへんだったでしょう。

B：ええ、まあ、(3)飛行機の乗りつぎってめんどうですからね。

入れかえ語句

1．(1)はじめての出勤　(2)通勤　(3)電車の乗りかえ

2．(1)なれない職場　(2)あいさつ　(3)人の名前を覚えるの

3．(1)大きな会社　(2)社内を歩く　(3)建物の配置を覚えるの

4．(1)入社したばかり　(2)手続き　(3)書類をそろえるの

1.取材自會話Ⅰ

> A：您辛苦了。
> B：不會啦，沒做什麼大不了的……。
> A：可是……，光是……就夠累人吧！
> B：嗯，是沒錯，因爲……挺麻煩的。

練習目的：A慰問B的辛勞，B一面否認說並沒有那麼辛苦，一面又肯定其中某部分的句型。光是前兩句就大致達成表達的目的，後二句則予以補充加強。

練習方法：代換基本句型的畫線部分。

〈基本句型〉

A：您辛苦了！

B：不會啦，沒做什麼大不了的工作。

A：可是到國外出差，光是(1)來回就夠累人了吧！

B：嗯，是沒錯。因爲(2)轉機挺麻煩的。

代換語句

1.(1)手續　(2)海關

2.(1)國際電話　(2)時差的計算

3.(1)飲食及住宿　(2)外語

4.(1)去不熟悉的地方　(2)時差的計算

應用：基本句型中「國外出差」的部分，也加以代換，共計代換三處。

〈基本句型〉

A：您辛苦了。

B：不會啦，沒做什麼大不了的工作。

A：可是(1)到國外出差，光是(2)來回就夠累人吧！

B：嗯，是沒錯。(3)因爲轉機挺麻煩的。

代換語句

1.(1)第一次上班　(2)通勤　(3)換電車

2.(1)不習慣的工作環境　(2)打招呼　(3)記人名

3.(1)大公司　(2)在公司內走一圈　(3)記建築物的位置

4.(1)剛進公司　(2)手續　(3)準備資料

2.会話文 I より CD 2 No.8

A：……なんて、どこの……も似たようなもんですね。

B：そうですね。……だけじゃなくて、……だって、ほんとによく似てますよ。

練習の目的　Aの感想に対してBは賛同し、同じような例をさらに加える。

練習の方法　基本型の下線の部分を入れかえる。

〈基本型〉

A：(1)空港なんて、どこの(1)空港も似たようなもんですね。

B：そうですね。空港だけじゃなくて、(2)電車の駅だって、ほんとによく似てますよ。

入れかえ語句

1．(1)駅　(2)駅前の商店街

2．(1)お弁当の味　(2)食堂の味

3．(1)警察署　(2)刑務所

2.取材自會話 II

A：而且……，都差不多，不是嗎？

B：是啊。不光是……，連……也眞的都很像。

練習目的：對A的想法，B表示贊同，並加上同樣的例子。

練習方法：代換基本句型的畫線部分。

〈基本句型〉

A：還有(1)機場啊，哪裡的(1)機場都差不多，不是嗎？

B：是啊，不光是機場，連(2)電車站也眞的都很像。

代換語句

1.(1)車站　(2)車站前的商店街

2.(1)便當的口味　(2)餐廳的口味

3.(1)警察局　(2)監獄

漢字熟語練習・漢字詞彙練習

1．利（利用）

利用［りよう］……………………………………利用
利子［りし］………………………………………利息
利息［りそく］……………………………………利息
権利［けんり］……………………………………權利
便利な［べんり(な)］………………便利的、方便的
勝利［しょうり］…………………………………勝利
有利な［ゆうり(な)］……………………………有利的
不利な［ふり(な)］………………………………不利的
利く［き(く)］……………………………………有用

2．半（半日）

半分［はんぶん］…………………………………一半
半月［はんつき］…………………………………半個月
半日［はんにち］…………………………………半天
半年［はんとし］…………………………………半年
半径［はんけい］…………………………………半徑
半島［はんとう］…………………………………半島
半面［はんめん］…………………………………另一面
前半［ぜんはん］…………………………………前半
後半［こうはん］…………………………………後半
大半［たいはん］…………………………………大半
夜半［やはん］…………………………………半夜、夜半
～半（一時間半）［～はん（いちじかんはん）］
……………………………………～半（一個半鐘頭）
四畳半［よじょうはん］
………………………………四疊半、四個半榻榻米
半ば［なか(ば)］……………………………一半、中間

3．空（空港、空）

空気［くうき］……………………………………空氣
空中［くうちゅう］………………………………空中
空間［くうかん］…………………………………空間
空港［くうこう］…………………………………機場
空家［あきや］……………………………………空房子
空ける［あ(ける)］……………………………空出、空間
空っぽ［から(っぽ)］…………………………空、空虛
空［そら］…………………………………………天空

4．感（感じ、実感、感動）

感心する［かんしん(する)］…………佩服、欽佩
感情［かんじょう］………………………………感情
感想［かんそう］…………………………………感想
感謝［かんしゃ］…………………………………感謝
感動する［かんどう(する)］
……………………………………………………感動
感覚［かんかく］…………………………………感覺
同感［どうかん］…………………………………同感
共感［きょうかん］………………………………共鳴
実感［じっかん］…………………………………真實感
感じる［かん(じる)］…………………感覺、覺得

5．線（新幹線、沿線）

線［せん］…………………………………………線
線路［せんろ］……………………………………鐵路
幹線［かんせん］………………………幹線、幹道
沿線［えんせん］…………………………………沿線
内線［ないせん］………………………分機、內線
本線［ほんせん］…………………………………幹線
無線［むせん］…………………………無線、無線電
有線［ゆうせん］…………………………………有線
～線（東海道線）［～せん（とうかいどうせん）］
…………………………………～線（東海道線）

6．次（次第に）

次第［しだい］…………………………順序、情形
次第に［しだい(に)］……………………………漸漸的
次長［じちょう］………………………次長、副理
次元［じげん］………………………次元、著眼點
次男［じなん］…………………………次子、老二
次期［じき］…………………………下一期、下屆
次［つぎ］…………………………………………下一個
次ぐ［つ(ぐ)］……………………………………次於
次いで［つ(いで)］………………………………接著

7．第（次第に）

第～(第一)［だい～(だいいち)］…第～（第一）

次第に[しだい(に)]…………………………漸漸的
落第する[らくだい(する)]…………不及格、留級

8．**高**（高速化、高める）
高(等学)校[こう(とうがっ)こう]
…………………………………高中（高級中學）
高級[こうきゅう]………………………………高級
高齢[こうれい]…………………………………高齡
高度[こうど]……………………………………高度
高速[こうそく]…………………………………高速
高気圧[こうきあつ]
……………………………………………………高氣壓
最高の[さいこう(の)]……………最高的、最好的
高い[たか(い)]…………………………………高
残高[ざんだか]…………………………………餘額

9．**加**（火加減）
加工[かこう]……………………………………加工
加盟[かめい]……………………………………加盟
加減[かげん]……………………………程度、調節
増加[ぞうか]……………………………………增加
追加[ついか]……………………………追加、添補
参加[さんか]……………………………………參加
加える[くわ(える)]………添加、加上（他動詞）
加わる[くわ(わる)]………加上、添加（自動詞）

10．**度**（何度も）
程度[ていど]……………………………………程度
温度[おんど]……………………………………溫度
態度[たいど]……………………………………態度
限度[げんど]……………………………………限度
今度[こんど]……………………………這次、下次
制度[せいど]……………………………………制度
高度[こうど]……………………………………高度
年度[ねんど]
……………………………………………………年度
湿度[しつど]……………………………………濕度
震度[しんど]……………………………………震度
～度（一度)[～ど（いちど)]………～次（一次）
～度（満足度)[～ど（まんぞくど)]
…………………………………～度（滿意度）

11．**台**（台所）
台所[だいどころ]………………………………廚房
台風[たいふう]…………………………………颱風
舞台[ぶたい]……………………………………舞台
屋台[やたい]……………………………………攤子
土台[どだい]……………………………………基礎
～台[～だい]…～部、輛（機器、車輛的單位）

12．**風**（風景）
風速[ふうそく]…………………………………風速
風景[ふうけい]…………………………………風景
風俗[ふうぞく]…………………………………風俗
暴風雨[ぼうふうう]………………………暴風雨
～風[～ふう]……………～潮流、～風、～型
風[かぜ]…………………………………………風
風邪[かぜ（ふうじゃ)]……………………感冒

■漢字詞彙複習

1．**空港**まで**一時間半**ぐらいかかります。
2．**空**が晴(は)れて、**温度**も**高**くなってきた。
3．**高**いから**半分**ずつ分(わ)けましょう。
4．**次第**に**風**が強(つよ)くなってきた。
5．**半月**まえに**二台**めのテレビを買(か)いました。
6．遠慮(えんりょ)なく**感想**を言(い)ってください。
7．いま**高度**1万(まん)メートルで**飛**んでいます。
8．**高校**2年(ねん)の時(とき)、なまけて**落第**してしまった。
9．せまい**空間**をじょうずに**利用**しているのに**感心**した。
10．せいが**高**いから**舞台**に立(た)つと**有利**だ。
11．この家(いえ)は**半年**まえから**空家**です。
12．**今度**の**台風**はかなり大(おお)きそうです。
13．**暴風雨**は**夜半**になってもやまなかった。
14．**四畳半**と**台所**の小(ちい)さなアパートです。
15．**内線**の45番(ばん)にお願(ねが)いします。
16．**感謝**の気持(きも)ちを**何度**もことばで表(あらわ)した。
17．ぜひ**参加**したいのですが、**次**の集(あつ)まりはいつですか。
18．あの人(ひと)のりっぱな**態度**に**感動**した。
19．ふろに入(はい)ったあと、**風**にあたると**風邪**をひきますよ。
20．こちらのほうが**利息**が**高**いから**有利**です。

1.到**機場**要花**一個半鐘頭**的時間。
2.**天空**放晴，**溫度**也逐漸升**高**了。
3.因爲很**貴**，所以各分**一半**吧！
4.**風勢越來越**強。
5.**半個月**前，我買了第**二架**電視。
6.請別客氣，說出你的**感想**。
7.現在**飛**行的**高度**是一萬公尺。
8.**高**二的時候，因爲不用功而**留級**。
9.狹小的**空間**充分加以**利用**，令人**佩服**。
10.因爲個子**高**，所以站在**舞台**上很**有利**。
11.這個房子從**半年**前就一直**空著**。
12.**這次**的**颱風**好像來勢洶洶。
13.**暴風雨**一直到**半夜**還未停息。
14.只有**四疊半**外加**廚房**的小公寓。
15.請接45號**分機**。
16.用言語表達了**好幾次感謝**的心情。
17.下次聚會是什麼時候？我希望能**參加**。
18.爲那個人了不起的**態度**深受**感動**。
19.洗完澡後吹**風**會**感冒**喲。
20.這一邊**利息高**，比較**有利**。

応用読解練習・應用閱讀練習

「朝日新聞」（1989.4.17）

1 放送大学の体験で大学新時代を実感

与野市 菅原 仁（会社員 41歳）

2 放送大学が開校してはや四年。今春、卒業生が誕生することで制度上もわが国初の成人教育中心の高等教育機関として一人前になる。

「十八歳以上なら、だれでも入学できる大学校」ではあるものの、授業は予想以上に高度で、リポートやテストには大苦戦したが、日常生活にはない快い緊張であった。多くの人と語りあい、現代学問を知りたいという私の欲求は、二十年目にして満たされようとしている。学生は大部分が職業人と主婦で仕事・家庭と勉学を両立させる熱心さと職場同僚の声援に私は頭を下げ続けた。

しかし、NHK教育テレビと混同されるなどこの大学の周知度は低く、学生定員を満たすには至っていない。もっと多くの人に知ってもらう努力が当局に求められよう。

何よりも全国普及を急ぐとともに三百講座番組で各種団体と連携してビデオ教室を開設することや、一般大学にはない小人数面接授業の公開等も検討されるべきだと思う。

3 私は意思さえあれば、年齢に関係なく高度な考え方を身につけることができる放送大学の発展で、国公私立を含めた「大学」総体のレベルアップに結びつく大学新時代がくると実感できたように思う。

1 放送大学の体験で大学新時代を実感

2 放送大学が開校してはや四年。今春、卒業生が誕生することで制度上もわが国初の成人教育中心の高等教育機関として一人前になる。

「十八歳以上なら、だれでも入学できる大学校」ではあるものの、授業は予想以上に高度で、リポートやテストには大苦戦したが、日常生活にはない快い緊張であった。

3 私は意思さえあれば、年齢に関係なく高度な考え方を身につけることができる放送大学の発展で、国公私立を含めた「大学」総体のレベルアップに結びつく大学新時代がくると実感できたように思う。

■字彙表

1

放送大学[ほうそうだいがく]……空中大學
体験[たいけん]……體驗
大学新時代[だいがくしんじだい]……大學時代
実感(した)[じっかん(した)]……確實感受

2

開校する[かいこう(する)]……創校、建校
はや……已經
今春[こんしゅん]……今年春天
卒業生[そつぎょうせい]……畢業生
誕生する[たんじょう(する)]……誕生、出現
制度上も[せいどじょう(も)]……制度上也～
わが国初の[(わが)くにはつ(の)]……我國第一個
成人教育中心の[せいじんきょういくちゅうしん(の)]……以成人教育爲中心的
高等教育機関[こうとうきょういくきかん]……高等教育機關
一人前[いちにんまえ]……能獨立、能獨當一面
十八歳以上[じゅうはっさいいじょう]……十八歲以上
大学校[だいがっこう]……大學
～ではあるものの……雖然是～
授業[じゅぎょう]……上課、授課
予想以上に[よそういじょう(に)]……出乎意料之外
高度[こうど]……高度、高水準
大苦戦した[だいくせん(した)]……苦戰、艱苦奮鬥
日常生活[にちじょうせいかつ]……日常生活
快い[こころよ(い)]……快適、愉快
緊張[きんちょう]……緊張

3

意思さえあれば[いし(さえあれば)]……只要有心
年齢に関係なく[ねんれい(に)かんけい(なく)]……與年齡無關
身につける[み(につける)]……習得、掌握
発展[はってん]……發展
国公私立を含めた「大学」総体[こっこうしりつ(を)ふく(めた)だいがくそうたい]……包括國立公私立在內的所有大學
レベルアップ……提高水準
～に結びつく[～(に)むす(びつく)]……和～有關聯

■應用閱讀練習翻譯

1

透過空中大學的體驗，確實感受到大學邁入新時代

2

空中大學創校至今屆滿四年。今年春天，第一屆畢業生誕生後，做爲我國第一個以成人教育爲中心的高等教育機關，在制度上也已經步入軌道。

雖然是「只要十八歲以上，任何人均可入學的大學」，但課程水準相當高，出乎意料之外，經常要和報告、考試奮戰不懈，緊張卻充滿快感，是日常生活所無法體驗的。

3

和年齡無關，只要有心就能培養高度的思考方式，我覺得由於這樣的空中大學的發展，自己已經確實感受到能夠帶動包括國立、公立和私立在內的「大學」整體水準提升的大學新時代，即將來臨。

レッスン 5 七十の手料理

本文・正文 CD 2 No.9

このごろ高齢の男性の間で料理の学習が盛んになったそうである。若いころは、男*が台所に入るのははずかしいこととされていた*世代である。食事の用意はもちろん、湯をわかす*ことさえできない男性もめずらしくない。目の前にポットと湯のみがあっても、自分で茶を入れないという人もいる。

こうした男性が、なれない手つきで包丁を握って大根に挑戦する姿は、ユーモラスにも見える。しかし、料理が好きで包丁を握っている人は少ない。食べるために、ほかに方法がないからやっている人が大部分である。

こうした事態のかげには、社会の高齢化と家族制度の変化がある。昔はむすこ夫婦と同居するのが普通だったから、妻に死なれても*、むすこの妻が食事の世話をしてくれた。核家族化した現在、それは望めない。また、そのほかに女性の意識の変化も原因となっている。中高年の女性も外出することが多くなった。老妻が俳句の会やゲートボール、あるいは団体旅行に出かけたあと、ひとり残された老亭主は、「やれ、どっこいしょ*」と重い腰をあげて台所に立ち、新聞の切り抜きなどを頼りに、そうめんをゆでるという風景が多くなったらしい。

おもしろいのは、女性がひとりで外出する場合が多く、「原則として夫婦いっしょに外出」という形態には、まだなっていないことである。いま小学校の家庭科で、きゅうりの切りかたを習っている男の子が七十になるころには、この点も変わっているのではあるまいか。

■正文翻譯

古稀老翁學做菜

據說，近來高齡男士學習烹調，已經蔚爲風尚。這些男士在年輕的時候，是不屑於涉足廚房的。很多男士，連燒開水尚且不會，更遑論做菜了。即使茶壺、茶杯放在眼前，也不肯動手沏茶的人，亦有人在。

看這些男士以笨拙的手勢握著菜刀，儼然一副向蘿蔔挑戰的心情，也挺有趣的。然而，爲興趣作菜的人寥寥無幾，多半是爲了塡飽肚子，不得已才下廚的。

這種情形的背後，自有其原因——社會的高齡化以及家庭制度的改變。以前多半是和兒子媳婦住一起，因此即使喪偶落單，尚有媳婦幫忙照料三餐。而今，小家庭盛行，已不能再有這種指望了。此外，女性意識上的改變亦爲原因之一。中老年婦女外出的機會與日遽增。老伴去參加俳句大會、槌球賽，或者隨旅行團外出旅遊之後，落單看家的老公，只得藉助剪報之類的訊息，莫可奈何地挺身下廚煮麵了。這種情景，彷彿也逐漸司空見慣了。

有趣的是，婦女獨自外出的情形相當普遍，要達到「原則上一起出門」的境地，尙有一段距離。這一點，等到目前正在小學家政課裡，學習小黃瓜切片技巧的小男童們年屆古稀之時，也許早已改觀了吧？

以老人為對象的烹飪教室，學員們正興致勃勃的學做菜。

写真提供　朝日新聞社

会話・會話

■会話文Ⅰ CD 2 No.10

会社の昼休み、同僚二人の会話。Aは女性、Bは男性。

A：この新聞、もういりませんね。

B：ええ、一週間前のだから、捨ててもかまいませんよ。

A：ちょっと切り抜きたいんです。

B：へえ、どの記事ですか。

A：これです。

B：「七十の手料理」——ああ、おじいさん向けの料理法ですね。

A：ええ。

B：おたく、おじいさんといっしょなんですか。

A：いえ、主人の親は二人とも元気で、いなかにいますし、わたしの母はひとりぐらしです。

B：じゃ、料理を覚えなきゃならないおじいさんは、いないわけですね。

A：ええ。これ、わたしが使うんです。

B：えっ、「ほうれんそうのゆでかた」と「ひややっこの作りかた」——これをですか*。

A：ええ。おかしいですか。

B：いえ、そういうわけじゃありませんけど、ちょっと基本的すぎて、女性には用はないと思ったので。

A：いいえ、そんなことありません。こういう基本的なこと、教えてもらうひまがなかったんです、わたしたちの学生時代には。

B：ああ、受験勉強がたいへんでしたからね。

A：いえ、遊ぶのがいそがしくて。

■會話Ⅰ

公司的午休時間，兩個同事之間的對話。A是女性，B為男性。

A：這份報紙不要了吧？

B：嗯，一星期前的，可以丟了。

A：我想剪報。

B：哦，哪一則報導？

A：這一則。

B：「古稀老翁學做菜」——啊，原來是教老人做菜的技巧！

A：嗯。

B：府上是和公公住在一起嗎？

A：不，我的公婆都還健在，目前住在鄉下，而我母親一個人獨自生活。

B：這麼說，妳公公並不需要自己做菜嘛！

A：嗯，這個是我本身要用的。

B：咦，妳要學「波菜的煮法」及「涼拌豆腐的作法」？

A：是啊，很可笑嗎？
B：不，不是那個意思，我只是覺得那些太簡單，對女性而言，根本毫無用武之地。
A：那倒不見得。這種基本的東西，我們當學生的時候根本沒空學……。
B：啊，那是因爲準備升學考試太辛苦。
A：不，是因爲忙於玩樂之故！

■会話文Ⅱ CD 2 No.11

（夕食(ゆうしょく)の）夫婦(ふうふ)の会話。

夫(おっと)：正夫(まさお)は？

妻(つま)：先(さき)に食(た)べて寝(ね)てしまったわ。

夫：ふうん。

妻：はい、おみそしる。

夫：うん。

妻：きゅうりのおつけもの。

夫：これはいいや*。おや、おもしろい切(き)りかたしてあるね。

妻：そう？

夫：大(おお)きいのや小(ちい)さいのやつぶれたのや、こりゃひどいや。

妻：がまんしてちょうだい*、正夫が切ったんだから。

夫：えっ？

妻：あのね、きょう幼稚園(ようちえん)で、お弁当(べんとう)の時(じ)間(かん)に、みんなで野菜(やさい)サラダを作(つく)ったんですって。

夫：へえ？

妻：だから、きゅうりはぼくが切るよって。

夫：大丈夫(だいじょうぶ)かい、まだ五(いつ)つだよ。

妻：わたし、心配(しんぱい)で心配で、もう少(すこ)しで「やめて！」と言(い)いそうになるのを、じっとがまんしたの。汗(あせ)が出(で)たわ。

夫：やめさせたほうがいいんじゃない？

妻：だって、これからの男(おとこ)の子(こ)は、簡単(かんたん)なお料理(りょうり)ぐらいできるようにしておくべきだって、よく言(い)うでしょ*。

夫：うん、そりゃそうだけど。

妻：そのためには小さいうちから訓練(くんれん)しとかなきゃ*。

夫：まあね。

妻：でも、男の自立(じりつ)を助(たす)けるのって、たいへんなことね。疲(つか)れちゃったわ。

■會話Ⅱ

（晚餐時）夫妻間的對話。

夫：正夫呢？
妻：已經先吃飽睡覺去了。
夫：哦。
妻：喝點味噌湯吧！
夫：好。
妻：嚐嚐這醬瓜。
夫：好極了。咦，這種切法可眞奇特！
妻：是嗎？

夫：大小不一，有的還稀爛不堪，簡直慘不忍睹！
妻：正夫切的，你就將就點吃吧！
夫：哦？他說今天在幼稚園利用午餐時間做生菜沙拉。
妻：有這種事？
夫：所以嘛，才搶著要切小黃瓜！
妻：太危險了吧？他才五歲呢！
夫：我一直強忍著不去阻止他，結果膽戰心驚，嚇得直冒汗！
妻：不讓他切比較安全吧？
夫：你不是常說，從今以後應該讓男孩子也學會做幾道家常菜嗎？
妻：嗯，話是這麼說沒錯……。
夫：那就得從小開始訓練！
妻：是沒錯！
夫：不過，要幫男人獨立自主，還眞不簡單呢！累死了。

単語(たんご)のまとめ・單字總整理

■本文(ほんぶん)

手料理［てりょうり］……親手做菜
高齢［こうれい］……高齢、年老
料理［りょうり］……烹調、烹飪
学習［がくしゅう］……學習
盛ん［さか(ん)］……盛行、繁盛
台所［だいどころ］……廚房
世代［せだい］……世代、一代
食事［しょくじ］……用餐、吃飯
用意［ようい］……準備
～はもちろん……～理所當然、自不待言
湯をわかす［ゆ(をわかす)］……燒開水
めずらしくない……不稀奇
ポット……茶壺
湯のみ［ゆ(のみ)］……茶杯
なれない手つきで［(なれない)て(つきで)］……笨拙的動作
包丁［ほうちょう］……菜刀
握る［にぎ(る)］……握、抓
大根［だいこん］……蘿蔔
挑戦する［ちょうせん(する)］……挑戰
姿［すがた］……樣子、姿態
ユーモラス……幽默的、有趣的
方法［ほうほう］……方法
大部分［だいぶぶん］……大部分
事態［じたい］……情況、情形
～のかげに……在～背後
社会の高齢化［しゃかい(の)こうれいか］……社會的高齢化

家族制度［かぞくせいど］……家庭制度
変化［へんか］……變化
昔［むかし］……以前
むすこ夫婦［(むすこ)ふうふ］……兒子和媳婦
同居する［どうきょ(する)］……住在一起
妻に死なれても［つま(に)し(なれても)］……即使喪偶
世話をする［せわ(をする)］……照顧、照料
核家族化する［かくかぞくか(する)］……小家庭化
望めない［のぞ(めない)］……無法指望

意識［いしき］……意識
原因［げんいん］……原因
中高年［ちゅうこうねん］……中、老年

外出する[がいしゅつ(する)] ……………………外出
老妻[ろうさい] ……………………………老妻、老伴
俳句[はいく] ………………………………………俳句
ゲートボール ………………………………………槌球
団体旅行[だんたいりょこう] ……………團體旅行
残された[のこ(された)]……………被遺忘（落單）
老亭主[ろうていしゅ] ……………………老夫、老伴
やれ、どっこいしょ
……………………好吧！（做某事之前的自言自語）
重い腰をあげる[おも(い)こし(をあげる)]
……………………………………………勉強地站起來
切り抜き[き(り)ぬ(き)] …………剪（報）、剪貼
～を頼りに[(～を)たよ(りに)]
……………………………………………………藉助於～
そうめん …………………………………………………麵線
ゆでる ……………………………………………（水）煮
風景[ふうけい] ……………………………………情景
原則として[げんそく(として)]
…………………………………………………………原則上
形態[けいたい] …………………………型態、形式
小学校[しょうがっこう] …………………………小學
家庭科[かていか] ………………………………家政課
きゅうり ……………………………………………小黃瓜

■会話文 I

昼休み[ひるやす(み)] ……………………………午休
同僚[どうりょう] ………………………………同事
捨てる[す(てる)] ………………………………丟掉
切り抜く[き(り)ぬ(く)] ……………………剪下來
記事[きじ] ………………………………………報導；消息
おじいさん向け[(おじいさん)む(け)]
……………………………………………專爲老先生而設
料理法[りょうりほう] …………………烹調的方法
おたく ……………………………………………您、府上
ひとりぐらし ……………………………………獨自生活
ほうれんそう ………………………………………菠菜
ひややっこ ……………………………………涼拌豆腐
基本的[きほんてき] ……………………………基本上
受験勉強[じゅけんべんきょう] ……準備升學考試

■会話文 II

(お)みそしる ………………………………………味噌湯
(お)つけもの ……………………………………醬菜、泡菜
つぶれたの ………………………………破爛不成形的
がまんしてちょうだい
…………………………………………………請忍耐一下
幼稚園[ようちえん] ……………………………幼稚園
お弁当[(お)べんとう] ……………………………便當
野菜サラダ[やさい(サラダ)] ……………生菜沙拉
心配で[しんぱい(で)] …………………………擔心
もう少しで～と言いそうになる[(もう)すこ(しで
～と)い(いそうになる)] ………差點就脫口而出
汗が出る[あせ(が)で(る)] ……………………冒汗
簡単な[かんたん(な)] …………………………簡單的
訓練する[くんれん(する)] ……………………訓練
自立[じりつ] ……………………………………獨立自主
助ける[たす(ける)] ………………………………幫助

ノート・文法註釋

■本文

●七十の手料理

用來形容上年紀才開始學東西的慣用片語是「六十の手習い」〈六十而向學；活到老學到老〉。這裡把「六十」換成「七十」，把「手習い」換成「手料理」加上詼諧的色彩。

●「男性」と「男」

「男性」基本上用來表示性別，沒有褒貶的色彩。「男」有時帶有輕視的口氣，使用時應小心。「女性」(じょせい)和）「女」(おんな)的區別大致上與此平行。

●はずかしいこととされていた

「される」是「する」的被動式。「する」在這裡的意思是〈認爲〉。例如：「当時は男がはでな色を着たりするのははずかしいこととされていた。」〈男人穿得花花綠綠的，在當時被認爲很丟臉。〉

●湯をわかす、茶を入れる

在會話中，不管說話者是男是女，「湯」和「茶」的前面都要加上表鄭重的接頭辭「お」，變成「お湯をわかす」、「お茶をいれる」。

●妻に死なれても

自動詞「死ぬ」的被動式「死なれる」，用來表示〈由於妻子去世而受到不利的影響〉。要注意，這種句子通常不能用被動句譯成中文。如果只是客觀敘述事實，用「妻が死んでも」即可。正文的作者用「死なれても」的形式，表示出對太太先死的老人的同情。「息子の妻が食事の世話をしてくれた」的「〜てくれた」部分，同樣表示出對老人的同情。

●やれ、どっこいしょ

在採取行動之前先說這一句，是日本老人的特有習慣。

■会話文 I

●これをですか

「これを」的後面應該出現的動詞「使う」被說話者省略。例如：甲：「あそこ、行ってみました。」〈那兒，我去了一下。〉乙：「あそこへですか」〈（去）那兒啊？〉

■会話文 II

●これはいいや

「や」是句尾助詞，有強調的口氣。通常用於自言自語或好朋友之間的談話。「こりゃひどいや」是類似的例句。

●がまんしてちょうだい

女性常常對好朋友、家人、晚輩用「ちょうだい」一詞。意思等於「ください」。

●よく言うでしょ

「よく言う」在這裡的意思是〈人們常說〉。

●訓練しとかなきゃ

「訓練しておかなければならない」的簡縮形。

以笨拙的手勢拿菜刀

文型練習・句型練習

1．……はもちろん、……さえ……

No.12

本文例——食事の用意はもちろん、湯をわかすことさえできない男性もめずらしくない。

(注)「……はもちろん、……さえ」の形は特にむずかしくない、学習ずみの場合もあろう(「さえ」のかわりに「も」でもよいが、「さえ」のほうがはっきりする)。ここでは「……はもちろん、……さえ」が名詞を修飾する形を練習する。なお、以下の練習の「男性」「女性」は年配者である。

練習A　例にならって文を作りなさい。

例：湯をわかす→食事の用意はもちろん、湯をわかすことさえできない男性もめずらしくない。

1．茶を入れる→

2．茶わんを洗う→

3．あと片づけをする→

4．料理の材料を買う→

練習B　例にならって文を作りなさい。

例：日曜大工、くぎを打つ→日曜大工はもちろん、くぎを打つことさえできない女性もめずらしくない。

1．テープの編集、録音する→

2．車の運転、自転車に乗る→

3．屋根の修理、植木の枝を切る→

4．飛びこみ、泳ぐ→

そのほか、勉強ばかりしていて運動のへたな都会の子供などについて、この形を応用して話してみる。

1.連……，更遑論……。

正文範例——很多男士，連燒開水尚且不會，更遑論做菜了。

(註)「連……，更遑論……」的句型並不難，某種情況可能已經學過了。（用「も」代替「さえ」亦無妨。但用「さえ」意思比較清楚。）在此，練習「連……，更遑論……」修飾名詞的句型。還有，以下的練習，男性與女性都是年長者。

練習A　請依例造句。

例：燒開水→很多男人，連燒開水尚且不會，更遑論做菜了。

1.沏茶→

2.洗碗→

3.料理善後→

4.買菜→

練習B　請依例造句。

例：充當木匠（外行人週日在家當木匠）、釘釘子→很多女性，連釘釘子都不會，更遑論充當木匠了。

1.錄音帶剪接、錄音→
2.開車、騎腳踏車→
3.修理屋頂、修剪樹枝→
4.跳水、游泳→

　此外，請利用這個句型，針對都市小孩只知用功，不會運動的情形，練習說說看。

2．昔は……。……現在、……

No.13

> 本文例——昔はむすこ夫婦と同居するのが普通だったから、妻に死なれても、むすこの妻が食事の世話をしてくれた。核家族化した現在、それは望めない。

㈟昔と現在の社会情勢の違いをくらべる形。まず、練習Aのような型に従った練習をしたのち、応用して、他のさまざまな変化について論じてほしい。

練習A　例にならって文を作りなさい。

例：むすこの妻に世話をしてもらう→昔はむすこ夫婦と同居するのが普通だったから、むすこの妻に世話をしてもらうことができた。核家族化した現在、それは望めない。

1．まごといっしょにくらす→
2．にぎやかに食事をする→
3．いつも若い人たちと話し合う→
4．病気になっても家族に頼る→

練習B　例にならって文を作りなさい。

例：むすこ夫婦と同居する、むすこの妻に世話をしてもらう、核家族化→昔はむすこ夫婦と同居するのが普通だったから、むすこの妻に世話をしてもらうことができた。核家族化した現在、それは望めない。

1．妻は夫の世話をする、夫は家事から解放される、女性の意識が変化→
2．学生は教師に従う、教師は学生の意見を無視する、対人関係の意識が変化→

（そのほか、細部を変えて、自由に文を作ってみる。）

2.**以前……。而今……。**

> **正文範例**——以前多半是和兒子媳婦住一起，因此即使喪偶落單，尚有媳婦幫忙照料三餐。而今，小家庭盛行，已不能再有這種指望了。

(註)此句型用來比較以前與現今社會型態的不同。首先模仿練習A的句型，練習看看。按各種變化試敘之。

練習A　請依例造句。

例：請媳婦照料→以前，多半是和兒子媳婦住一起，因此，可以請媳婦照料。而今，小家庭盛行，已不能再有此種指望了。

1.和孫子住一起→
2.熱熱鬧鬧地用餐→
3.常和年輕人交談→
4.生病了，可依靠家人→

練習B 請依例造句。

例：和兒子媳婦住一起，請媳婦照料、小家庭→
以前，多半是和兒子媳婦住一起，因此可以請媳婦照料。而今，小家庭盛行，已不能再有此種指望了。

1.妻子照顧丈夫、丈夫可不必操心家事、女性的意識上起了變化→
2.學生聽從老師、老師忽視學生的意見、人際關係意識上起了變化→
（另外可做局部性更改，隨意練習造句。）

ディスコース練習・對話練習

1.会話文Ⅰより CD 2 No.14

A：これ、……んです。
B：えっ、……ですか。
A：ええ、おかしいですか。
B：いえ、そういうわけじゃありませんけど、……ので。

練習の目的：Aの選んだものが意外だったのでBが問い返す。Aが自分の選択が悪いのかと聞くので、Bはなぜ疑問に思ったかを説明する。2回目のAはやや詰問の調子で、Bはあわてた調子でやるとよい。

練習の方法：基本型の下線の部分を入れかえる。

〈基本型〉

A：これ、わたしが⑴使うんです。
B：えっ、これをですか。
A：おかしいですか。
B：いえ、そういうわけじゃありませんけど、ちょっと⑵基本的すぎると思ったので……。

入れかえ語句

1．⑴着る　⑵じみすぎる
（セーターなどを示しながら）
2．⑴かぶる　⑵大きすぎる

(帽子などを示しながら)

3．(1)使う　(2)年寄りのようだ

(かばんなどを示しながら)

4．(1)読む　(2)男性むき／女性むき

(雑誌などを示しながら)

1.取材自會話 I

> A：這個，是……的。
> B：咦，是……？
> A：是啊，很可笑嗎？
> B：不，不是那個意思，只是……。

練習目的：B對A的選擇感到意外，因而反問A。A問B是否自己的選擇不妥，於是B說明爲什麼會感到懷疑。A第二次的發言，最好稍帶點盤問的口吻，而B的語氣也稍顯得慌張較好。

練習方法：代換基本句型的畫線部分。

〈基本句型〉

A：這個，是我本身要(1)用的。

B：咦，用這個？

A：很可笑嗎？

B：不，不是這個意思，只是覺得(2)太簡單了……。

代換語句

1.(1)穿　(2)太樸素　（邊指著毛衣之類的服飾）

2.(1)戴　(2)太大　（邊指著帽子之類的東西）

3.(1)使用　(2)太老氣　（邊指著皮包之類的東西）

4.(1)讀　(2)適合男性／適合女性　（邊指著雜誌之類的東西）

2.会話文 II より  No.15

> A：……ってよく言うでしょう。
> B：ええ、そりゃそうですけど。
> A：……なきゃ。
> B：ええ、まあ、そうですね。

練習の目的：Aが自分の行動の正当性を強く主張し、Bはそれに圧倒されて、弱々しく賛成する。練習の場面は子供の教育についての話に限ったが、ほかの話題についても応用できる。

練習の方法：基本型の下線の部分を入れかえる。

〈基本型〉

A：これからの男の子は簡単な料理ぐらいできるようにしておくべきだって、よく言うでしょう。

B：ええ、そりゃそうですけど。

A：そのためには、小さいうちから訓練しとかなきゃ。

B：ええ、まあ、そうですね。

入れかえ語句

1．男の子はピアノ

2．女の子は英語

3．女の子は身を守ること

4．子供はパソコン

応用：老後のための準備の話題

（Aの２回目の発話の「小さい」の部分を「今の」に変える）

1．老人は自分で料理

2．老人は洗濯

3．老人は自分のこと

2.取材自會話Ⅱ

A：不是常說要……。
B：嗯，話是這麼說沒錯。
A：就得……。
B：嗯，是沒錯！

練習目的：A強調自己的行爲正當，而B被其說服，稍表同意。練習的場面，雖然侷限於教育小孩的話題上，但也可以運用於別的話題上。

練習方法：代換基本句型的畫線部分。

〈基本句型〉

A：不是常說，從今以後應該讓男孩子也學會做幾道家常菜嗎？
B：嗯，話是這麼說沒錯。
A：那就得從小開始訓練。
B：嗯，是沒錯！

代換語句

1.(1)男孩子學會鋼琴
2.(1)女孩子學會英語
3.(1)女孩子潔身自愛
4.(1)小孩子學會個人電腦

應用：防老之類的話題

（將A第二次發言中的「小的」改成「現今」）

1.老人自己做菜
2.老人洗衣服
3.老人自己本身的事

漢字熟語練習・漢字詞彙練習

1．七（七十）

七[しち、なな]……………………………………七
七人[しちにん、ななにん]…………………七個人
七月[しちがつ]…………………………………七月
七十[しちじゅう、ななじゅう]………………七十
七百[ななひゃく]………………………………七百
七日[なのか、なぬか]
……………………………………………七號、七天
七夕[たなばた]…………………………………七夕

2．男（男性、男、男の子）

男性[だんせい]………………………男性、男士
男子[だんし]…………………………男子、男性
男女[だんじょ]……………………………………男女
長男[ちょうなん]…………………………………長子
男[おとこ]……………………………男人、男子
男の子[おとこ（の）こ]
……………………………………………………男孩子

3．性（男性、女性）

性[せい]………………………………性別、本性
性格[せいかく]………………………性格、個性

性能[せいのう] ……性能
性質[せいしつ] ……性質
性別[せいべつ] ……性別
個性[こせい] ……個性
男性[だんせい] ……男性
女性[じょせい] ……女性

4．**入**（入る、入れる）
入院する[にゅういん（する）] ……住院
入学する[にゅうがく（する）] ……入學
入港する[にゅうこう（する）] ……進港
入選する[にゅうせん（する）] ……入選
入門する[にゅうもん（する）] ……入門
入場料[にゅうじょうりょう] ……入場費
収入[しゅうにゅう] ……收入
記入する[きにゅう（する）] ……填寫
輸入(する)[ゆにゅう（する）] ……輸入、進口
侵入する[しんにゅう（する）] ……入侵
入れる[い（れる）] ……放進
入る[はい（る）] ……進入

5．**世**（世代、世話）
世界[せかい] ……世界
世論[せろん] ……輿論
世代[せだい] ……世代、一代
世間[せけん] ……社會、世界
世帯[せたい] ……家庭
世話する[せわ（する）] ……照料
世紀[せいき] ……世紀
世の中[よ（の）なか] ……社會、世間
浮世絵[うきよえ] ……浮世繪

6．**食**（食事、食べる）
食事[しょくじ] ……用餐、吃飯
食品[しょくひん] ……食品
食料[しょくりょう] ……食物
食卓[しょくたく] ……飯桌
食堂[しょくどう] ……餐廳
食欲[しょくよく] ……食慾
食器[しょっき] ……餐具
食器棚[しょっきだな] ……餐具櫥
昼食[ちゅうしょく] ……午飯
朝食[ちょうしょく] ……早飯
夕食[ゆうしょく] ……晚飯
定食[ていしょく] ……客飯
食う[く（う）] ……吃
食べる[た（べる）] ……吃

7．**分**（自分、大部分）
分譲（する）[ぶんじょう（する）] ……分開出售
分析（する）[ぶんせき（する）] ……分析
分類（する）[ぶんるい（する）] ……分類
分野[ぶんや] ……領域、範圍
分担（する）[ぶんたん（する）] ……分擔
分裂（する）[ぶんれつ（する）] ……分裂
分解（する）[ぶんかい（する）] ……分解
五分[ごふん] ……五分鐘
五分[ごぶ] ……五成
自分[じぶん] ……自己
十分[じゅうぶん] ……足夠
十分[じっぷん] ……十分鐘
半分[はんぶん] ……一半
三分の一[さんぶん（の）いち] ……三分之一
部分[ぶぶん] ……部分
当分[とうぶん] ……暫時
気分[きぶん] ……心情、情緒
節分[せつぶん] ……立春的前一天
分かる[わ（かる）] ……了解
分ける[わ（ける）] ……分開、分割
分かれる[わ（かれる）] ……分離、分開

8．**戦**（挑戦する）
戦争[せんそう] ……戰爭
戦後[せんご] ……戰後
戦線[せんせん] ……前線、戰線
戦場[せんじょう] ……戰場

戦略[せんりゃく]……………………………戦略
大戦[たいせん]……………………………大戰
終戦[しゅうせん]…………………戰爭結束、停戰
挑戦する[ちょうせん（する）]………………挑戰
戦い[たたか（い）]…………………戰鬥、戰爭
戦う[たたか（う）]…………………………作戰

9．方（方法）

方向[ほうこう]……………………………方向
方針[ほうしん]
……………………………………………方針
方面[ほうめん]……………………………方面
方法[ほうほう]……………………………方法
一方[いっぽう]
……………………………………………一方面
双方[そうほう]……………………………雙方
平方[へいほう]
……………………………………………平方
あの方[(あの) かた]………………………那一位
(書き) 方[(かき) かた]…………（寫）法、方法

10．法（方法）

法律[ほうりつ]……………………………法律
法案[ほうあん]……………………………法律草案
法廷[ほうてい]……………………………法務
法務省[ほうむしょう]………………………法務部
法人[ほうじん]…………………法人（法律名詞）
憲法[けんぽう]……………………………憲法
方法[ほうほう]……………………………方法
製法[せいほう]……………………………製造方法
国際法[こくさいほう]………………………國際法

11．化（高齢化、変化、核家族化）

化学[かがく]………………………………化學
文化[ぶんか]………………………………文化
変化（する）[へんか（する）]………………變化
消化（する）[しょうか（する）]……………消化
電化（する）[でんか（する）]……………電氣化
～化（洋風化）[～か（ようふうか）]
…………………………………………～化（洋化）

12．出（外出、出かける）

出勤する[しゅっきん（する）]
……………………………………………上班
出席する[しゅっせき（する）]……………出席
出社する[しゅっしゃ（する）]
……………………………………………上班
出身[しゅっしん]
……………………出身、籍貫、畢業（學校）
出火（する）[しゅっか（する）]
……………………………………起火、發生火災
出場する[しゅつじょう（する）]
……………………………………………出場
出版（する）[しゅっぱん（する）]…………出版
出産（する）[しゅっさん（する）]…生產、分娩
出張（する）[しゅっちょう（する）]
……………………………………………出差
出発（する）[しゅっぱつ（する）]…………出發
外出（する）[がいしゅつ（する）]…………外出
輸出（する）[ゆしゅつ（する）]
…………………………………………出口、輸出
支出（する）[ししゅつ（する）]……開支、支出
出る[で（る）]……………………出去、離開
出かける[で（かける）]……………………出門
出す[だ（す）]……………………………拿出

■漢字詞彙複習

1．入場料は七百円です。
2．食欲がないから、昼食はいらない。
3．ご出張はどの方面ですか。
4．消化のよいものを食べなさい。
5．七月七日に長男を出産した。
6．この分野でも洋風化が進(すす)んでいる。
7．うちは女性ばかりの世帯です。
8．食料の大部分を輸入している。
9．われわれの憲法では戦争をみとめない。
10．性能がよいので輸出ものびている。
11．われわれの方針は戦後ずっと変化していない。
12．収入は五分五分に分けよう。
13．支出の三分の一を分担してほしい。
14．いま入院していますから、当分は出社しません。
15．ここに性別を記入してください。
16．食器棚に入れておいてください。
17．国際法と化学の試験がある。
18．二十一世紀には世界大戦がおこってはならない。
19．この問題(もんだい)では世論は分裂しているようだ。
20．気分がよくないので、五分ほど休(やす)んだ。

1.入場費是日幣七百元。
2.沒有食慾，所以午餐不吃了。
3.到哪兒出差？
4.請吃容易消化的食物。
5.七月七日產下長子。
6.這方面也日趨洋化。
7.我的家人全是女性。
8.大部分的糧食皆靠進口。
9.我們的憲法規定不得戰爭。
10.由於性能良好，所以出口量不斷增加。
11.我國的方針，戰後一直維持不變。
12.將所得平分吧！
13.希望對方分擔開銷的三分之一。
14.目前住院當中，所以暫時不去上班。
15.請在此填入性別。
16.請放進餐具櫥裡。
17.要考國際法及化學。
18.二十一世紀不能引發世界大戰。
19.輿論界似乎正爲此問題意見紛歧。
20.因爲身體不適，所以休息了五分鐘。

応用読解練習・應用閱讀練習

「朝日新聞」（1989.4.17）

田中澄江さんと 読者が考える「老人ホーム」について

人間の個性を尊重して

管理的でなく 入居費も安く

1

田中澄江さんと読者が考える「老人ホーム」について

2

「老人ホームについて」には全国から百五十六通の意見が寄せられた。その内訳は別表に示した。「積極的に入居する」とする意見が四七・四%、「入る意思はない」とする意見が三〇・八%だった。「意思はない」とする人の大部分はその理由として「入居者の人格を無視している」「画一的な個性のない生活がいや」などをあげていた。この意見は、入居の意思を持つ人の間でも多かった。

今週、読者とともに考えてもらうのは、劇作家の田中澄江さん（八一）。夫の劇作家・田中千禾夫さん（八三）とともに元気に暮らしている。仲間と「老人ホームを考える会」などを持っていて、ドイツ、イタリア、フランスなどの老人用施設も積極的に見学している。

3

投書の内訳（単位・人）

	入りたい		入らない		その他		計
	男	女	男	女	男	女	
20代				2			2
30代		3		3		3	9
40代		7		3		2	12
50代	1	16	2	6		5	30
60代	4	17	4	12	4	4	45
70代	3	16	4	6	4	6	39
80代	1	6	1	5	1	3	17
不明						2	2
小計	9	65	11	37	9	25	
総計	74		48		34		156
構成比	47.4%		30.8%		21.8%		

男 29 通（19%）、女 127 通（81%）

■字彙表

1

田中澄江[たなかすみえ]
……田中澄江（人名）
読者[どくしゃ] ……讀者
老人ホーム[ろうじん(ホーム)] 老人之家、養老院

2

全国[ぜんこく] ……全國
百五十六通[ひゃくごじゅうろくつう] ……156封
意見[いけん] ……意見
寄せられた[よ(せられた)] ……寄來
内訳[うちわけ] ……細目、詳細內容
別表[べっぴょう] ……附表、另表
示す[しめ(す)] ……表示
積極的に[せっきょくてき(に)] ……積極地
入居する[にゅうきょ(する)] ……遷入、住進
～とする ……認爲～、表示～
意思[いし] ……意思、意願
大部分[だいぶぶん] ……大部分
理由[りゆう] ……理由
入居者[にゅうきょしゃ] ……住戶、住進去的人
人格[じんかく] ……人格
無視する[むし(する)] ……無視、漠視
画一的な[かくいつてき(な)] ……單調、劃一的
個性[こせい] ……個性
生活[せいかつ] ……生活
あげる ……舉出、給
今週[こんしゅう] ……本週
読者とともに[どくしゃ(とともに)]
……和讀者一起
考えてもらう[かんが(えてもらう)]
……請～考慮
劇作家[げきさっか] ……戲劇作家
夫[おっと] ……丈夫
千禾夫[ちかお] ……千禾夫（人名）
暮らす[く(らす)] ……生活
老人用施設[ろうじんようしせつ]
……老人設施
見学する[けんがく(する)] ……參觀

3

投書[とうしょ] ……投書
単位[たんい] ……單位
計[けい] ……總計、共計
20代[(にじゅう)だい] ……20歲到29歲的人
不明[ふめい] ……不明、不清楚
小計[しょうけい] ……小計
総計[そうけい] ……共計、合計
構成比[こうせいひ] ……百分比

■應用閱讀練習翻譯

1

田中澄江和讀者共同探討關於「老人之家」

2

「關於老人之家」，來自全國的意見有一百五十六封。詳細內容如附表所示。其中表示願意「積極住進」的佔47.4%，表示「無意住進的」佔30.8%。表示「無意住進」的人所持的理由大部分是「漠視住進者的人格」或「討厭單調缺乏個性的生活方式」之類。有意住進的，也有不少人抱持同樣的看法。

本週，要和讀者一起探討問題的，是戲劇作家田中澄江（81歲）。她和同樣是戲劇作家的先生田中千禾夫（83歲）一起生活，身體都還很硬朗。她和其他伙伴成立「老人之家研究會」，並積極參觀德、義、法各國的老人專用設施。

3

投書的詳細內容（單位・人）

	希望進住		不希望進住		其他		合計
	男	女	男	女	男	女	
20代				2			2
30代		3		3		3	9
40代		7		3		2	12
50代	1	16	2	6		5	30
60代	4	17	4	12	4	4	45
70代	3	16	4	6	4	6	39
80代	1	6	1	5	1	3	17
不明						2	2
小計	9	65	11	37	9	25	
總計	74		48		34		156
百分比	47.4%		30.8%		21.8%		

男29封（19%）、女127封（81%）

太太的小幫手可能是上了年紀的先生

レッスン 6 あかり

本文・正文 CD 2 No.16

先日の新聞に居間の照明の記事が出ていた。「大きな蛍光灯がひとつ上から強く照らしているだけでは、家族の顔をきれいに見せることはできない。スタンドを加え、あちこちに置いてみて、どの位置が一番効果的か研究してほしい」とあった。これは電気器具メーカーの話であるが、一般の家庭では、照明のこまかい工夫はあまり問題にならない。というより、明るければ明るいほどよいという考えが強いのではなかろうか。

それで思い出したのであるが、数年前あるヨーロッパ人の家庭に夕食に招かれたとき、電灯の光が極度に弱くて部屋が暗いのに、驚いたことがある。また、米国東部の古めかしいホテルに泊まったときは、食堂の中が非常に暗くて、足をふみ入れるのにちょっと不安を感じるほどであった。

一方、日本風の座敷の宴会などは、昼間のように明るいのが普通である。形よく焼いた魚の姿や、きれいに切ったさしみの色などが、はっきり見えるのが好まれる。芸者の着物の模様の繊細な美しさも、暗かったら映えないであろう。

一般に欧米では、夕食や夜のくつろぎのときには部屋を暗くするのが好まれ、アジアの多くの国では、逆に明るいのが好まれるそうである。欧米人の感覚では、まぶしいほど明るいのは、仕事の能率をあげるにはよいが、休息の雰囲気には適当でないということで、新幹線の夜間の照明などは明るすぎて疲れると、評判が悪いそうである。生理的に欧米人の目のほうが強い光に弱いからだという説をよく聞くが、ほかにもさまざまな要因があるのかもしれない。

■正文翻譯

燈光

前幾天報紙上有一篇關於起居室照明設備的文章，提及「單用一盞大日光燈，從上面強烈照射下來，無法讓家人的臉色顯得柔美。因此，我們希望大家能研究一下，如何在適當的位置加擺檯燈，以達到最佳效果。」這是電器用品廠商的想法，但一般家庭總認爲越亮越好，很少花心思在照明設備上。

因此讓我想起了一件事。幾年前，曾受邀至一個歐洲家庭吃飯，當時燈光之暗，令人咋舌。還有一次，在美國東部一家老式旅館過夜時，因爲餐廳裡面很暗，所以要進去甚至於覺得有點忐忑不安。

相反的，像日本式的宴客間的宴會之類，一般都是亮如白晝。他們喜歡讓烤魚優美的姿態及切割整齊的生魚片顏色，歷歷呈現眼前。若燈光太暗，大概也無法顯現出藝妓服飾上花紋的細緻美吧！

據說，歐美人在晚餐及夜晚小憩時，比較喜歡將房間弄暗，而歐洲許多國家則不然，反而偏愛明亮。歐美人認爲，刺眼的燈光，雖然能提高工作效率，卻也破壞了休息氣氛。因此，新幹線的風評一向不佳，理由是夜間照明太亮，令人疲憊。常有人說，這是因爲在生理結構上，歐美人的眼睛比較畏光。然而，除此之外，也許尚有其他種因素也說不定。

裝設在天花板中央的大燈，把傳統的日式房間照得亮如白晝。

会話・會話

■会話文Ⅰ CD 2 No.17

レストランで、テーブルについた男女の会話。交際を始めたばかりで、ことばづかいもていねい。Aは女性、Bは男性。

A：いいレストランですね、ロマンチックで。

B：そうですね。

A：ここは、いろんなワインがそろっているんで有名*なんだそうですよ。

B：そうですか。でも、ばかに暗いですね。電気を節約してるんでしょうか。

A：そんなこともないでしょう。レストランて暗いところが多いですよ、夜は。

B：そうですか。

A：うす暗いほうが気持ちが落ちついて、ゆっくり食事ができるんじゃありません？

B：そうかもしれませんね。

A：それに相手の顔もきれいに見えるし。

B：ああ、そうですね。

A：いつか外国人のお宅によばれたときもとても暗かったですね。西洋の人って、大体、夕食のときは暗くするのが好きなんですって。

B：へえ、そうですか。

A：明るいのは仕事の時間、うす暗いのは休息の時間だそうです。

B：ふうん、ぼくたちサラリーマンには縁のない話ですね。

A：どうしてですか。

B：昼間も仕事、夜も仕事で、暗いのは寝るときだけですからね。

A：これからは少しお仕事をへらして休息なさったらどうですか。

B：ええ、できればそうしたいんですがね。あ、ワインが来ました。

■會話Ⅰ

坐在餐廳餐桌前的男女對話。因為剛剛開始交往，所以用字遣詞都很客氣。A是男性，B是女性。

A：這家餐廳氣氛不錯，挺羅曼蒂克的！

B：是啊！

A：聽說這家餐廳葡萄酒種類多而齊全，很有名哩！

B：是嗎？不過，暗得離譜，該不會是節約能源吧？

A：不是的。餐廳到了晚上，多半是幽暗的！

B：哦！？

A：在微暗的燈光中，不是比較能心平氣和地用餐嗎？

B：也許吧！

A：而且對方的臉色看起來也比較美……。

B：嗯，的確。

A：有一次，我到外國人家裡作客時，也發現室內其暗無比，據說，西洋人在晚上用餐時偏好幽暗。

B：咦，是嗎？

A：聽說「亮」的時候是工作時間，「暗」的時候是休息時間。

B：嗯，這對我們上班族而言，簡直是遙不可及啊！

A：為什麼？

B：因為早晚都得工作，「暗」的時候，就只有睡覺時間了。

A：今後不妨稍微減少工作量，好好休息一下！

B：嗯，可能的話，眞想這麼做呢！啊，葡萄酒來了！

■会話文II CD 2 No.18

友人同士の会話。Aは男性、Bは女性。学生か若いサラリーマンの雑談。

A：日本人が明るいところで食事をするのが好きなのは、貧乏だったからさ。

B：どういうこと、それ？

A：昔の人はあかりをつける油が高くてなかなか買えなかったから、夜になるとすぐ寝てしまった。

B：ああ、そうね。うちの母も、子供のころ、夜おそくまで起きていると、電気がもったいないから寝なさいって言われたんだって。

A：うん、そうだったんだよ。それで、夜も明るい生活をするってことは、貧しい人のあこがれだったのさ。

B：その影響で今の人も夜明るくするのが好きだっていうの。

A：そう、先祖の貧しさの記憶のせいだと思うな。

B：だけど、よく誕生日のお祝いなんか、あかり消して暗くして、ローソク吹き消したりするじゃないの。

A：あれは西洋のまねさ。西洋人は夜の食事は暗いのが好きなのさ。

B：そうね。でも、日本は明るいのが好き、欧米人は暗いのが好きって、きめてしまうのには問題があるんじゃないかしら。

A：まあね。

B：それに、アジアのほかの国のことや、世界のほかの国のこともよくわからないし。

A：そうだね。だれか文化人類学者にでも聞いてみないと、はっきりしたことは言えないね。

■會話II

朋友間的對話。A是男性，B為女性。大概是學生或年輕的上班族間的閒聊。

A：日本人喜歡在亮亮的地方用餐，是因爲過去太貧窮的緣故！

B：你是指哪方面？

A：以前的人，因爲燈油太貴買不起，所以一到晚上便上床睡覺。

B：啊，的確。我母親小時候，若三更半夜還不睡覺，就會被催促說：「別浪費電了，快去睡覺吧！」

A：嗯，的確是那樣！因此，窮人家最嚮往的，就是能過日夜通明的生活。

B：這麼說，現代人是受其影響，而喜歡讓夜晚明亮些囉？

A：是的，我想是因爲牢記祖先的貧困之故。

B：不過，像慶生的時候，還是習慣將燈關掉，讓四周暗下來，再吹熄蠟燭，不是嗎？

A：那是模仿西洋，因爲西洋人喜歡在幽暗的氣氛中吃飯。

B：嗯，可是就這樣認定日本人喜歡明亮，而歐洲人喜歡幽暗，也不見得正確啊！

A：嗯。

B：而且，我們對亞洲其他國家或世界其他各國的情況亦不甚了解！

A：的確，若不請教文化人類學家，誰也無法確切地下定論。

単語（たんご）のまとめ・單字總整理

■本文（ほんぶん）

あかり……燈光、照明（設備）
先日［せんじつ］……前些日子
居間［いま］……起居室
照明［しょうめい］……照明
記事［きじ］……文章、報導
蛍光灯［けいこうとう］……日光燈
照らす［て（らす）］……照射
スタンド……檯燈
加える［くわ（える）］……添加
あちこち……到處（這兒那兒）
位置［いち］……位置
効果的［こうかてき］……有效率的、效果好的
研究する［けんきゅう（する）］……研究
電気器具［でんききぐ］……電器用品
メーカー……廠商
一般の［いっぱん（の）］……一般的
こまかい……精心的、精細的
工夫［くふう］……方法、計畫
問題にならない［もんだい（にならない）］……不成問題
招かれる［まね（かれる）］……受邀
電灯［でんとう］……電燈 —電気（でんき）ともいう
極度に［きょくど（に）］……極度地
米国［べいこく］……美國
東部［とうぶ］……東部
古めかしい［ふる（めかしい）］……老式的
足をふみ入れる［あし（をふみ）い（れる）］……步入
不安［ふあん］……不安
一方［いっぽう］……另一方面
日本風［にほんふう］……日本式
座敷［ざしき］……（日本式的）宴客間
宴会［えんかい］……宴會
昼間［ひるま］……白天
焼く［や（く）］……燒烤

姿[すがた]……………………………姿態、様子
好まれる[この(まれる)] …………………被喜歡
芸者[げいしゃ]………………………………藝妓
模様[もよう]……………………………花様、款式
繊細な[せんさい(な)]……………纖細的、細緻的
映える[は(える)]……………………………映照出
一般に[いっぱん(に)]……………………一般而言
欧米[おうべい]
……………………………………………………歐美
くつろぎ…………………………………放鬆、休息
アジア……………………………………………亞洲
逆に[ぎゃく(に)]……………………………相反地
欧米人[おうべいじん]
……………………………………………………歐美人
感覚[かんかく]………………………………感覺
まぶしい…………………………………炫目耀眼的
能率[のうりつ]………………………………效率
あげる……………………………………增加、提高
休息[きゅうそく]……………………………休息
雰囲気[ふんいき]……………………………氣氛
適当[てきとう]………………………………適當
新幹線[しんかんせん]
……………………………………………………新幹線
夜間[やかん]…………………………………夜間
評判[ひょうばん]
……………………………………………評價、評論
生理的に[せいりてき(に)]
……………………………………………………生理上地
説[せつ]…………………………………說法、學說
さまざまな……………………………各種各類的
要因[よういん]……………………………要素、因素

■会話文I

交際[こうさい]………………………………交際
ことばづかい
……………………………………………………用字遣詞
ロマンチック…………………………………羅曼蒂克
ばかに……………………………………過份地、非常
電気[でんき]……………………………電器、電燈
節約する[せつやく(する)]…………………節約
うす暗い[(うす)ぐら(い)]…………………微暗的
落ちつく[お(ちつく)]…………心平氣和、沈著

相手[あいて]…………………………………對方
よばれた…………………………………………受邀
へえ…………………………咦?(眞的嗎?)
休息[きゅうそく]……………………………休息
サラリーマン…………………………………上班族
縁のない[えん(のない)]
…………………………扯不上關係、遙不可及

■会話文II

友人同士[ゆうじんどうし]
……………………………………………………朋友之間
雑談[ざつだん]………………………閒聊、聊天
貧乏[びんぼう]………………………………貧窮
油[あぶら]……………………………………………油
もったいない……………………覺得可惜、浪費
生活[せいかつ]………………………………生活
貧しい人[まず(しい)ひと]……………………窮人
あこがれ……………………………………嚮往、憧憬
影響[えいきょう]……………………………影響
先祖[せんぞ]…………………………………祖先
貧しさ[まず(しさ)]…………………………貧困
記憶[きおく]……………………………記憶、回憶
～のせい……………………………………導因於～
誕生日[たんじょうび]…………………………生日
ローソク…………………………………………蠟燭
吹き消す[ふ(き)け(す)]……………………吹熄
～に問題がある[(～に)もんだい(がある)]
……………………………………………………～有問題
まあね……………………………………嗯、也許是～
文化人類学者[ぶんかじんるいがくしゃ]
……………………………………………文化人類學家
はっきりしたことは言えない[(はっきりしたことは)い(えない)]……………………無法輕易下定論

ノート・文法註釋

■本文

●……とあった

等於「～と書いてあった」〈上面寫著～〉。「……とあった」是書面語，用於文章中。

●それで思い出したのであるが……

意思是〈談到這些我才想起來……〉。如果是會話就會用「あ、それで思い出した」的形式。

●暗いのに

在這裡，「のに」的「の」是「こと」的意思，而「に」則相當於「～に驚く」〈驚訝於～〉的「に」〈表對象〉。要注意它和「疲れているのに休まない」〈累了卻不休息〉的「のに」〈表逆接〉不同。補充例句：「あの人の親切なのに感心した」〈對它的親切覺得感動〉。

●明るすぎて疲れると

此處的「と」是「～と言っている」〈說是～〉的省略。它和「もし～すると」〈如果～的話就〉的「と」〈表條件〉不同。補充例句：「軽くて使いやすいと、女性の間で評判がいい」〈輕便又好用，在女性之間口碑不錯〉。

■会話文 I

●……で有名

〈以～聞名〉的意思。出現於助詞「で」前面的，通常是「こと」或「の」（會話中常簡縮爲「ん」）。補充例句：「あの人はけちなんで有名だ。」〈他是有名的小氣鬼〉。

■会話文 II

●……からさ

「さ」表斷定，含有理所當然的口氣，爲一男性用語。女性通常用「よ」。

●どういうこと、それ

要求對方做更進一步的說明時，可以用這個句子。等於「それはどういうことですか」〈那是怎麼一回事？〉。在比較不正式的會話中，「ですか」常省略，而且順序常顚倒。

●言われたんだって

「って」等於「～ということを聞いた」。在非正式的會話中，「言われたんだって」常用來表示說話者傳遞的訊息是聽說的。

●好きだっていうの

相當於「好きだと（あなたは）言うのですか」。

●西洋人と欧米人

二者所指的對象相同，但語感略有不同。「西洋人」是比較老式的說法。

●下線部分：男女のちがい

請注意：在會話II中，男女說法不同的地方均以畫線表示。

男性的	女性的
貧乏だったからさ	（貧乏だったからよ）
（そうだね）	そうね
そうだったんだよ	（そうだったのよ）
あこがれだったのさ	（あこがれだったのよ）
思うな	（思うわ）
まねさ	（まねよ）
好きなのさ	（好きなのよ）
（そうだね）	そうね

(あるんじゃないかな)あるんじゃないかしら
言えないね　　　　　(言えないわね)

文型練習・句型練習

1．……(れ)ば……ほどよい  No.19

> 本文例——……というより、明るければ明るいほどよいという考えが強いのではなかろうか。

注「……(れ)ば……ほどよい」の形はすでに学習ずみの場合も多いと思われるので、ここでは、さらにそれを文の一部とする長文の形に発展させる。

練習A　例にならって文を作りなさい。

例：明るい→明るければ明るいほどよいという考えが強い。

1．若い→
2．新しい→
3．甘い→
4．簡単→

(4については、「簡単ならば簡単なほど」とすることに注意)

練習B　例にならって、練習Aで作った文の前後に語句をつけなさい。

例：照明→照明については、明るければ明るいほどよいという考えが強いのではなかろうか。

1．アイドル歌手→
2．電気器具→
3．くだもの→
4．料理法→

1.……**越**……**越好**

> **正文範例**——……總認爲越亮越好。

(註)「越……越好」的句型，我想多半已經學過，所以在此進一步使其成爲句子的一部分，將句子加長。

練習A　請依例造句。

例：亮→總覺得越亮越好。
1.年輕→
2.新→
3.甜→
4.簡單→
(要注意4必須說成「簡単ならば簡単なほど」。)

練習B　在練習A所造各句之前後添加其他語句，依範例造句。

例：照明→總覺得有關照明設備，是越亮越好。
1.偶像歌星→
2.電器用品→
3.水果→
4.做菜方法→

2．……て、……ほどだ  No.20

> 本文例——……食堂の中が非常に暗くて、足をふみ入れるのにちょっと不安を感じるほどであった。

(注)原因と結果で、とくに原因の程度を強調する形。英語のso ... that ... に似ている。
「あまりに……なので……だ」という表現もあるが、翻訳的な印象を与える。「……て、……ほど」のほうが自然な感じを与える。

練習A　例にならって文を作りなさい。

例：暗い、足をふみ入れる→非常に暗くて、足をふみ入れるのに不安を感じるほどであった。

1．浅い、とびこむ→
2．若い、診察を受ける→
3．年寄り、手術を受ける→
4．複雑、ボタンを押す→

（3、4は「……で」となることに注意）

練習B　例にならって、練習Aで作った文の前に語句をつけなさい。

例：食堂の中→その食堂の中は非常に暗くて、足をふみ入れるのに不安を感じるほどであった。

1．プール→
2．医者→
3．医者→
4．電気器具→

2.因為……，所以……。

> **正文範例**——……因爲餐廳裡面很暗，所以要進去甚至於覺得有點忐忑不安。

(註)此句型用來表原因及結果，而特別強調原因的程度。類似英文的so……that。
也有「あまりに……なので……だ」〈太過於……所以……〉的說法，但是總給人一種「翻譯」的感覺。還是「……て、……ほど」的句型比較自然。

練習A　請依例造句。

例：暗、進入→因爲很暗，所以要進去甚至於覺得有點忐忑不安。

1.淺、跳入→
2.年輕、接受診察→
3.年老、接受手術→
4.複雜、按鈕→

（要注意3、4必須用「……で」。）

練習B 在練習A所造各句之前添加其他語句，依範例造句。

例：餐廳裡面→因爲那家餐廳裡面很暗，所以要進去甚至於覺得有點忐忑不安。

1.游泳池→

2.醫生→

3.醫生→

4.電器用品→

ディスコース練習・對話練習

1.会話文Iより  No.21

> A：……のほうが……んじゃありません？
>
> B：そうかもしれませんね。
>
> A：それに……し。
>
> B：ああ、そうですね。

練習の目的：Aはひとつの方法の良さを主張する。はじめは相手の賛成を容易に得るように、やわらかく述べ。次に、もうひとつの理由を断定的に述べる。Bは、はじめは消極的に、次はもっと積極的に賛成する。

練習の方法：基本型の下線の部分を入れかえる。

〈基本型〉

A：(1)うす暗いほうが(2)気持ちが落ちつくんじゃありませんか。

B：そうかもしれませんね。

A：それに(3)相手の顔もきれいに見えるし。

B：ああ、そうですね。

(注意．Aは「……じゃありません？」でもいいがやや女性的。「……じゃありませんか」のほうが一般的。文尾を少し上げること。「じゃありませんか」を下げながら言うと詰問調になる)

入れかえ語句

1．(1)味がうすい　(2)材料のよさが分かる　(3)体にもいい

2．(1)朝早く行く　(2)気持ちがいい　(3)道もすいている

3．(1)車をやめて歩く　(2)体にいい　(3)お金もかからない

4．(1)運動をする　(2)体にいい　(3)気分転換にもなる

1.取材白會話 I

A：……比較……不是嗎？
B：也許吧！
A：而且……。
B：嗯，的確。

練習目的：A說明某種方式的優點。剛開始為了要引起對方的共鳴，因此語氣較委婉。接著，再以肯定的口吻，舉出另一個理由。B最初只是消極地同意A的說法，接著就更積極地表示贊同。

練習方法：代換基本句型的畫線部分。

〈基本句型〉

A：(1)在微暗的燈光中，(2)比較能心平氣和不是嗎？

B：也許吧！

A：而且(3)對方的臉色看起來也比較美……。

B：嗯，的確。

（注意：A句也可以說成「……じゃありません？」，但屬女性用語。用「……じゃありませんか？」較為普遍，句尾聲調稍微上揚。若「じゃありませんか」句尾聲調下降，則屬責問語氣。）

代換語句

1.(1)口味淡 (2)知道材料的好壞 (3)有益健康
2.(1)一大早去 (2)心情好 (3)不會賭車
3.(1)不開車改換步行 (2)有益健康 (3)省錢
4.(1)做運動 (2)有益健康 (3)轉換心情

2.会話文IIより  No.22

A：でも、……。
B：ええ。
A：……のこともよくわからないし。
B：そうですね。……てみないと……。

練習の目的：Bの案に対して、Aが疑問を出し、Bはその疑問を認めて、もっと情報を得ないと決定できないという結論を出す。（会話文IIでは男性の説に対し女性が疑問を出す形になっているが、ここでは練習がしやすいように、Bがパーティや旅行の企画を出し、Aがそれに疑問を示す形にした。）

練習の方法：基本型の下線の部分を入れかえる。

〈基本型〉

A：でも、ちょっと問題があるかもしれませんね。

B：ええ。

A：(1)世界のほかの国のこともよくわからないし。

B：そうですね。(2)だれか文化人類学者にでも聞いてみないと、はっきりしたことは言えませんね。

入れかえ語句

1．(1)こまかい規則のこと (2)だれか係の

人に聞いて

2. (1)会社の方針 (2)だれか上の人に聞いて

3. (1)交通の便 (2)地図で調べて

4. (1)みんなの都合 (2)費用を計算して

(1、2は新しい企画についての話、3、4は旅行やパーティなどの企画についての話である。ほかの場合も考えて会話をしてみるとよい。)

---

2. 取材自會話II

A：不過……。 B：嗯。 A：而且，對……亦不甚了解。 B：的確，若不……。

練習目的：A對B所言提出疑問，B則表贊同並下結論說：除非收集更多的資料，否則無法蓋棺論定。（會話II中，是女性對男性的說法提出質疑的句型，在此，爲使練習更簡單，我們將句型改成B提出聚會及旅行的計畫，A針對B所言提出質疑。）

練習方法：代換基本句型的畫線部分。

〈基本句型〉

A：不過，也許會有一些問題。

B：嗯。

A：(1)而且，對其他國家亦不甚了解。

B：的確，(2)若不請教文化人類學家，誰也無法確切地下定論。

代換語句

1.(1)規則細節 (2)請教承辦人員

2.(1)公司的行政方針 (2)請教上司

3.(1)交通狀況 (2)查看地圖

4.(1)大家的情形 (2)計算費用

（1、2是有關新企劃事宜，3、4是有關旅行或聚會計劃的話題。試著再想想其他話題，練習對話。）

漢字熟語練習・漢字詞彙練習

1. 日（先日、日本風）

日本[にほん] ……日本
日本語[にほんご] ……日語
日本人[にほんじん] ……日本人
日本風[にほんふう] ……日本式
日記[にっき] ……日記
日曜(日)[にちよう(び)] ……星期日
毎日[まいにち] ……每日、每天
今日[こんにち] ……今天、現代
明日[みょうにち] ……明天
昨日[さくじつ] ……昨天
一日中[いちにちじゅう] ……一整天
先日[せんじつ] ……前幾天
日[ひ] ……一天、太陽
(一月) 一日[(いちがつ) ついたち、いちじつ] ……(一月) 一號
三日[みっか] ……三天、三號

2．新（新聞、新幹線）

新聞[しんぶん]……報紙
新入社員[しんにゅうしゃいん]……新進員工、新進職員
新鮮(な)[しんせん(な)]……新鮮（的）
新幹線[しんかんせん]……新幹線
新しい[あたら(しい)]……新的

3．明（照明、明るい）

明日[みょうにち]……明天
説明[せつめい]……說明
証明[しょうめい]……證明
照明[しょうめい]……照明
不明[ふめい]……不清楚、不詳
失明する[しつめい(する)]……失明
明るい[あか(るい)]……明亮的
明らか(な)[あき(らかな)]……明顯（的）

4．見（見せる、見える）

見物(する)[けんぶつ(する)]……遊覽、觀光
見学(する)[けんがく(する)]……參觀、考察
意見[いけん]……意見
発見(する)[はっけん(する)]……發現
拝見する[はいけん(する)]……看（謙讓語）
見る[み(る)]……看
見方[みかた]……看法
見出し[みだ(し)]……標題
見込み[みこ(み)]……希望、可能性
見せる[み(せる)]……讓～看

5．一（一番、一般、一方）

一[いち]……一
一日[いちにち]……一天
一月[いちがつ]……一月
一般の[いっぱん(の)]……一般的
一部[いちぶ]……一部分
一番[いちばん]……最、第一
一方[いっぽう]……一方面、另一方面
一時[いちじ]……一點、臨時的、短暫的
一致(する)[いっち(する)]……一致
一種[いっしゅ]……一種
一緒[いっしょ]……一起
一行[いっこう]……一行人
一人前[いちにんまえ]……成人、一人份
一つ[ひと(つ)]……一個
一月[ひとつき]……一個月
一人[ひとり]……一個人
(二月) 一日[(にがつ) ついたち、いちじつ]……（二月）一號

6．的（効果的、生理的）

国際的(な)[こくさいてき(な)]…國際性（的）
具体的(な)[ぐたいてき(な)]……具體（的）
積極的(な)[せっきょくてき(な)]……積極（的）
消極的(な)[しょうきょくてき(な)] 消極（的）
効果的(な)[こうかてき(な)]……有效（的）
生理的(な)[せいりてき(な)]……生理上（的）
目的[もくてき]……目的
的[まと]……目標、標的

7．電（電気器具、電灯）

電話(する)[でんわ(する)]……（打）電話
電気[でんき]……電燈、電器
電子[でんし]……電子
電車[でんしゃ]……電車
電灯[でんとう]……電燈
電力[でんりょく]……電力
電波[でんぱ]……電波
停電(する)[ていでん(する)]……停電

8．工（工夫）

工場[こうじょう]……工廠
工業[こうぎょう]……工業
工事[こうじ]……工程
工学[こうがく]……工程學
工芸[こうげい]……手工藝
工員[こういん]……工人
加工(する)[かこう(する)]……加工
人工(の)[じんこう(の)]……人工（的）

工夫(する)[くふう(する)]…………計畫、方法
大工[だいく]……………………………………木匠

9．米（米国、欧米）

米価[べいか]……………………………………米價
米国[べいこく]…………………………………美國
欧米[おうべい]…………………………………歐美
米[こめ]…………………………………………米
～米[～メートル]………………………………～公尺

10．部（部屋、東部）

部分[ぶぶん]……………………………………部分
部隊[ぶたい]……………………………………部隊
部長[ぶちょう]…………………………部長、院長
部下[ぶか]………………………………………部下
一部[いちぶ]…………………………………一部分
全部[ぜんぶ]……………………………………全部
本部[ほんぶ]……………………………………總部
支部[しぶ]………………………………………分部
内部[ないぶ]……………………………………內部
～部（東部）[～ぶ（とうぶ）]
……………………………………………～部（東部）
部屋[へや]………………………………………房間

11．数（数年）

数[すう]…………………………………數字、數目
数日[すうじつ]…………………………數日、幾天
数年[すうねん]…………………………數年、幾年
数字[すうじ]……………………………………數字
数学[すうがく]…………………………………數學
数倍[すうばい]…………………………數倍、幾倍
多数(の)[たすう(の)]………………多數（的）
少数(の)[しょうすう(の)]
……………………………………………少數（的）
指数[しすう]……………………………………指數
数～(数人)[すう～(すうにん)]
……………………………………數～（幾個人）
数[かず]…………………………………………數目
数える[かぞ(える)]……………………………數、算

12．年（数年）

年度[ねんど]……………………………………年度
年始[ねんし]……………………………………年初
年末[ねんまつ]…………………………年底、歲末
年賀状[ねんがじょう]…………………………賀年卡
年齢[ねんれい]…………………………………年齡
昨年[さくねん]…………………………………去年
去年[きょねん]…………………………………去年
来年[らいねん]…………………………………明年
本年[ほんねん]…………………………………今年
数年[すうねん]…………………………數年、幾年
少年[しょうねん]………………………………少年
青年[せいねん]…………………………………青年
中年(の)[ちゅうねん(の)]…………中年（的）
年に一度[ねん(に)いちど]……………一年一次
年寄り[としよ(り)]……………………………老年人
今年[ことし]……………………………………今年

各式各樣的和室照明設備

■漢字詞彙複習

1. 数年前から日記をつけている。
2. 具体的に説明してください。
3. 新入社員は工場の内部を見学した。
4. 一行は昨日、新幹線で京都に着いた。
5. 両者の意見はなかなか一致しなかった。
6. はっきりした数は不明ですが、かなり多数来ました。
7. 1月1日から3日まで休みです。
8. 米価の問題がまた新聞に出ている。
9. 電車の中は昼間のように明るい。
10. 100米ほど先で道路の工事をしています。
11. 人工の味は好みません。
12. 君は消極的すぎる。もっと積極的になってほしい。
13. 今年も年賀状を書く季節になった。
14. 昨年じゅうはいろいろおせわになりました。本年もよろしくお願いします。
15. いそがしいので、新聞は見出ししか見ない。
16. 大工さんに電話して、来てもらいましょう。
17. 全部、部下にやらせるわけにはいかない。
18. 数人の工員が働いている。
19. 数学に弱いので工学はむりだろう。
20. 具合の悪い部分を発見したので直している。

1.從幾年前開始寫日記。
2.請具體地說明。
3.新進員工已參觀過工廠內部。
4.昨天，一行人搭新幹線抵達京都。
5.雙方意見很難一致。
6.來的人數相當多，但不確定究竟有多少。
7.一月一日至三日休假。
8.報紙上又提到米價問題。
9.電車內如白晝般明亮。
10.前面百米處正在施工。
11.不喜歡人工的味道。
12.你太消極了，希望你能更積極些。
13.今年又到了寄賀年卡片的季節了。
14.去年承蒙多方照顧，今年也請多多指教。
15.因爲很忙，所以只看報紙大標題。
16.我們打電話請木匠來吧！
17.無法全部讓屬下處理。
18.有幾個工人在工作。
19.數學不好，唸工程學大概很吃力吧！
20.因爲發現有地方故障，正在修理當中。

応用読解練習・應用閱讀練習

1

電気スタンド
暮らしの美

2

「読書の秋」という言葉があるためか、電気スタンドには〝秋の夜〟のイメージを感じるが、このスタンドは〝春の夜〟を連想させた。

電灯がつくと、それまでなんの変哲もなかった空色ガラスのほやが、かすかな光を透かした水の色に変わり、藻の間から金魚がゆらめき出て泳ぎ出す。

3

水も金魚も、緑の藻も白いあぶくも、すべてがおぼろにあわあわと春の夜のはかない夢のよう……

「読書や筆記のための明かりというよりは、一種の室内飾りでしょうね。大正のものだと思います」

と、持ち主の石田貞雄さんはいう。

4

「事物起源辞典」（東京堂出版）によれば「電気スタンド」は、「電気」と、英語またはドイツ語の《…立っていること、台、掛け》などを意味する「スタンド」との造成語とか。

もののあふれたこの時代、ベビーベッドのそばや病む人のまくら元に、こんな慰めが、ないのが不思議だ。

「朝日新聞」（1989.3.5）

1 電気スタンド 暮らしの美

2 「読書の秋」という言葉があるためか、電気スタンドには〝秋の夜〟のイメージを感じるが、このスタンドは〝春の夜〟を連想させた。

電灯がつくと、それまでなんの変哲もなかった空色ガラスのほやが、かすかな光を透かした水の色に変わり、藻の間から金魚がゆらめき出て泳ぎ出す。

内側に仕込んだ回転筒が電熱で回り、筒に描かれた画像がほやを通して見える。縁日で見かける回りどうろうと同じ原理だ。ほやが円筒でなく、野菜のオクラに似た凹凸のある角筒なので、金魚の遊泳には、身をくねらせ尾をなびかせ本物さながらの陰影が生まれる。

3 水も金魚も、緑の藻も白いあぶくも、すべてがおぼろにあわあわと春の夜のはかない夢のよう……

「読書や筆記のための明かりというよりは、一種の室内飾りでしょうね。大正のものだと思います」

と、持ち主の石田貞雄さんはいう。

明治の石油ランプが電灯に変わってほどなく作られたらしいこのスタンドには、新しく、遊び心にとみ、一抹ものうさも漂わせた浪漫的な、大正という時代の気分がみなぎっている。

4 「事物起源辞典」（東京堂出版）によれば「電気スタンド」は、「電気」と、英語またはドイツ語の《…立っていること、台、掛け》などを意味する「スタンド」との造成語とか。

もののあふれたこの時代、ベビーベッドのそばや病む人のまくら元に、こんな慰めがないのが不思議だ。

文・鬼頭　典子記者
写真・駒井　秀雄記者

■字彙表

1

電気スタンド[でんき(スタンド)] ……………檯燈
暮らしの美[く(らしの)び]
……………………………………………生活之美

2

読書の秋[どくしょ(の)あき]
…………………………秋天是最適合讀書的季節
言葉[ことば] ………………………………話、語言
～を連想させる[(～を)れんそう(させる)]
………………………………………令人聯想到～
電灯[でんとう] …………………………………電燈
変哲[へんてつ] ……………………出奇、與眾不同
空色ガラス[そらいろ(ガラス)] ……天藍色的玻璃
ほや ……………………………………………燈罩
かすかな光[(かすかな)ひかり] ………朦朧的燈光
～を透かした[(～を)す(かした)] …………透著～
藻[も] …………………………………………水藻
金魚[きんぎょ] ………………………………金魚
ゆらめき出る[(ゆらめき)で(る)]
……………………………………………搖曳出現
泳ぎ出す[およ(ぎ)だ(す)] ………………開始游動

3

緑[みどり] ……………………………………綠色
あぶく ………………………………水泡、氣泡
すべて …………………………………………全部
おぼろ …………………………………………朦朧
あわあわと ……………………………柔柔淡淡的
はかない ……………………………稍縱即逝、短暫
夢[ゆめ] ………………………………………夢
筆記[ひっき] …………………………………筆記
一種[いっしゅ] ………………………………一種
室内飾り[しつないかざ(り)]
…………………………………………室內裝飾
大正[たいしょう] 大正時代(西元1912～1926年)
持ち主[も(ち)ぬし] ………………持有者、持有人
石田貞雄[いしださだお] ………石田貞雄(人名)

4

事物起源辞典[じぶつきげんじてん]
……………………………………………事物起源辭典
東京堂出版[とうきょうどうしゅっぱん]
……………………………………………東京堂出版
電気[でんき] ……………………………店、電燈
台[だい] ……………………………………台、坐
掛け[か(け)] ……………………………掛的東西
意味する[いみ(する)] …………意思是、意味著
造成語[ぞうせいご] ……………………新造詞
～とか
……………說是～(省略「説明されている」)
あふれた ……………………………………氾濫
病む人[や(む)ひと] ……………………病患、病人
まくら元[(まくら)もと] ……………………枕邊
慰め[なぐさ(め)] ………………………安慰、慰藉
～がないのが不思議だ[(がないのが)ふしぎ(だ)]
………………………………………沒有～覺得奇怪

■應用閱讀練習翻譯

1

檯燈

生活之美

2

或許是因爲有「秋天最適合讀書」這句話的關係，檯燈給人的印象是代表“秋夜”。但是，這座檯燈卻令人聯想到“春夜”。

一開燈，原本平淡無奇的天藍色玻璃燈罩，立刻變成淡藍色，透射出朦朧的燈光，金魚從水藻間搖曳出現，開始游動。

3

水、金魚、綠藻、白色的水泡，這一切都是濛濛朧朧，柔柔淡淡的，彷彿春夜是一場短暫的夢……。

「與其說是爲了讀書或做筆記，而使用的照明設備，不如說是一種室內裝飾。我想這是大正時代的東西。」這做燈飾的主人石田貞雄這樣說道。

4

根據「事物起源辭典」（東京堂出版）的說明，「電気スタンド」是以「電気」加上英語或德語意爲《……站立著的東西、台、掛》的「スタンド」所造的字眼。

在物品氾濫的這個時代，嬰兒床的旁邊或病人的枕邊，竟然沒有這種慰藉，令人莫解。

レッスン 7 年中行事

本文・正文 CD 3 No.1

世の中が変われば年中行事の種類や内容も変わるのは当然であろう。これだけいそがしい世の中になったのだから、昔からの行事はどんどん消えていくだろうと思われる。ところが、先日の新聞によると、伝統的な四季の行事は意外に根づよく残っているそうだ。正月、節分、彼岸、七夕などは、特に人気があるということである。

もちろん、内容は昔のままではない。かなり簡略化している、と同時に商業化している。昔は家庭で餅をついたり正月の料理を作ったりしたが、今では買って間に合わせる人が多くなった。住宅事情が大いに影響しているようだが、生活がいそがしいということも大きな原因であろう。

そして核家族化である。昔のことをよく知っている年寄りがいないから、行事は略式になり商業化する。しかしある程度残るのは、子供のおかげである。幼稚園や小学校のはたす役割は大きい。「年中行事なんか」と思っていた若夫婦も、子供が生まれて幼稚園や学校に通うようになると、態度を改めなければならなくなる。

子供が学校へ行って、「お正月にはみんなで神社にお参りしました」と作文に書けるよう、眠いのをがまんして初もうでに行く。子供が幼稚園へ行って、「ゆうべお父さんが豆をまきました」と、言えるよう、はずかしいのをがまんして「鬼は外！」とどなったりする。

文化のにない手は働きざかりの青年や壮年であるが、伝え手・受けつぎ手は年寄りや子供である。

■正文翻譯

節慶

社會變遷，每年節慶的種類及內容也會隨之改變。由於社會變遷得如此忙碌，令人覺得以前留下來的節慶大概會逐漸消失。然而，根據前陣子報紙所載，像新年、「節分」、「彼岸」、七夕等尤其受歡迎。

當然，內容並非一成不變。現在已經相當簡略，同時帶有商業氣息。以前，在家搗米做年糕、煮年菜，如今買現成將就者，大有人在。居家情況彷彿有著莫大的影響力，不過生活忙碌可能也是主因之一。

再者是小家庭的盛行。由於家中無老人，對過去的習俗不甚了解，因此，儀式往往簡略而流於商業化。但是若干節慶能夠存留下來，可說是拜孩童之賜，幼稚園和小學扮演著重要的角色。一向不把節慶當一回事的年輕夫妻，一旦小孩子出生，上幼稚園或上小學後就必須改變態度。

小孩上學，爲了讓他們能在作文上寫出：「新年時，大年初一到寺廟謁拜。孩子上幼稚園，爲了讓他能說句：「昨晚，父親撒豆驅邪。」（立春前日的一種習俗），就得硬著頭皮，大聲喊：「拒鬼怪於門外！」。

肩負文化重任的是幹勁十足的青年及壯年人；而傳承薪火的，卻是老人與孩童。

到廟宇求神祈福的人，隨著擊鼓聲擲出錢幣，這是他們一般的參拜儀式。

会話・會話

■会話文Ⅰ CD3 No.2

会社の昼休み、同僚の会話。Aは女性、Bは男性。

A：山本さん、お弁当ですか。

B：ええ、きょうは早びけするんで、昼休みに少し仕事をしようと思って。

A：まあ、めずらしい。お誕生日か何かで*？

B：いや、子供の幼稚園のクリスマス・パーティーなんですよ。

A：お父さんも出るんですか。

B：ええ、子供が劇に出るから、ぜひ見てくれって*。

A：お父さん、大変ですね。

B：ええ、お正月には朝早く初もうでをすることになってるし。

A：お正月がすぎると節分が来て……

B：そうそう、去年は豆まきをさせられました*。

A：「させられた」なんて……

B：ぼくも女房も、昔風の行事は全然やらない主義だったんですけどね。

A：子供さんにたのまれれば仕方がありませんね。

B：ええ、次の日、幼稚園へ行って、「豆まきしたよ」って言わないと、はずかしいんだそうです。

A：じゃあ、お彼岸とか七夕とかも……

B：ええ、うちは年寄りがいないから、そういうことをしなくてもすむ*と思っていたんですが、だめですね。

A：子供さんがお年寄りのかわりをしてるってわけですか。

B：そういうことになりますね*。

■會話Ⅰ

公司午休時間，同事間的對話。A是女性，B為男性。

A：山本先生，吃便當啊！

B：嗯，今天要提早下班，所以想利用午休的時間做點事。

A：哦，眞難得！是生日或……？

B：不，是小孩的幼稚園舉辦耶誕晚會。

A：家長也要參加嗎？

B：嗯，小孩說要參加演出，叫我務必捧場！

A：當父親可眞不容易啊！

B：是啊！大年初一還得一大清早上神社參拜。

A：新年過後，緊接著就是「節分」……。

B：對，對，去年還被迫撒豆驅邪呢！

A：「被迫」……？

B：我和內人過去一向不搞這些舊玩意兒，可是……。

A：一旦小孩子要求，可就沒辦法了！

B：是啊！聽說隔天到幼稚園去，要說：「撒豆驅邪了喲！」否則會很丟臉。

A：那麼「彼岸」、七夕也要……。

B：沒錯，本想家裡沒有老年人，不依例過節也無妨，可是卻辦不到！

A：你是說小孩子取代了老人？

B：的確有這種趨勢！

■会話文Ⅱ  No.3

若夫婦の会話。

夫：正月、どうする？

妻：どうするって、もうホテル予約したわよ。

夫：ああ、そうだったな。

妻：うちでお正月の準備するの大変だし、お客がくるとめんどうくさいから。

夫：うん。

妻：あなたも、ホテルがいいって言ったじゃないの。

夫：そりゃそうだけど、もう３年めだものなあ。

妻：うちでお正月したい？

夫：まあね。おやじやおふくろも東京へ来たがってるし。

妻：もっと暖かい時に来てもらったら？

夫：そうだね。じゃ、旧正月*にいなかへ行こうか。

妻：いやよ、わたし。

夫：そうか。

妻：日本酒とおせち料理とお餅なんて！

夫：そりゃあ、パンとコーヒーってわけにはいかない*けど。

妻：それに、お酒飲むのは男だけで、女はお料理はこびじゃない。

夫：このごろはそうでもないけど……

妻：第一、わたし、そのころ休暇とりにくいわ。あなたひとりで行って。

夫：ま、それはあとで考えよう……。（ひとりごと）子供が生まれて幼稚園へでも行くようになればな……。

妻：何か言った？

夫：言わない、言わない。

■會話 II

年輕夫妻的對話。

夫：新年，怎麼過？
妻：什麼怎麼過？已經訂好旅館啦！
夫：啊！對呀！
妻：在家準備過年很累，而且有客人來也很麻煩，所以……。
夫：嗯。
妻：你不也說過，在旅館過年比較好？
夫：是這樣沒錯，可是今年已經第三年了。
妻：想在家過年嗎？
夫：嗯，而且爸媽也想到東京來。
妻：等天氣更暖和些再請他們來玩，怎麼樣？
夫：嗯，那麼農曆年咱們就回鄉下去吧！
妻：我才不去呢！
夫：哦？
妻：日本酒、年菜、年糕，我可不敢領教！
夫：可是，也不可能說要吃麵包喝咖啡啊！
妻：而且，男人喝酒，女人卻要端菜！
夫：最近可不同囉……。
妻：重要的是，我那時候不太可能休假。你自個兒去吧！
夫：好，待會兒再說吧！（喃喃自語）如果生了小孩，開始上幼稚園的話……。
妻：你在說什麼？
夫：沒說！沒說！

単語(たんご)のまとめ・單字總整理

■本文(ほんぶん)

年中行事[ねんちゅうぎょうじ]……………節慶
世の中[よ(の)なか]……………世界、社會
種類[しゅるい]……………種類
内容[ないよう]……………內容
当然[とうぜん]……………當然
先日[せんじつ]……………前陣子
伝統的[でんとうてき]……………傳統上
四季[しき]……………四季
意外に[いがい(に)]……………沒想到
根づよく[ね(づよく)]……………根深蒂固地
残る[のこ(る)]……………存留、剩餘
正月[しょうがつ]……………新年
節分[せつぶん]
……………立春前一日（有撒豆驅邪的習俗）
彼岸[ひがん]
………春分、秋分加上前後各三天共七天的期間
七夕[たなばた]……………七夕
特に[とく(に)]……………特別地
人気がある[にんき(がある)]……………受歡迎
簡略化する[かんりゃくか(する)]……………簡化
商業化する[しょうぎょうか(する)]
……………商業化
家庭[かてい]……………家庭
餅をつく[もち(をつく)]……………搗製年糕
料理[りょうり]……………菜餚
間に合わせる[ま(に)あ(わせる)]
……………將就、湊合（所需）
住宅事情[じゅうたくじじょう]……………居家情況
大いに[おお(いに)]……………大大地
影響する[えいきょう(する)]……………影響
原因[げんいん]……………原因
核家族化[かくかぞくか]……………小家庭化

年寄り[としよ(り)] ……………………………老年人
略式[りゃくしき] ……………………………形式簡略
ある程度[(ある)ていど] ………………………某種程度
～のおかげ ……………………………………拜～之賜
幼稚園[ようちえん] ……………………………幼稚園
小学校[しょうがっこう] …………………………小學
はたす …………………………………………………完成
役割[やくわり] ……………………………………任務
若夫婦[わかふうふ] ……………………………年輕夫婦
通う[かよ(う)] …………………………定期往返、流通
態度[たいど] ………………………………………態度
改める[あらた(める)] ……………………………改變
神社[じんじゃ] ……………………………………寺廟
お参りする[(お)まい(りする)]
……………………………………………………………參拜
作文[さくぶん] ……………………………………作文
眠いのをがまんして[ねむ(いのをがまんして)]
……………………………………………………忍著睏頓
初もうで[はつ(もうで)]
……………………………………大年初一去寺廟拜拜
豆まき[まめ(まき)] …………………撒豆（驅邪）
「鬼は外」[「おに(は)そと」]
……………………………………「拒鬼怪於門外」

どなる ……………………………………………大聲喊叫
文化[ぶんか] ………………………………………文化
になない手[(にない)て] …………………肩負～的人
働きざかり[はたら(きざかり)] ………工作力旺盛
青年[せいねん] ……………………………………青年
壮年[そうねん] ……………………………………壯年人
伝え手[つた(え)て] ……………………………傳遞者
受けつぎ手[う(けつぎ)て] …………………繼承者

■会話文 I

昼休み[ひるやす(み)] ……………………………午休
同僚[どうりょう] …………………………………同事
お弁当ですか[(お)べんとう(ですか)]
………………………………………帶便當來吃嗎？
早びけする[はや(びけする)]
…………………………………………提早下班、早退
めずらしい ………………………………稀有、難得
劇[げき] …………………………………………戲劇
女房[にょうぼう] …………………………………內人
昔風[むかしふう] …………………………舊式、老樣子
主義[しゅぎ] ………………………………………主義
かわりをする ………………………………取代、代替

■会話文 II

予約する[よやく(する)] …………………預訂、預約
準備[じゅんび] ……………………………………準備
おやじ ……………………………………老爸（男性用語）
おふくろ …………………………………老媽（女性用語）
旧正月[きゅうしょうがつ] …………農曆年、春節
おせち料理[(おせち)りょうり]
………………………………………………傳統的日本菜
休暇[きゅうか] ……………………………………休假
とりにくい …………………………………………難以取得

ノート・文法註釋

■本文

●これだけ

「だけ」表〈程度〉，不只限於數量很少，下例中的「これだけ」，意思類似「こんなに」〈這麼〉。例句：「あれだけ努力したのに成功しなかった。運が悪かったのだろう。」〈那麼努力卻沒能成功。大概是運氣不好吧！〉

●～ということである
表間接獲知的訊息。〈聽說～、說是～〉。出現在文章中的頻率比「～そうだ」高。

●そして……である
意思等於「そのほかに……という要素もある」。另一個分析的方式是「そして（さらに考えなければならないのは）核家族化（の要素）である」。

●年中行事なんか
「なんか」含有批評、輕視的口氣。這時候「なんか」後面的部分通常省略。正文的「年中行事なんか」後面可以補上「重要ではない」〈不重要〉、「意味がない」〈無意義〉、「必要ない」〈不必要〉之類的詞語。

●させられました
使役加被動的形式。表示被強迫做某事。父母親常強迫小孩子做這、做那，文中的例子剛好情況相反，所以令人覺得有點幽默。針對這句話，A用「させられたなんて」〈什麼被迫〉回答，句尾省略了「いうのはおかしいですよ」〈說（什麼被迫），太可笑了〉。

●そういうことをしなくてもすむ
「しなくてもすむ」相當於「する必要がない」〈不必要做〉。例如：「あしたは休日ですから、朝早く起きなくてもすみます。」〈明天是星期日，所以不必早起。〉

●そういうことになりますね
「結果としてそうなる」〈結果就是如此。〉

■会話文 I

●お誕生日か何かで？
說話者將本來應該出現在句尾部分的「早びけするのですか」〈要早退嗎？〉省略。

●ぜひ見てくれって
句尾省略了「こどもが言っているので」。在常體會話中，「と」常減縮為「って」。

■会話文 II

●旧正月
農曆春節大概在陽曆二月初。日本的鄉下，有些地方仍然過著農曆年，但絕大部分都過著陽曆年。

●パンとコーヒーってわけにはいかない
不可能說要吃麵包喝咖啡。

文型練習・句型練習

1．これだけ……から、……  No.4

本文例——これだけいそがしい世の中になったのだから、昔からの行事はどんどん消えていくだろうと思われる。

(注)「これだれ」の「だけ」については、ノートを参照する。「と思われる」は「と見える」の意。「と思う」としてもよいが、「と思われる」のほうが間接的で改まった感じがする。本文の「消えて」は練習の可能性を多くするために「減って」と変えた。

練習A　例にならって文を作りなさい。

例：いそがしい→これだけいそがしい世の中になったのだから、どんどん減っていくだろうと思われる。

1．近代的な→

2．便利な→

3．自由な→

4．国際的な→

練習B　例にならって、次の語句をAの文に入れなさい。

例：昔からの行事をまもる→これだけいそがしい世の中になったのだから、昔からの行事をまもる人は、どんどん減っていくだろうと思われる。

1．古い習慣をまもる→

2．絶対に外食をしない→

3．自分の意見を言わない→

4．外国人を見たことのない→

A、Bとも、自分のことばを入れて文を作ってみなさい。

1.如此……，（所以）……。

正文範例——由於社會變遷得如此忙碌，令人覺得以前留下來的節慶大概會逐漸消失。

(註) 有關「これだけ」的「だけ」，請參考文法註釋。「と思われる」意思和「と見える」〈看起來似乎……〉相似。用「と思う」〈我覺得……〉亦可，不過「と思われる」感覺上比較委婉鄭重。在此，爲增加練習的可能性，將正文中的「消えて」〈消失〉改爲「減って」〈減少〉。

練習A　請依例造句。

例：忙碌→由於社會變得如此忙碌，令人覺得大概會逐漸減少。

1.近代化→

2.方便→

3.自由→

4.國際化→

練習B 請依例將下列語句代入練習A的各句中。

例：維持過去流傳下來的節慶習俗→由於社會變得如此忙碌，令人覺得維持過去流傳下來的節慶習俗的人，大概會逐漸減少。

1.維持舊習俗→

2.絕對不在外面吃飯→

3.不發表己見→

4.沒見過外國人→

照練習A、B的形式，用自己的詞句練習造句看看。

2．……（人）も、……と、……なければならなくなる

No.5

> 本文例——「年中行事なんか」と思っていた若夫婦も、子供が生まれて幼稚園や学校に通うようになると、態度を改めなければならなくなる。

(注)「……なんか」については、ノートを参照する。この練習は、変化を扱うので、「……なければならなくなる」の部分に注意。本文の「若夫婦」は、練習の可能性を多くするために「人」に変えた。

練習A 例にならって文を作りなさい。

例：年中行事→「年中行事なんか」と思っていた人も、態度を改めなければならなくなる。

1．料理→

2．敬語→

3．外国語→

4．貯金→

練習B 例にならって、次の語句をAの文に入れなさい。

例：子供が生まれて幼稚園や学校に通う→「年中行事なんか」と思っていた人も、子供が生まれて幼稚園や学校に通うようになると、態度を改めなければならなくなる。

1．ひとりで暮らす→

2．学校を出て会社に入る→

3．海外へ出張する→

4．子供が生まれて幼稚園や学校に通う→

「態度を改める」を「考えかたを変える」としてもよい。自分でも文を作ってみなさい。

2.……（人）一旦……，就必須……。

> **正文範例**———一向不把節慶當一回事的年輕夫妻，一旦小孩子出生，上幼稚園或上小學後就必須改變態度。

(註)有關「……なんか」，請參考文法註釋。這個練習主要是談變化，所以請注意「……なければならなくなる」〈就必須……〉這個部分。爲增加練習的可能性，在此將〈年輕夫妻〉改成（人）。

練習A　請依例造句。

例：節慶→一向不把節慶當一回事的人，就必須改變態度。

1.做菜→

2.敬語→

3.外國話→

4.儲蓄→

練習B　請依例造句。

例：小孩子出生後，上幼稚園或上學→一向不把節慶當一回事的人，一旦小孩子出生，上幼稚園或上學後，就必須改變態度。

1.獨自生活→

2.畢業進入公司→

3.到國外出差→

4.小孩子出生，上幼稚園或小學→

將〈改變態度〉改成〈改變想法〉亦可，自己練習造句看看。

ディスコース練習（れんしゅう）・對話練習

1.会話文Ⅰより　CD 3 No.6

A：……ですか。

B：ええ、きょうは……んで、……と思って。

A：そうですか。……ですね。

練習の目的（もくてき）：道（みち）や店内（てんない）などで知人（ちじん）に会（あ）ったときの会話。「お出（で）かけですか」「ええ、ちょっと」のようなきまったやりとりに似（に）ているが、もう少（すこ）し特定（とくてい）の条件（じょうけん）がある。AはBの様子（ようす）に言及（げんきゅう）し、Bは簡単（かんたん）にそれについての説明（せつめい）を加（くわ）える。

練習の方法（ほうほう）：基本型（きほんけい）の下線（かせん）の部分（ぶぶん）を入（い）れかえる。

〈基本型〉

A：(1)お弁当（べんとう）ですか。

B：ええ、きょうは(2)早（はや）びけするんで、(3)昼休（ひるやす）みに少し仕事（しごと）をしようと思（おも）って。

A：そうですか。大変（たいへん）ですね。

入れかえ語句（ごく）

1．(1)お買（か）い物（もの）　(2)家内（かない）が出かける　(3)夕（ゆう）食（しょく）を作（つく）ろう

2．(1)お出かけ　(2)主人（しゅじん）が出張（しゅっちょう）する　(3)空港（くうこう）まで送（おく）りに行（い）こう

3．(1)子守（こも）り　(2)となりの人（ひと）が病気（びょうき）な　(3)手伝（てつだ）ってあげよう

1～3は相手（あいて）に同情（どうじょう）する場合（ばあい）であるが、次（つぎ）のような場合は、最後（さいご）の行（ぎょう）を

A：そうですか。いいですね。行ってらっしゃい。

と変える。

4．(1)お出かけ　(2)主人が帰国する　(3)空港まで迎えに行こう

5．(1)お出かけ　(2)子供が音楽会に出る　(3)聞きに行こう

1.取材自會話 I

> A：……啊？
> B：嗯，今天要……，所以想……。
> A：這樣子啊！眞……！

練習目的：在街上或店裡之類的地方，遇見熟人時的會話。和「要出去嗎？」「嗯，要出去一下」的應對相似，但有一些特別條件。A談到B的狀況，而B對A所題之事稍加說明。

練習方法：代換基本句型的畫線部分。

〈基本句型〉

A：(1)吃便當啊？

B：嗯，今天(2)要提早下班，所以(3)想利用午休時間做點事。

A：這樣子啊！眞辛苦！

代換語句

1.(1)買東西　(2)內人不在家　(3)做晚飯

2.(1)出去　(2)外子出差　(3)去機場送行

3.(1)看顧小孩　(2)鄰居生病　(3)幫幫忙

1～3的情況是對他人寄予同情，而下列的情形，要將最後一句A所講的話改成：

A：這樣子啊！太好了！請慢走。

4.(1)出去　(2)外子回國　(3)去機場迎接

5.(1)出去　(2)小孩參加演奏會　(3)去聽

2.会話文IIより　CD 3 No.7

> A：じゃ、……ましょうか。
> B：いやですよ、わたしは。
> A：そうですか。
> B：……なんて。
> A：そりゃあ。……ってわけにはいきませんけどね。

練習の目的：Aの提案をBがはっきりことわる。Aが目上であったり、ABが親しくないときは使えない。友人同士なら、ことばづかいを変える。

練習の方法：基本型の下線の部分を入れかえる。

〈基本型〉（知人）

A：じゃ、この前のところに行きましょうか。

B：いやですよ、わたしは。

A：そうですか。

B：あんな(1)態度の悪い店なんて。

A：そりゃあ、(2)高級レストランのようなわけにはいきませんけどね。

友人同士ならば、次のようになる。〔　〕は女性的。

A：じゃ、この前のところに行こう〔行きましょう〕か。
B：いやだ〔いや〕よ、ぼく〔わたし〕は。
A：そう？
B：あんな(1)態度の悪い店なんて。
A：そりゃあ、(2)高級レストランのようなわけにはいかないけどね。

入れかえ語句

1．(1)ことばづかいの悪い店　(2)一流デパート

2．(1)割引きをしない店　(2)秋葉原

3．(1)せまいゴルフ場　(2)アメリカのゴルフ場

4．(1)規則のきびしい図書館　(2)貸本屋

2.取材自會話II

A：那麼，咱們就……！
B：我才不……呢！
A：哦？
B：……我可不敢領教！
A：可是也不能說……。

練習目的：B對A的提案斷然拒絕。如果A是上司，或者A、B之間並不熟稔時，就不能使用。如果是朋友就改變一下措辭。

練習方法：代換基本句型的畫線部分。

〈基本句型〉（熟人）

A：那麼，咱們就到上次那一家吧！
B：我才不去呢！
A：哦？
B：那種(1)態度惡劣的店，我可不敢領教！
A：可是也不可能要求像(2)高級餐廳一般。

如果是朋友的話，採取下面的說法：〔　〕部分是女性用語。

A：那麼，咱們就到上次那一家吧！
B：我才不去呢！
A：哦？
B：那種(1)態度惡劣的店，我可不敢領教！
A：可是也不可能要求像(2)高級餐廳一般。

代換語句

1.(1)措辭不雅的店　(2)一流的百貨公司
2.(1)不打折扣的店　(2)秋葉原
3.(1)狹小的高爾夫球場　(2)美國的高爾夫球場
4.(1)規定很嚴格的圖書館　(2)租書店

漢字熟語練習・漢字詞彙練習

1．内〈内容〉

内容［ないよう］……………………………内容
内部［ないぶ］……………………………内部、裡面
内閣［ないかく］……………………………內閣
内科［ないか］……………………………內科
国内［こくない］……………………………國內

市内[しない] ……………………………市内
社内[しゃない] …………………………公司內
案内する[あんない(する)]
……………………………嚮導、引導
以内[いない] ……………………………以內
～内(ビル内)[～ない(ビルない)]
……………………………在～內（在大樓內）
内側[うちがわ] …………………………內側、裡面
内訳[うちわけ] …………………………細目、明細

2．先〈先日〉

先日[せんじつ] …………………………前些日子
先週[せんしゅう] ………………………上週
先生[せんせい] …………………………老師
先輩[せんぱい] …………………………前輩
先進国[せんしんこく] …………………已經開發國家
優先する[ゆうせん(する)] ……………優先
行き先[ゆ(き)さき] ……………………目的地
お先に[(お)さき(に)] …………………先走、先告辭

3．正〈正月〉

正確(な)[せいかく(な)] ………………正確（的）
正式(の)[せいしき(の)] ………………正式（的）
正常(な)[せいじょう(な)] ……………正常（的）
正月[しょうがつ] ………………………新年、元月
改正(する)[かいせい(する)] …………修改
大正[たいしょう] ………………………大正時代
訂正(する)[ていせい(する)] …………訂正
正しい[ただ(しい)] ……………………正確的

4．当〈当然〉

当然[とうぜん] …………………………當然
当局[とうきょく] ………………………當局
当分[とうぶん] …………………………暫時
当日[とうじつ] …………………………當天
当時[とうじ] ……………………………當時
当面(する)[とうめん(する)] …………當前、面臨
当事者[とうじしゃ] ……………………當事人
相当する[そうとう(する)] ……………等於、相當於
相当[そうとう] …………………………適合、適稱
適当(な)[てきとう(な)] ………………適當（的）
担当する[たんとう(する)] ……………擔任
本当(の)[ほんとう(の)] ………………眞正、眞實（的）
当～(当店)[とう～(とうてん)]
……………………………該～（該店、本店）
当たる[あ(たる)]
……………………………碰撞、猜中
～当たり(一日当たり)[～あ(たり)(いちにちあたり)] ……………………………每～（每一天）
当てる[あ(てる)] ………………………接觸、適用
割り当て[わ(り)あ(て)] ………………分配、分擔

5．同〈同時〉

同日[どうじつ] …………………………同一天
同時[どうじ] ……………………………同時
同夜[どうや] ……………………………同一個晚上
同社[どうしゃ] …………………………該公司
同国[どうこく] …………………………該國
同点[どうてん] …………………………同分數
(女)同士[(おんな)どうし] ……（女）同伴、伙伴
同年[どうねん] …………………………同年、同齡
同情(する)[どうじょう(する)] ………同情
同僚[どうりょう] ………………………同事
同盟[どうめい] …………………………同盟
共同[きょうどう]
……………………………共同
同じ[おな(じ)] …………………………相同

6．業〈商業化〉

業者[ぎょうしゃ] ………………………經營者、業者
業績[ぎょうせき] ………………………業績
業務[ぎょうむ] …………………………業務
営業(する)[えいぎょう(する)]
……………………………營業
企業[きぎょう] …………………………企業、公司
産業[さんぎょう] ………………………產業、工業
農業[のうぎょう] ………………………農業
工業[こうぎょう] ………………………工業
商業[しょうぎょう] ……………………商業
漁業[ぎょぎょう] ………………………漁業
水産業[すいさんぎょう]
……………………………水產業
卒業[そつぎょう] ………………………畢業
授業[じゅぎょう] ………………………上課
職業[しょくぎょう] ……………………職業

失業[しつぎょう] ……失業
作業[さぎょう] ……作業、操作

7．作〈作る、作文〉

作品[さくひん] ……作品
作文[さくぶん] ……作文
作戦[さくせん] ……作戰
作家[さっか] ……作家、小說家
作曲(する)[さっきょく(する)] ……作曲
作業[さぎょう] ……作業、操作
作用(する)[さよう(する)] ……作用
製作(する)[せいさく(する)] ……製作
原作[げんさく] ……原著、原作
新作[しんさく] ……新作品
創作(する)[そうさく(する)] ……創作
作る[つく(る)] ……製造、建造、生產

8．住〈住宅事情〉

住所[じゅうしょ] ……住址
住宅[じゅうたく] ……住宅、居家
住民[じゅうみん] ……居民
居住(する)[きょじゅう(する)] ……居住
住む[す(む)] ……住
住まい[す(まい)] ……居住、地址

9．大〈大いに、大きな〉

大国[たいこく] ……大國
大戦[たいせん] ……大戰
大陸[たいりく] ……大陸
大衆[たいしゅう] ……大眾、群眾
大使[たいし] ……大使
大使館[たいしかん] ……大使館
大学[だいがく] ……大學
大学院[だいがくいん] ……研究所
大臣[だいじん] ……大臣、部長
大工[だいく] ……木匠
大体[だいたい] ……大體、大概
大変(な)[たいへん(な)] ……非常（的）、嚴重（的）
大切(な)[たいせつ(な)] ……重要（的）
大～(大好き)[だい～(だいすき)] ……非常～（非常喜歡）
最大(の)[さいだい(の)] ……最大（的）
巨大(な)[きょだい(な)] ……巨大（的）
膨大(な)[ぼうだい(な)] ……龐大（的）
拡大(する)[かくだい(する)] ……擴大
短大[たんだい] ……短期大學
大きい、大きな[おお(きい)、おお(きな)] ……大（的）
大いに[おお(いに)] ……大大地、非常地
大蔵省[おおくらしょう] ……財政部

10．子〈子供〉

子孫[しそん] ……子孫
男子[だんし] ……男子
女子[じょし] ……女子
電子[でんし] ……電子
原子[げんし] ……原子
利子[りし] ……利息
弟子[でし] ……門生、徒弟
様子[ようす] ……樣子、狀況
子供[こども] ……小孩子
息子[むすこ] ……兒子
親子[おやこ] ……父母與子女

11．言〈言える〉

言語[げんご] ……語言
宣言[せんげん] ……宣言
証言[しょうげん] ……證詞
助言(する)[じょげん(する)] ……建議、忠告
伝言[でんごん] ……傳話、口信
言う[い(う)] ……說

12．文〈作文、文化〉

文[ぶん] ……句子、文章
文化[ぶんか] ……文化
文学[ぶんがく] ……文學
文明[ぶんめい] ……文明
文字[もじ] ……文字
文部省[もんぶしょう] ……教育部
論文[ろんぶん] ……論文
作文[さくぶん] ……作文
注文(する)[ちゅうもん(する)] ……訂購、要求

■漢字詞彙複習

1. **作業**の**割り当て**をはっきりきめよう。
2. 彼(かれ)に**社内**の**同情**が集(あつ)まった。
3. **先週**、**卒業論文**を書(か)きおわった。
4. **当分**ここに**住**むつもりです。
5. **市内**を**案内**しましょう。
6. **営業**の田中(たなか)さんは**同じ大学**の**先輩**です。
7. **当時**の**担当者**にきいてみましょう。
8. あの人(ひと)の**作品**は**大好**きで、全部(ぜんぶ)**原作**で読(よ)みたいと思(おも)っています。
9. **息子**は**大蔵省**につとめています。
10. **同社**から**膨大**な**注文**があった。
11. 彼は**大衆作家**であって**文学**者(しゃ)ではない。
12. **子供同士**は仲(なか)がよいが、**親同士**は仲が悪(わる)い。
13. **大使**は**行**き**先**を**言**わずに出(で)かけてしまった。
14. **同国**は**農業**と**漁業**はさかんだが、**工業**はおくれている。
15. 十分(じっぷん)以内にもどると言っていました。
16. **自分**で**作曲**した歌(うた)を歌います。
17. こちらは**同僚**の山本君(やまもとくん)です。
18. **正確**なことはまだ分(わ)かりません。
19. **社内**の**意見**は分(わ)かれた。
20. 田中(たなか)さんから何(なに)か**伝言**がありましたか。

1.將**工作**分擔**劃分**清楚吧！
2.**公司上下**皆對他寄予**同情**。
3.**上週**把**畢業論文**寫完了。
4.打算**暫時住**這兒。
5.我**帶你參觀市內**吧！
6.**營業部**的田中先生是**我**的**大學學長**。
7.請教一下**當時**的**負責人**吧！
8.**相當欣賞**它的**作品**，所以想全部讀**原著**。
9.**兒子**在**財政部**上班。
10.**該公司**來了**大批訂單**。
11.他是**大衆小說家**，不是**文學**家。
12.**孩子之間**感情良好，但**雙方父母**交惡。
13.**大使**未**說明去向**，就外出了。
14.**該國濃漁業**發達，但**工業**落後。
15.他**說**十分鐘之內就回來。
16.演唱**自己創作**的曲子。
17.這位是我的**同事**山本先生。
18.尚未瞭解**真相**。
19.**公司內部意見**紛歧。
20.田中先生有**留話**嗎？

応用読解練習・應用閱讀練習

「日本を知る事典」（社会思想社刊）

らムシオクリ・サバエオクリなどとよばれる呪法ができ、伝えられて来た。夜、たいまつをともして、鉦と太鼓ではやしながら、藁人形を村境や川まで送ってゆく。藁人形には食べ物を詰め、害をなす虫を藁に包んで持たせるのがふつうで、この人形をサネモリサマとよび、行事をサネモリオクリといっているところもある。虫送りは土用三郎（土用の三日目）にやるときまっている村もあった。

〔雨乞い〕　水田耕作には水が不可欠であるから、水争いはつきものであったが、旱魃のときには必死に雨乞いをする。どこの土地でもやり方は似ているが、岡山県阿哲郡の哲西町では、まず、神社に集まって、鐘・太鼓をたたきながら雨祈禱をした。「雨を降らせ竜王どの」と唱えながら竜王の祠の扉を開くと雨が降ると信ぜられていた。それでも降らない時には、千把焚きをする。いくつかの部落が共同で、青葉のついた木を千把集めて、いっせいに山の頂で火を焚く。千駄焚きともいう。それでも雨が降らないときには、伯耆大山の稚児ガ淵、赤松ガ池まで水をもらいに行く。持って帰る途中で休むと、そこに雨が降るといわれ、交替で休まずに持って帰った。その水を笹の葉につけて田に撒いた。

群馬県邑楽郡板倉町の雷電神社も旱魃のときに遠くから水をもらいに来る。一〇〇キロを越える遠村から自動車で雨祈禱を受けに来た人たちを見たことがある。

最後の手段として、神聖視されている池や淵に、動物を殺して投げこむことがある。日本には犠牲をささげる祭りはないから、これは水の神にささげた犠牲ではなくして、神聖なる池や淵を穢して、司水の神を怒らせようという逆手の方法である。

〔名越し〕　旧の六月晦日に神社で行なわれる祓いの行事。六月祓という。大祓と同じ日に行なわれるが、大祓は六月と十二月の二回、どの神社でも行なうが、名越の祓いは六月だけ、特定の神社だけがやる。茅ガヤを巻いて輪にした茅の輪を広場に立てて、人々はそれを三回くぐる。茅の輪くぐり・輪くぐりの神事などといわれる。これを行なって来たのは出雲系の神社に多い。

大和の三輪の大神神社では一ノ鳥居の外で、茅の輪くぐりをするのを、〈おんばら祭〉といって、にぎわう。古くからの神事であったと見えて、その場所に鎮座神社をまつってあり、この社の名は『延喜式』の神名帳に見えている。

奈良の東大寺の解除会は旧六月二八日に大仏殿で行なわれてきたが、解除とは仏教語で祓いのことで、茅の輪行事をとりいれたものである。奈良・平安の古い寺の行事には神道と共通するものが少なくない。

43　茅の輪を利根川へ流す（群馬県邑楽郡）

おぼん

〔盆〕「盆と正月とがいっしょに来たようだ」という言葉があるように、日本人の年中行事は、この二つに集中している。おおまかにかぞえて、正月行事が半分を、残りのまた半分を盆行事がしめているとさえいえるかも知れない。列車を大増発してもすし詰めになるのが、正月と盆の帰郷客であるのを見れば、われわれが先祖から代々この二つの行事を重要なものとして伝えて来たことがわかる。外国の人々は、日本人が盆と正月とには故郷に帰らなければならないことにしているのを不思議がる。なぜときかれて返事のすぐできる人は少ないが、帰巣本能みたいなものといえるかも知れない。お盆という言葉は盂蘭盆経という仏教の経典に由来するが、お盆の行事の大部分、ことに中枢部はすべて日本特有のもので、仏教が持ちこんだものではない。僧侶が檀家をまわって棚経をあげるというような行事は、師檀制度ができてから後のもので、封建時代にできあがった、比較的新しいものである。盂蘭盆経でこの行事を説明するようになったのはシナであるが、盂蘭盆経で、目蓮が地獄に墜ちている母の懸倒を救ったという話は個人救済であり、日本人がたままつりとして伝承して来たのは家ごとの複数の祖霊との交感であることは、はっきりしている。目蓮が阿鼻地獄（無間地獄）に墜ちて苦しんでいる母を助けたという仏教説話は、〈変文〉という語りものとして唐代に大流行したもので、その原文はシルクロードの敦煌から発掘されて学界に知られるようになったが、母の墜ちているのは地獄である。ところがシナでは、一般に餓鬼道に落ちて苦しんでいると説いてきた。シナには血

おぼん

〔盆〕「盆と正月がいっしょに来たようだ」という言葉があるように、日本人の年中行事は、この二つに集中している。おおまかにかぞえて、正月行事が半分を、残りのまた半分を盆行事がしめているとさえいえるかも知れない。列車を大増発してもすし詰めになるのが、正月と盆の帰郷客であるのを見れば、われわれが先祖から代々この二つの行事を重要なものとして伝えて来たことがわかる。外国の人々は、日本人が、盆と正月とには故郷に帰らなければならないことにしているのを不思議がる。なぜときかれて返事のすぐできる人は少ないが、帰巣本能みたいなものといえるかも知れない。お盆という言葉は盂蘭盆経という仏教の経典に由来するが、お盆の行事の大部分、ことに中枢部はすべて日本特有のもので、仏教がもちこんだものではない。

■字彙表

盆[ぼん] ……………………………………盂蘭盆節
「盆と正月がいっしょに来たようだ」[ぼん(と)しょうがつ(がいっしょに)き(たようだ)]
好像盂蘭盆節和過年一起到來（用來表示雙喜臨門、非常熱鬧的諺語）

言葉[ことば] ………………………………話、語言
集中する[しゅうちゅう(する)] ……………………………………………………集中
おおまかにかぞえて ………………………概略計算
正月行事[しょうがつぎょうじ] ……………………………………………………過年節慶
半分[はんぶん] ……………………………………一半
しめる …………………………………………佔據、佔
～とさえいえる …………………………甚至可說～
列車[れっしゃ] …………………………列車、火車
大増発する[だいぞうはつ(する)] ………………………………………大量增加班次
すし詰め[(すし)づ(め)] …………………擠沙丁魚
帰郷客[ききょうきゃく] ……………………………………………………返鄉客
先祖[せんぞ] ……………………………………祖先
代々[だいだい] …………………………………代代
重要なものとして[じゅうよう(なものとして)] ……………………………………當作重要的東西
伝えて来た[つた(えて)き(た)] ……………………………………………流傳下來
故郷[こきょう] …………………………………故鄉
帰らなければならないことにしている[かえ(らなければならないことにしている)] ……………………………………………非回去不可
～を不思議がる[(～を)ふしぎ(がる)] ……………………………………覺得～不可思議

なぜときかれて ………………………被問何以如此
返事[へんじ] ……………………………………回答
帰巣本能[きそうほんのう] ……………………………………………歸巢本能
～みたいなもの ……………………………類似～
うらぼん経[(うらぼん)きょう] ……………………………………………盂蘭盆經
仏教[ぶっきょう] ………………………………佛教
経典[きょうてん] ………………………………經典
～に由来する[(～に)ゆらい(する)] ……………………………………來自～、由來於～
大部分[だいぶぶん] …………………………大部分
中枢部[ちゅうすうぶ] ………重要部分、基本部分
日本特有[にほんとくゆう] ………………日本特有
仏教が持ちこんだもの[ぶっきょう(が)も(ちこんだもの)] ………………………………佛教傳入

■應用閱讀練習翻譯

盂蘭盆節

正如「盂蘭盆節和過年一起到來。」這句話所示，日本人一年裡的節慶，都集中在這兩個節日上。粗略加以計算，或許甚至可以說過年的節慶佔一半，盂蘭盆節慶則佔剩下的一半。過年和盂蘭盆節的返鄉人潮，即使大量增加火車班次，車廂內仍然擠得像沙丁魚罐頭一樣，由此可見我們歷代祖先，將這兩個節慶視爲重要的節慶傳承至今。外國人對於日本人在過年及盂蘭盆節一定返鄉，覺得不可思議。當被問到爲何如此時，很少人能立刻回答，或許可以說是一種「歸巢本能」吧！「お盆」一詞是來自佛教經典——盂蘭盆經，但是盂蘭盆節節慶的大部分，尤其是中心部分，都是日本特有，並非佛教傳進來的。

レッスン 8 贈り物

本文・正文 CD 3 No.8

新聞の相談欄によく贈り物の話題が出ている。結婚や入学のお祝いをもらった場合、お返しをすべきか、もしするとしたら*、どの程度の物がよいかというような相談が多い。それに対する答えも一様ではない。回答者によって意見が異なっていたり、時には回答者が断定をさけて、幾つかの意見を紹介したりする場合もある。

昔は人が生まれてから死ぬまで大体同じ土地に住み、土地の習慣については年長者に聞いていたから、情報の不足はなかったと思われる。新聞にこのような相談が出るのは、人の移動がはげしくなったからであり*、また、意見の一致が見られないのは、人生観や価値観の違いも大きくなってきたためであろう。

人から物をもらうのは、本来うれしいものである*。贈るほうにとっても、もらった人の喜ぶ顔を想像しながら贈る品を選ぶのは、楽しいことである。しかし、実際には、贈りたくなくても贈る場合や、お返しの心配をしなければならない場合も多い。中元・歳暮・誕生祝いは毎年で、これに入学・卒業・就職・結婚と加われば*、一年じゅう贈り物のことで頭をなやますことになる。贈り物産業がさかんになるのも当然であろう。

最近はバレンタイン・デーという外来の習慣が広まり始めたが、この時期になると「義理チョコ」ということばが若い人の口にのぼる。「義理」という古くさいことばがチョコと結びついているのは面白い。それにしても*、人間はいつになったら*、義理から解放されるのであろうか。

■正文翻譯

送禮

在報紙的問答欄裡，常提到有關送禮方面的話題。諸如收受結婚或入學賀禮時，是否應該回禮？若有必要回禮，大約要回送多少適宜之類的詢問，爲數不少。回答的內容往往因人而異，有時回答者不直接給予答案，僅提出幾個意見供參考。

以前，人們大抵是終其一生地居住在同一個地方。因此，有關當地習俗，可以從年長者口中獲悉，不會有訊息不足的現象。報紙上出現這類的訊息，大概是因爲人口的流動性日益擴大之故。另外，意見不一的情形，可能是人生觀、價值觀不同所致。

接受他人的贈禮，本是一大樂事。對於贈禮者而言，邊想像對方收禮時愉悅的神情，邊選購禮物，也是很大的樂趣。然而，實際上也有許多場合，送禮並非內心所願，回禮亦然。中元節送禮、過年送禮、生日送禮是每年例行之事，再加上入學、畢業、就業、結婚的話，一年到頭，光是送禮就讓你傷透腦筋。禮品業之所以大行其道，亦是其來有自！

近來，像情人節之類的外來習俗已逐漸盛行。情人節一到，年輕人往往會將「人情巧克力」一詞掛在嘴邊。一個古老的用語——「礙於情面」和「巧克力」搭配在一起，實在有趣！然而，人們何時才能擺脫「情面」的束縛呢？

会話(かいわ)・會話

■会話文Ⅰ CD 3 No.9

知人(ちじん)。Aは男性(だんせい)、Bは女性(じょせい)。

A：新聞(しんぶん)の相談欄(そうだんらん)で*、たまに見(み)ると面白(おもしろ)いですね。

B：面白いでしょう。わたしは毎日(まいにち)読(よ)みますよ。世相(せそう)をよく反映(はんえい)していますもの*。

A：そうですね。離婚(りこん)とか入試(にゅうし)とか、健康法(けんこうほう)とか。

B：ええ、それに騒音(そうおん)や近所(きんじょ)づきあいとか。

A：こないだはお祝(いわ)いのお返(かえ)しのことが出(で)てました。

B：どのくらい返すかってことですか。

A：ええ、そうなんです。

B：昔(むかし)はお祝いのお返しは倍返(ばいがえ)しって言(い)いました*ね。

A：そうですか。ぼくのところでは半返しって言ってましたが。

B：このごろはいろんな意見があって、まよいますね。

A：そうなんですよ。この前見た相談欄では、回答者がはっきり答えないんですよ。

B：答えないって？

A：いくつかの意見を紹介するだけなんですよ。

B：お返しの習慣て、所によって違うんでしょうね。

A：そうですね。昔と違って人の動きがはげしいから、一概には言えなくなってるんですね。

■會話 I

熟人。A是男性，B為女性。

A：偶爾看看報紙的問答欄也挺有意思的！

B：很有趣吧！我每天必看，頗能反映出社會眞相的。

A：的確。像離婚啦、入學考試啦、健康之道啦……。

B：嗯，還有噪音及左鄰右舍交往的話題……。

A：前幾天刊的是有關回禮的問題。

B：是不是提到該回送多少的事呢？

A：嗯，沒錯！

B：據說以前回禮是加倍送禮。

A：是嗎？我這邊說是回送一半哩！

B：最近，眾說紛紜，都給搞糊塗了。

A：的確是。在上回的回答欄中，回答者並沒有很清楚地回答。

B：怎麼說？

A：他只提出幾種看法而已。

B：回禮的習俗，大概因地而異吧！

A：嗯，現在已和過去不同，人口流動性較大，所以無法一概而論！

■会話文 II CD 3 No.10

会社の昼休み。Aは若い女性、Bは若い男性。

A：もうすぐバレンタインね。

B：うん。

A：またチョコが集まるんで、楽しみでしょ。

B：そんなこともないけど。

A：大きいのはとっておいて、小さいのはもてないおじさんたちに分けるんでしょ。

B：そんなことないよ。おじさんたちも、このごろは少しチョコレートもらうから、分ける必要ないんだよ。

A：ああ、そうそう、義理(ぎり)チョコね。

B：それに、ホワイト・デーなんていうの*ができて、お返しするのが大変(たいへん)なんだ。

A：お気(き)の毒(どく)に*。で、もらいすぎたチョコはどうするの。

B：もちろん家(いえ)へ持(も)って帰(かえ)って……

A：愛妻(あいさい)にわたす。

B：いや、子供(こども)にやるんだよ。

A：あら、川上(かわかみ)さん、子供さんいるの。

B：4歳(さい)と2歳。二人(ふたり)ともチョコが大好(だいす)き。

A：ふうん。

B：バレンタインなんてやめてもらわないと、子供たちの歯(は)が悪(わる)くなるって、女房(にょうぼう)、心配(しんぱい)してるよ。

■會話 II

公司的午休時間。A是年輕女性，B是年輕男性。

A：情人節快到了耶！

B：嗯。

A：你又可以收到許多巧克力，大概迫不及待了吧？

B：沒有啦。

A：是不是大的自己留著，小的分給不得人緣的中年叔叔伯伯們？

B：沒有這回事啦！中年叔叔伯伯們近來也多少會收到巧克力，所以沒有必要分給他們。

A：啊，對、對，是「人情巧克力」吧！

B：而且，現在又有什麼「白色情人節」，到時候回禮可就傷腦筋了。

A：眞可憐！再說，如果巧克力收得太多怎麼辦？

B：當然是帶回家……。

A：給嬌妻？

B：不，給小孩。

A：咦，川上先生你有小孩？

B：一個四歲，一個兩歲，都很愛吃巧克力！

A：哦？

B：我內人擔心，再不廢止情人節的話，小孩子的牙齒遲早會遭殃！

単語(たんご)のまとめ・單字總整理

■本文(ほんぶん)

贈り物［おく(り)もの］……………………禮物、送禮
相談欄［そうだんらん］……………………問答欄
話題［わだい］……………………………………話題
結婚［けっこん］…………………………………結婚
入学［にゅうがく］………………………………入學
お祝い［(お)いわ(い)］…………………………賀禮
お返し［(お)かえ(し)］…………………………回禮
程度［ていど］……………………………………程度
相談［そうだん］………………………………磋商、協談
一様［いちよう］…………………………相同、一個樣式
回答者［かいとうしゃ］……………………………回答者

意見［いけん］……意見
異なる［こと(なる)］……相異、不同
断定［だんてい］……肯定的答覆
さける……避免
紹介する［しょうかい(する)］……介紹
大体［だいたい］……大體、大致
土地［とち］……當地、土地
習慣［しゅうかん］……習慣、習俗
年長者［ねんちょうしゃ］……長輩
情報［じょうほう］……消息、資訊
不足［ふそく］……不夠
移動［いどう］……移動、遷徙
はげしい……激烈的
一致［いっち］……一致
人生観［じんせいかん］……人生觀
価値観［かちかん］……價值觀
本来［ほんらい］……本來
喜ぶ［よろこ(ぶ)］……高興
想像する［そうぞう(する)］……想像
選ぶ［えら(ぶ)］……選擇
～の心配をする［～(の)しんぱい(をする)］……擔心～
中元［ちゅうげん］……中元節送禮
歳暮［せいぼ］……過年送禮
誕生祝い［たんじょういわ(い)］……生日送禮
卒業［そつぎょう］……畢業
就職［しゅうしょく］……就業
加わる［くわ(わる)］……加上
頭をなやます［あたま(をなやます)］……傷腦筋
贈り物産業［おく(り)ものさんぎょう］……禮品業
さかん……盛行、興盛
当然［とうぜん］……理所當然
最近［さいきん］……近來
バレンタイン・デー……情人節
外来［がいらい］……從外國來的
広まる［ひろ(まる)］……擴大、遍及
時期［じき］……時候、時期
義理チョコ［ぎり(チョコ)］……人情巧克力
口にのぼる［くち(にのぼる)］……掛在嘴邊
義理［ぎり］……情面、人情
古くさい［ふる(くさい)］……陳舊的
結びつく［むす(びつく)］……結合
それにしても……然而、儘管如此
解放される［かいほう(される)］……獲得解放

■会話文 I

たまに……偶爾、時而
世相［せそう］……社會眞相
反映する［はんえい(する)］……反映
離婚［りこん］……離婚
入試［にゅうし］……入學考試
健康法［けんこうほう］……維護健康的方法
騒音［そうおん］……噪音
近所づきあい［きんじょ(づきあい)］……鄰人間的來往
倍返し［ばいがえ(し)］……加倍回送
半返し［はんがえ(し)］……回送一半
意見［いけん］……意見
まよう……迷惘
一概には言えない［いちがい(には)い(えない)］……不能一概而論

■会話文 II

バレンタイン＝バレンタイン・デー……情人節
楽しみでしょ［たの(しみでしょ)］……期盼～的到來吧？

もてない……不受歡迎的
おじさん……中年男人
ホワイト・デー
白色情人節（3月14日，在情人節收到巧克力的男子，要回送對方糖果的節日。）
お気の毒に［(お)き(の)どく(に)］……可憐
愛妻［あいさい］……愛妻、嬌妻
女房［にょうぼう］……內人

単語のまとめ・單字總整理

■本文

●するとしたら

前一個「する」傳達的意思是「（お返し）する〈歸還〉」；後面的「する」（「したら」是假定形）則表〈假如～〉。

●人の移動が激しくなったからであり…

這裡的「から」可以改爲「ため」。同樣地，接下去的句子也可以把「から」改爲「ため」，變成「人生観や価値観の違いも大きくなっていたため」。

●……は本来うれしいものである

「もの」表示此處的敘述是放之四海皆準的眞理。如果用「こと」的話，例如接下去的「……楽しいことである」這個句子，就變成只是說話者對某一事實加以肯定而已。

●……と加われば

「と」等於「というように」。例句：「宿題、試験勉強、アルバイトと、することがたくさんある。」〈習題、準備考試、打工、要做的事一大堆〉。

●それにしても

接續詞。〈儘管如此、即使是這樣〉之意。

●いつになったら……（か）

和單純表疑問的句型「いつ～～か」不同，「いつになったら～～か」用來表示對某一件事遲遲未能實現而產生的失望、不滿的感覺。例句：「ああ、いつになったら生活が楽になるのだろう。」〈唉，到什麼時候我的生活才能變得比較充裕呢！〉

●新聞の相談欄で

這裡的「て」等於「というのは」，用於會話，有提示的功能。有時常採「って」的形式。

●反映していますもの

「もの」用來強調理由，和「から」類似，女性用語。

●倍返しって言いました

「って」等於「と」，但只能用於會話。下一行「半返しって」的「って」亦然。

■会話文II

●ホワイト・デーなんていうの

「～～なんていうの」等於「などというもの」。

●お気の毒に

句尾省略了「思います」。這個片語本身是比較鄭重的說法，用在這裡帶有一些幽默的口氣。

文型練習・句型練習

1．……によく……が出ている。……が多い　CD 3 No.11

本文例——新聞の相談欄によく贈り物の話題が出ている。結婚や入学のお祝いをもらった場合、お返しをすべきか、もしするとしたら、どの程度の物がよいかというような相談が多い。

注「……が出ている」のかわりに「……がのっている」でもよい。ここでは、そのあとに内容を簡単にまとめる練習を加えた。

練習A　例にならって文を作りなさい。

例：相談欄、贈り物→新聞の相談欄によく贈り物の話題が出ている。

1．相談欄、健康法→
2．相談欄、離婚→
3．投書欄、入試→
4．投書欄、貿易摩擦→

練習B　例にならって文を作り、練習Aで作った文のあとにつづけなさい。

例：お返しをする、どの程度の物を返す→新聞の相談欄によく贈り物の話題が出ている。お返しをすべきか、もしするとしたら、どの程度の物を返せばよいかというような相談が多い。

1．老人も運動をする、どの程度の運動をする→
2．裁判をする、どの裁判所に持ち込む→
3．本人も努力をする、どのようにする→
4．改革をする、どのようにする→

3と4は、文の終わりは「……というような投書が多い」とする。

1.常提到……，諸如……為數不少。

正文範例——報紙的問答欄裡，常提到有關送禮方面的話題。諸如收受結婚或入學賀禮時，是否應該回禮？若有必要回禮，大約要回送多少適宜之類的詢問，爲數不少。

(註)「常提到……」也可以說成「常刊登……」。此處在後面加上內容稍做簡單歸納的練習。

練習A　請依例造句。

例：問答欄、送禮→報紙的問答欄常提到有關送禮方面的話題。

1.問答欄、健康之道→
2.問答欄、離婚→
3.讀者投書欄、入學考試→
4.讀者投書欄、貿易摩擦→

練習B 請依例將下列語句接於練習A的各句之後。

例：回禮、大約要回送多少→報紙的問答欄常提到有關送禮方面的話題。諸如是否應該回禮？若有必要回禮，大約要回送多少較適宜之類的詢問，爲數不少。

1.老人也要做運動、大約要做多少→
2.要審理、要送到哪個法院→
3.本人也要努力、要如何努力→
4.要改革、要如何改革→
3和4是以「……之類的投書爲數不少。」做結尾。

2．……本来(ほんらい)……。しかし、実際(じっさい)には、……たくなくても……場合(ばあい)も多(おお)い

本文例——人(ひと)から物をもらうのは、本来うれしいものである。贈るほうにとっても、もらった人の喜(よろこ)ぶ顔(かお)を想像(そうぞう)しながら贈る品(しな)を選(えら)ぶのは、楽(たの)しいことである。しかし、実際には、贈りたくなくても贈る場合(ばあい)や、お返しの心配(しんぱい)をしなければならない場合も多い。

(注)練習では本文例を簡略化(かんりゃくか)して用(もち)いている。この練習がすんだら、本文例にならって複雑(ふくざつ)な形(かたち)を練習してみるとよい。

練習A 例にならって文を作りなさい。

例：人に物を贈る→人に物を贈るのは、本来楽しいことである。

1．旅行(りょこう)に行(い)く→
2．結婚式(しき)に出る→
3．人と酒(さけ)を飲(の)む→
4．歌(うた)を歌う→

練習B 例にならって文を作り、練習Aで作った文のあとにつけなさい。

例：贈る→人に物を贈るのは、本来楽しいことである。しかし、実際には、贈りたくなくても贈らなければならない場合も多い。

1．行く→
2．出る→
3．飲む→
4．歌う→

練習C A、Bで作った文のあとに、次(つぎ)の文をつけ加えることができる。

——人間(にんげん)はいつになったら義理(ぎり)から解放(かいほう)されるのであろうか。

2.……本是……。然而，實際上……很多場合……非……所願。

> **正文範例**——接受他人的贈禮，本是一大樂事。對於贈禮者而言，邊想向對方收禮時愉悅的神情，邊選購禮物，也是很大的樂趣。然而，實際上也有許多場合，送禮並非內心所願，回禮亦然。

(註) 本練習句型，已將正文範例簡化過。做完練習後，最好再依正文範例，試著練習複雜的句型。

練習A　請依例造句。

例：送人禮物→送人禮物本是一大樂事。

1.去旅行→

2.參加婚禮→

3.與人共飲→

4.唱歌→

練習B　請依例將下列語句接於練習A的各句之後。

例：送→送人禮物，本是一大樂事。然而，實際上有許多場合，送禮並非內心所願。

1.去→

2.參加→

3.喝→

4.唱歌→

練習C　在A、B所造各句之後，亦可以加上下列句子。

——人們何時才能擺脫情面的束縛呢？

ディスコース練習・對話練習

1.会話文Ⅰより　CD 3 No.13

> A：……って言いますね。
>
> B：そうですか。わたしの……では……。
>
> A：ああ、そうですか。……んですね。
>
> B：ええ、一概には言えませんね。

練習の目的：AとBがそれぞれの習慣、意見について話し合い、習慣や意見の相違を認識する。

練習の方法：基本型の下線の部分を入れかえる。

〈基本型〉

A：(1)お祝いは倍返しって言いますね。

B：そうですか。わたしの(2)地方では(3)半返しと言いますが。

A：ああ、そうですか。所によって違うんですね。

B：ええ、一概には言えませんね。

入れかえ語句

1.(1)ほめられたら否定するもの　(2)国　(3)お礼を言います

2.(1)黒いものは不幸　(2)国　(3)黒ネコは幸運のしるしと言います

3.(1)財布は妻がにぎる　(2)家　(3)父がにぎっていました

応用：その他、いろいろな習慣や意見の違いについて、上の形を使って会話してみなさい。

1.取材自會話 I

A：據說⋯⋯。
B：是嗎？我⋯⋯。
A：哦，這樣子啊！⋯⋯吧！
B：嗯，無法一概而論！

練習目的：A和B就個人的習慣、看法進行交談，瞭解彼此在習慣和看法上的不同。

練習方法：代換基本句型的畫線部分。

〈基本句型〉

A：據說(1)回禮是加倍回送。
B：是嗎？我(2)住的地方(3)說是回送一半哩！
A：哦，這樣子啊！因地而異吧！
B：嗯，無法一概而論！

代換語句

1.(1)被褒獎時要否認　(2)國家　(3)說謝謝

2.(1)黑色代表不幸　(2)國家　(3)說黑貓是幸運的象徵

3.(1)妻子理財　(2)家　(3)是父親掌理

應用：其他有關各種習俗、看法上的不同，請運用上述句型，試著練習對話。

2.会話文 II より　CD 3 No.14

A：⋯⋯でしょう？
B：そんなこともありませんけど。
A：⋯⋯でしょう。
B：そんなことありませんよ。⋯⋯が大変です。

練習の目的：AはBの幸運をうらやむ。Bははじめはやわらかく否定し、Aの2度めの発言に対して強く否定、理由を説明する。

練習の方法：基本型の下線の部分を入れかえる。

〈基本型〉

A：また(1)チョコが集まるんで、楽しみでしょう？
B：そんなこともありませんけど。
A：(2)大きいのはとっておいて、小さいのは人に分けるんでしょう？

B：そんなことありませんよ。それに、(3)お返しが大変なんです。

入れかえ語句

1．(1)ボーナスが入る (2)少し使ってあとは貯金する (3)税金

2．(1)海外旅行に出かける (2)おみやげをたくさん買って帰る (3)語学の勉強

3．(1)テニスの試合に出る (2)優勝できそうな (3)練習

2.取材自會話II

A：大概……吧？
B：沒有啦！
A：是不是……？
B：沒有那回事啦！……可就傷腦筋了。

練習目的：A羨慕B很幸運。B剛開始很委婉地否認，可是A的第二句話卻強烈地反對，並提出理由說明。

練習方法：代換基本句型的畫線部分。

〈基本句型〉

A：又可(1)收到許多巧克力，你大概迫不及待了吧？

B：沒有啦！

A：是不是(2)大的自己留著，小的分給別人？

B：沒有那回事啦！而且(3)回禮可就傷腦筋了。

代換語句

1.(1)拿到紅利 (2)花掉些許，剩下的存起來 (3)稅金

2.(1)去國外旅行 (2)買很多土產回來 (3)學習語文

3.(1)出場比賽網球 (2)有勝算似的 (3)練習

漢字熟語練習・漢字詞彙練習

1．物〈贈り物〉

物理(学)［ぶつり(がく)］……………物理（學）
物価［ぶっか］……………………………物價
物質［ぶっしつ］…………………………物質
見物［けんぶつ］…………………………參觀
動物［どうぶつ］…………………………動物
植物［しょくぶつ］………………………植物
博物館［はくぶつかん］…………………博物館
荷物［にもつ］……………………………行李
物［もの］…………………………………東西
物語［ものがたり］………………………故事
品物［しなもの］…………………………物品、東西
買い物［か(い)もの］……………………買東西、購物
贈り物［おく(り)もの］…………………禮物、送禮
建物［たてもの］…………………………建築物

2．相〈相談欄〉

相談(する)［そうだん(する)］…………商量、諮商
相当する［そうとう(する)］……………相當
相場［そうば］……………………………市價、行情
相違［そうい］……………………………不同
首相［しゅしょう］………………………首相

外相［がいしょう］
……………………………………………外交部長
～相(蔵相)［～しょう(ぞうしょう)］
………………………………～部長（財政部長）
相手［あいて］
…………………………………………對方、對手
相撲［すもう］……………………………角力、摔角

3．話〈話題〉
話題［わだい］……………………………………話題
電話(する)［でんわ(する)］……………（打）電話
世話(する)［せわ(する)］………………幫助、照料
会話［かいわ］……………………………會話、對話
談話［だんわ］……………………………………談話
話す［はな(す)］…………………………………說
話［はなし］……………………………故事、談話
話し合い［はな(し)あ(い)］…………交談、談論

4．結〈結婚、結びつく〉
結果［けっか］……………………………………結果
結局［けっきょく］……………………………結局
結婚(する)［けっこん(する)］……………結婚
結論［けつろん］…………………………………結論
団結(する)［だんけつ(する)］……………團結
結ぶ［むす(ぶ)］………………………結合、集結

5．場〈場合〉
工場［こうじょう］………………………………工廠
市場［しじょう］…………………………………市場
劇場［げきじょう］………………………………劇場
会場［かいじょう］………………………………會場
登場する［とうじょう(する)］
…………………………………………上臺、出場
出場(する)［しゅつじょう(する)］
…………………………………………出場、參加
～場(ゴルフ場)［～じょう(ゴルフじょう)］
………………………………～場（高爾夫球場）
場合［ばあい］……………………………場合、情況
場所［ばしょ］……………………………………場所
場面［ばめん］……………………………………場面
現場［げんば］……………………………………現場
売り場［う(り)ば］……………………販賣處、賣場
相場［そうば］……………………………市價、行情
市場［いちば］……………………………………市場

6．合〈場合〉
合計(する)［ごうけい(する)］…………合計、總計
合理的(な)［ごうりてき(な)］…………合理（的）
合成(する)［ごうせい(する)］……………合成
総合(する)［そうごう(する)］
……………………………………………………綜合
都合［つごう］……………………………情況、方便
会合［かいごう］…………………………………聚會
集合(する)［しゅうごう(する)］
……………………………………………………集合
話し合う［はな(し)あ(う)］……………交談、討論
組合［くみあい］……………………合作社、工會
試合［しあい］……………………………………比賽
割合［わりあい］…………………………………比例

7．長〈年長者〉
長男［ちょうなん］………………………………長男
長女［ちょうじょ］………………………………長女
長期［ちょうき］…………………………………長期
長官［ちょうかん］
……………………………………………………長官
院長［いんちょう］………………………………院長
社長［しゃちょう］……………………………董事長
市長［しちょう］…………………………………市長
議長［ぎちょう］…………………………………議長
学長［がくちょう］………………………………校長
総長［そうちょう］
……………………………………大學校長、總長
課長［かちょう］…………………………………科長
部長［ぶちょう］…………………………………主任
局長［きょくちょう］
……………………………………………局長、司長
年長［ねんちょう］………………………………年長
長い［なが(い)］…………………………………長的

8．不〈不足〉
不足(する)［ふそく(する)］
……………………………………………不夠、缺乏
不景気［ふけいき］……………………………不景氣
不正［ふせい］……………………………不正當、壞行為
不満(な)［ふまん(な)］………………………不滿（的）

不思議(な)［ふしぎ(な)］……………………奇怪（的）、不可思議（的）
不幸(な)［ふこう(な)］………………不幸（的）
不良［ふりょう］………………………不良、不好
不自由(な)［ふじゆう(な)］……………………………不自由、不方便（的）
不明(の)［ふめい(の)］………不明、不詳（的）
不要(の)［ふよう(の)］……………不需要（的）
不便(な)［ふべん(な)］……………不方便（的）
不動産［ふどうさん］…………………………不動産

9．本〈本来〉
本当(の)［ほんとう(の)］…………………眞（的）
本社［ほんしゃ］………………………………總公司
本店［ほんてん］………………………本店、總店
本部［ほんぶ］………………………………………本部
本日［ほんじつ］………………………本日、今日
本年［ほんねん］………………………本年、今年
本人［ほんにん］……………………………………本人
本来［ほんらい］……………………………………本來
資本［しほん］………………………………………資本
基本［きほん］………………………………………基本
見本［みほん］………………………………………樣品
何本［なんぼん］………………幾（根、枝、條等）
本［ほん］………………………………………………書

10．心〈心配〉
心配する［しんぱい(する)］…………………擔心
心臓［しんぞう］………………………………心臓
心理［しんり］……………………………………心理
中心［ちゅうしん］………………………………中心
安心する［あんしん(する)］……………………放心
都心［としん］…………………………………都市中心
熱心(な)［ねっしん(な)］………熱心、熱誠（的）

11．産〈贈り物産業〉
産業［さんぎょう］………………………産業、工業
(お)産［(お)さん］………………………………生小孩
生産(する)［せいさん(する)］…………………生産
遺産［いさん］……………………………………遺産
共産主義［きょうさんしゅぎ］……………共産主義
水産業［すいさんぎょう］……………………水産業
農産物［のうさんぶつ］………………………農産品
財産［ざいさん］…………………………………財産
不動産［ふどうさん］…………………………不動産

12．義〈義理〉
義務［ぎむ］………………………………………義務
義理［ぎり］…………………………………情面、道義
主義［しゅぎ］……………………………………主義
意義［いぎ］………………………………………意義
正義［せいぎ］……………………………………正義
講義(する)［こうぎ(する)］……………講客、授課
定義(する)［ていぎ(する)］……………………定義

■漢字詞彙複習

1．首相は本日帰国(きこく)されます。
2．建物はりっぱだが場所が不便だ。
3．長女は動物の世話をするのが好(す)きです。
4．電話で市長の都合をきいてみましょう。
5．心臓が弱(よわ)いので、お産が心配です。
6．学長はきょう物理学の講義をされます。
7．院長に不満を持(も)つ者(もの)が多(おお)い。
8．社長は大切(たいせつ)なことは話し合いできめる主義です。
9．物価が高(たか)いので買い物が楽(たの)しくない。
10．相手の心理をもっとよく考(かんが)えなさい。
11．意見(いけん)の相違はあっても、組合として団結すべきだ。
12．課長の長男が不良になってしまった。
13．合計13回(かい)試合に出場した。
14．本人でなければ品物をわたしません。
15．まだ少(すこ)し資本が不足している。
16．蔵相は相撲見物に出(で)かけた。
17．その日(ひ)の会合では結局結論が出なかった。
18．財産がなくてもあの人(ひと)と結婚します。
19．この荷物はだれの物か、不明だ。
20．きょう職場でそのことが話題になった。

1.**首相今日**返國。
2.**建築物**倒是很壯觀，不過**地點不佳**。
3.**大女兒**喜歡**照顧小動物**。
4.**打電話**問問看**市長時間上**是否方便吧！
5.**心臟**不好，所以**生**小孩很令人**擔心**。
6.今天由**校長講**授**物理學**。
7.對**院長不滿**的人很多。
8.**董事長**堅持的**原則**是重大事情以**討論**方式解決。
9.**物價**昂貴，所以不能愉快地**購物**。
10.請再多加考慮**對方**的**心理**。
11.即使意見**不合**，但站在**工會**的立場就該**團結**。
12.**科長**的**大兒子**變成**不良**少年了。
13.**總計出場比賽**十三次。
14.非**本人**恕不交**貨**。
15.**資本**稍嫌**不足**。
16.**財政部長**去**觀賞**角力大賽。
17.那天的**聚會**，到**後來**依然沒有**結論**。
18.即使沒有**財產**，也要和他**結婚**。
19.**不曉得**這是誰的**行李**。
20.今天在**公司**，大家都在**談論**那件事。

応用読解練習・應用閱讀練習

（おうようどっかいれんしゅう）

「朝日新聞」日曜版（1989.2.19）

留学①

お礼しすぎに注意
形式張らず心こめ

1 Q　娘のアメリカのホームステイ先にお礼をしなくては、と思います。夏休みなどに先方の娘さんや息子さんを、わが家にお招きするという例をよく聞きますが、その余裕は無いので品物を送るつもりです。これもよく聞く和服のような高価なものでなく、ほかに何か喜ばれる品は？　品物よりまず礼状、もわかるのですが英語ができませんので……。

（八王子市　高須　芳美）

2 A　お世話になったので何かお送りしなければ、とつい私たちは考えてしまいます。最初に何か手土産を、とも思います。日本の贈り物やお礼の習慣も決して悪くはないし、その気配りはなかなかステキです。でも、日本人が注意すべきは、それをし過ぎることと、それ以上に何かを期待してしまうことです。

アメリカでは、ホームステイを引き受けても、パーティーに招いても、自分たちができる範囲のことしかしません。招かれた日本人は、あまりのシンプルさ、質素さに驚くことがよくあります。でも、だからこそ、何度でも気軽に参加できるのです。招かれたりお世話になった側も、サンキューカード、つまりちょっとしたかわいいお礼状を出すだけでおしまい。

アメリカ人からのプレゼントも、いまの日本人なら「なんだこんなもの」と思うものがよくあります。けれども、彼らはお金の多寡でなく、何がいいかをとても真剣に考えてくれます。形式張らないこと、心がこもっていることの二つが、アメリカ人とのおつきあいのコツです。

あなたのお礼の気持ちはクリスマスまでためておき、一枚のカードを贈ることで十分に通じます。アメリカのクリスマスには、たくさんのプレゼントがとびかいます。友人知人はもちろん、家族同士もそれぞれに一つずつプレゼントを用意します。お小遣いで買える程度のものや、手作りのものなどを、きれいな紙や色とりどりのリボンなどで工夫を凝らして包装し、あちこちからのプレゼントと一緒にツリーの下に置いて、クリスマスの朝を待つのです。

日本からのカードが、どんなに喜ばれることでしょう。小さなプレゼントが日本的な包装紙にくるまれていたりしたら、みんなワクワクしてしまいます。

私の留学中、日本の父からのクリスマスカードは、毛筆で「謹賀新年」と書き、英語は最後の"Thank You."一語だけ。アメリカンファミリーの喜びようったら！　たくさんのカードの真ん中に飾って自慢していました。毛筆の日本語ってよくわからなくても、とてもカッコよく見えるんです。

プレゼントは、やはり布や和紙細工をはじめとする日本的なものが好まれます。千円ぐらいでも喜ばれる品が探せます。

留学カウンセラー・栄　陽子

え・久里　洋二

1

Q　娘のアメリカのホームステイ先にお礼をしなくては、と思います。夏休みなどに先方の娘さんや息子さんを、わが家にお招きするという例をよく聞きますが、その余裕は無いので品物を送るつもりです。これもよく聞く和服のような高価なものでなく、ほかに何か喜ばれる品は？　品物よりまず礼状、もわかるのですが英語ができませんので……。

2

A　お世話になったので何かお送りしなければ、とつい私たちは考えてしまいます。最初に何か手土産を、とも思います。日本の贈り物やお礼の習慣も決して悪くはないし、その気配りはなかなかステキです。でも、日本人が注意すべきは、それをし過ぎることと、それ以上に何かを期待してしまうことです。

アメリカでは、ホームステイを引き受けても、パーティに招いても、自分たちができる範囲のことしかしません。招かれた日本人は、あまりのシンプルさ、質素さに驚くことがよくあります。でも、だからこそ、何度でも気軽に参加できるのです。招かれたりお世話になった側も、サンキューカード、つまりちょっとしたかわいいお礼状を出すだけでおしまい。

アメリカ人からのプレゼントも、いまの日本人なら「なんだこんなもの」と思うものがよくあります。けれども、彼らはお金の多寡でなく、何がいいかをとても真剣に考えてくれます。形式張らないこと、心がこもっていることの二つが、アメリカ人とのおつきあいのコツです。

あなたのお礼の気持ちはクリスマスまでためておき、一枚のカードを贈ることで十分に通じます。アメリカのクリスマスには、たくさんのプレゼントがとびかいます。友人知人はもちろん、家族同士もそれぞれに一つずつプレゼントを用意します。お小遣いで買える程度のものや、手作りのものなどを、きれいな紙や色とりどりのリボンなどで工夫を凝らして包装し、あちこちからのプレゼントと一緒にツリーの下に置いて、クリスマスの朝を待つのです。

日本からのカードが、どんなに喜ばれることでしょう。小さなプレゼントが日本的な包装紙にくるまれていたりしたら、みんなワクワクしてしまいます。

■字彙表

1

娘[むすめ]……女兒
ホームステイ先[ホームステイさき]……寄宿家庭
お礼をする[(お)れい(をする)]……回禮、致謝
夏休み[なつやす(み)]……暑假
先方[せんぽう]……對方
娘さん[むすめ(さん)]……女兒
息子さん[むすこ(さん)]……兒子
わが家[(わが)や]……我家、自己家裡
お招きする[(お)まね(きする)]……邀請
例[れい]……例子
その余裕は無い[(その)よゆう(は)な(い)]……沒有這個餘力
品物[しなもの]……東西、物品
和服[わふく]……和服
高価[こうか]……昂貴
喜ばれる[よろこ(ばれる)] 受歡迎、讓對方(心喜)
礼状[れいじょう]……謝函

2

お世話になった[(お)せわ(になった)]……受到照顧
つい……不知不覺、無意中
最初に[さいしょ(に)]……最先、首先
手土産[てみやげ]……小禮物、隨手攜帶的禮物
習慣[しゅうかん]……習慣
気配り[きくば(り)]……照顧、費心
ステキ……棒、帥、了不起
注意すべきは[ちゅうい(すべきは)]……應該注意的是
それ以上に[(それ)いじょう(に)]……更多的
期待する[きたい(する)]……期待、指望
引き受ける[ひ(き)う(ける)]……接受、承擔
範囲[はんい]……範圍
質素[しっそ]……樸素、簡單
驚く[おどろ(く)]……驚訝
気軽に[きがる(に)]……輕鬆愉快地
参加する[さんか(する)]……參加
側[がわ]……方向、一方
なんだ、こんなもの……什麼嘛，送這個東西
多寡[たか]……多少
真剣に[しんけん(に)]……認眞地
形式張らない[けいしきば(らない)]……不拘泥形式
心がこもっている[こころ(がこもっている)]……誠心誠意

おつきあい……交朋友、交往
コツ……秘訣
ためておく……保留下來

通じる[つう(じる)]……………………瞭解、適用
家族同士[かぞくどうし]
……………………………………………家人之間
用意する[ようい(する)]………………………準備
お小遣い[(お)こづか(い)]…………………零用錢
程度[ていど]………………………………………程度
手作り[てづく(り)]……………………手做、手製
色とりどり[いろ(とりどり)]
………………………………五彩繽紛、形形色色
工夫を凝らして[くふう(を)こ(らして)]
…………………………………下功夫、控制心思
包裝する[ほうそう(する)] ……………………包裝
一緒に[いっしょ(に)] …………………………一起
日本的な[にほんてき(な)]
…………………………………………日本式的
くるまれて …………………………包在～裡面
ワクワクする ………………………歡欣雀躍、心跳

■應用閱讀練習翻譯

1

問：我想非送個禮物給我女兒在美國的寄宿家庭不可。常聽說有的人在暑假邀請對方的女兒或兒子到自己家裡來玩，但因爲我們家沒有這個餘力，所以打算送東西。我也常聽說有人送和服之類的昂貴物品，除此之外有什麼會受到歡迎呢？我也知道與其送禮，不如先寄信致謝，但是我不會英文……。

2

答：受到照顧，所以非得送對方什麼不可——這是我們常有的想法。有時也會想先送個什麼小禮物。日本餽贈及回禮的習慣，並非壞事，在這方面花費的心思相當値得稱許。不過，日本人必須注意不可過度，而且不可以期待對方有更多的回報。

在美國，即使是接受寄宿或邀請對方參加派對，也都量力而爲。應邀的日本人，經常會因爲太過簡單樸素而嚇一跳。不過，正因爲如此，才能不管多少次都以輕鬆的心情參加。而應邀或受到照顧的一方，也只要寄一張謝卡，也就是寄出一封稍微別緻的謝函就行了。

美國人所送的禮物，現在的日本人經常會心想「什麼嘛！送這種東西」。但是，他們並不考慮金錢的多寡，而會非常認眞地考慮送什麼比較好。不拘泥形式，以誠相待，是和美國人交往的秘訣。

把要答謝的心意保留到聖誕節，寄一張卡片就能夠充分傳達給對方。

美國的聖誕節，禮物紛飛。朋友和熟人自不待言，家人之間也會分別準備一份禮物。用零用錢就可以買下來的物品，以漂亮的包裝紙或形形色色的緞帶，挖空心思加以包裝，和來自各方的禮物一起擺在聖誕樹下等待聖誕節早上的來臨。

一張從日本寄來的卡片，不知道會令他們多麼開心！如果有個小禮物用日式包裝紙包裝的話，大家一定會雀躍不已的。

レッスン 9 鍵

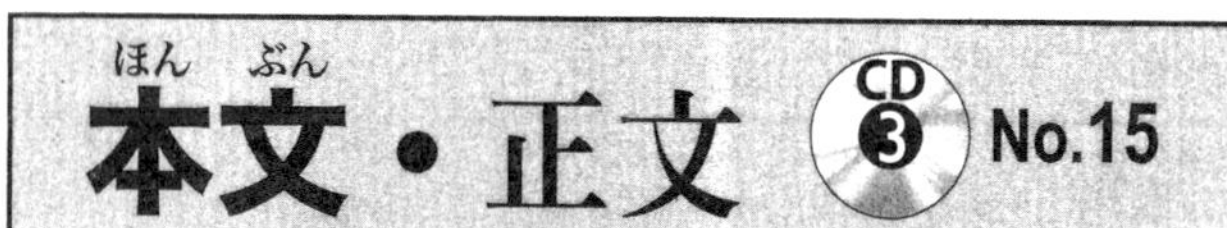

いつの新聞を見ても、犯罪の記事ののっていない日はない。殺人、誘拐、詐欺、放火など、さまざまな犯罪が連日報道される。しかし、新聞記事にならない小さな犯罪も数多くおこっている。その中でも最も多いのは空き巣、つまりるすの家に入って物を盗む犯罪であろう。事実*、安全と言われる日本でも空き巣は多い。警視庁の調査によると、昭和六十年の都内の空き巣は二万件をこえ、被害は二十四億円にのぼるそうである。

空き巣の侵入方法を見ると、鍵のかかっていない玄関から入るのが四十三パーセントで、最も多い。錠をあけたりこわしたりして入るのは、わずか二十パーセントである。どろぼうもやはり、手数のかからない仕事を好むらしい。だから、鍵をかけるのを忘れなければ、かなりの被害は防げるということになる*。

アパートやマンションに住む人が多くなってきたので、鍵も大いに改良されたそうである。鍵にもさまざまの種類があるが、比較的単純なものだと、二千から三千四百に一つ、同じ鍵が見つかる。だから、どろぼうが三千四百の鍵を持って、次々とためしていけば、必ず一つは合う鍵が見つかるわけである*が、そんなことをするどろぼうはいない。もっと進んだ鍵になると、同じものは数億に一つというから、いっそう安全だといわれる。

しかし、いくらすぐれた鍵があっても、かけ忘れればそれまでだ*。不注意が被害を招く。これからの防犯には、注意力を高める方法が最も有効な対策となるだろう。

■正文翻譯

鑰匙

不管什麼時候看報，沒有一天不刊登犯罪的消息。諸如：殺人、綁票、詐欺、縱火等等事件，層出不窮，而未曾上報的小犯罪事件，亦不在少數。其中最多的大概是闖空門，也就是到無人的屋內竊取財物的犯案。事實上，日本雖說治安良好，但闖空門事件亦時有耳聞。根據警視廳的調查，昭和六十年在東京都內，此類闖空門事件就有二萬件以上，損失高達二十四億日幣。

從闖空門的手法來看，自未上鎖的大門闖入者爲數最多，佔百分之四十三；開鎖破門闖入的，僅佔百分之二十。看來宵小還是偏好省事的作案手法。因此，只要出門不忘上鎖，即可避免無謂的損失。

據說，由於住公寓及大廈的人口與日遽增，所以鑰匙也做了大幅度的改良。雖說鑰匙的種類繁多，但構造較簡單的，在二千至三千四百支當中，就可以找到一支相同的鑰匙。由此可見，宵小們只要手中持有三千四百支鑰匙，逐次試開，必能找到適用的一支。然而，他們卻不會這麼做。構造較精密的鑰匙，據說數億支當中，方能覓得相同的一支，更爲安全。

但無論鑰匙是有多麼精密，忘了上鎖還是枉然的。疏忽易招損失，提高警覺才是今後避免損失的最佳對策。

鑰匙專門店裡有各式各樣的鑰匙。

会話・會話

■会話文Ⅰ CD 3 No.16

知人の会話。歯医者の待合室のようなところで。Aは男性、Bは女性。

A：また誘拐事件ですね。

B：そうですね。いやですね。

A：この間の事件がまだ解決してないのに。

B：全くですね。次から次へと犯罪がおこりますね。

A：人間、一生の間にはいろんな犯罪に関係するわけですね。

B：ええ、人によって多い少ないの違いはあるでしょうけど。

A：ぼくも、誘拐や詐欺にはあったことはありませんけど、どろぼうには何回かやられましたよ。

B：そうですか。わたしもつい最近、空き巣にやられました。

A：そうですか。被害は？

B：現金と指輪をとられました。

A：出ましたか。

B：いえ、まだです。もうあきらめています。

A：残念でしたねえ。

B：すぐ帰るからと思って、鍵をかけないで出たのがいけなかったんです。

A：そうですか。

B：10分ぐらいでしたのに。

A：腕のいい空き巣は5分で仕事をするっていいますからね。で、きょうは大丈夫ですか。

B：ええ、ちゃんとかけてきました。

■會話Ⅰ

熟人間的對話。在候診室之類的地方。A是男性，B是女性。

A：又發生綁票事件了！

B：是啊！眞可惡！

A：前陣子的事件還沒破案，就又……。

B：的確啊！犯罪事件總是一波未平一波又起。

A：人在一生當中，總會和許多犯罪事件有所牽扯。

B：嗯，只不過或多或少因人而異罷了！

A：我雖不曾遭遇過綁票、詐欺等事件，卻被宵小光顧了好幾次！

B：這樣子啊？我最近也被闖空門哩！

A：哦？損失呢？

B：現金和戒指被偷了！

A：破案了嗎？

B：還沒，我已經不敢奢望了。

A：眞是無妄之災啊！

B：當時就是因為心想會馬上回來，沒有上鎖就出門，才出紕漏的！
A：這樣子啊？
B：只不過十分鐘左右而已……。
A：聽說手法高明的闖空門，只需五分鐘便綽綽有餘了。對了！今天沒問題吧？
B：嗯，鎖好才出門的。

■会話文Ⅱ CD 3 No.17

学生同士。Aは女性、Bは男性。

A：ごめんなさい、おくれて。

B：いいよ、いいよ。

A：あのね、途中まで来て、急に思い出したの。鍵かけるのを忘れてたの。

B：そりゃあぶない。

A：急いでもどってかけてきたんで、おくれちゃった。

B：鍵、二つかけてる？

A：一つよ。

B：一つじゃ不安だよ。もう一つ錠をつけといたほうがいいよ。

A：こんどそうするわ。

B：ぼくんとこも、この間、錠をこわして入ったやつがいるんだ。

A：えっ、ほんと？

B：うん、そこへおふくろが帰ってきて見つけて、どろぼうってどなったんで、裏から逃げちゃったんだって。

A：まあ、こわい。おかあさん、けがなかった？

B：うん、だけど、どろぼうが逃げたあと急にこわくなって、立てなくなっちゃってね。

A：そうでしょうね。

B：警察の人に、もう一つ錠をつけなさいって言われて、すぐつけたよ。一つじゃあぶないんだって。

A：そう。

B：そうだ、きょうは映画やめて錠を買いに行こう、君の。

A：ほんと？　わるいわ。

B：いいよ。心配でゆっくり映画見ていられないもの。

■會話Ⅱ

兩個學生，A是女性，B是男性。

A：對不起，我遲到了。
B：沒關係，沒關係！
A：因為走到半路，才突然想起忘了鎖門……。
B：好險啊！
A：急忙趕回去鎖門，所以遲到了。
B：上了兩道鎖嗎？
A：一道而已。
B：上一道鎖不太安全喲，再裝把鎖比較好！

A：下次就這麼辦！

B：我住的地方最近也曾發生過宵小破門而入的事件。

A：哦，眞的嗎？

B：嗯，剛好我媽回來，發現異狀而大聲喊叫，小偷才從後門倉皇逃走。

A：啊，太可怕了！你媽媽沒受傷吧！

B：倒是沒有，不過小偷逃走後，我媽媽兩腿都給嚇軟了。

A：有可能哦！

B：警察建議我們多加一道鎖，因爲只有一道鎖不太安全。我們馬上接受他們的建議。

A：哦。

B：這樣吧，今天咱們不要去看電影，一起去買你的鎖！

A：眞的？不好意思啊！

B：不會啦！懷著忐忑不安的心情，也無法盡情地欣賞電影！

単語(たんご)のまとめ・單字總整理

■本文(ほんぶん)

鍵[かぎ]……鑰匙
犯罪[はんざい]……犯罪
記事[きじ]……報導
のる……記載、刊載
殺人[さつじん]……謀殺
誘拐[ゆうかい]……綁票
詐欺[さぎ]……詐欺
放火[ほうか]……縱火
連日[れんじつ]……連日、接二連三
報道される[ほうどう(される)]……被報導出來
空き巣[あ(き)す]……闖空門
るす……外出不在
盗む[ぬす(む)]……偷竊
事実[じじつ]……事實上
安全[あんぜん]……安全
警視庁[けいしちょう]……東京都警察局
調査[ちょうさ]……調査
都内[とない]……東京都內
～件[～けん]……～件（事件）
こえる……超過
被害[ひがい]……損失
二十四億円[にじゅうよんおくえん]……二十四億日元
～にのぼる……達到～
侵入[しんにゅう]……闖入
方法[ほうほう]……方法
玄関[げんかん]……大門
錠[じょう]……鎖
手数[てすう]……費事、麻煩
好む[この(む)]……喜歡
鍵をかける[かぎ(をかける)]……上鎖
防げる[ふせ(げる)]……能防範
アパート……公寓
マンション……公寓大廈
大いに[おお(いに)]……相當地、大大地
改良する[かいりょう(する)]……改良
種類[しゅるい]……種類
比較的[ひかくてき]……比較上
単純[たんじゅん]……簡單
次々と[つぎつぎ(と)]……接二連三
数億[すうおく]……數億
すぐれた……優良的
それまで……無話可說
不注意[ふちゅうい]……疏忽、不小心
招く[まね(く)]……招致
防犯[ぼうはん]……防範犯罪
注意力[ちゅういりょく]……注意力
有効[ゆうこう]……有效
対策[たいさく]……對策

■会話文 I

歯医者[はいしゃ]……………………………牙醫師
待合室[まちあいしつ]………………………候診室
事件[じけん]……………………………………事件
誘拐事件[ゆうかいじけん]………………綁票事件
解決する[かいけつ(する)]……………………解決
次から次へと[つぎ(から)つぎ(へと)]
……………………………………………………接連不斷地
一生[いっしょう]………………………………一輩子
関係する[かんけい(する)]…………牽扯、有關連
つい最近[(つい)さいきん]………………就在最近
現金[げんきん]…………………………………現金
指輪[ゆびわ]……………………………………戒指
あきらめる………………………………死心、放棄
腕のいい[うで(のいい)]………………本領高強的

■会話文 II

学生同士[がくせいどうし]………………學生之間
不安[ふあん]……………………………擔心、不安
おふくろ…………………………老媽（男性用語）
どなる………………………………………吼、喊
裏[うら]…………………………………………後門
けが…………………………………………………受傷
警察[けいさつ]…………………………………警察

ノート・文法註釋

■本文

●事実

和「事実として」〈事實上〉、「実際のところ」〈實際上〉一樣，用來舉例說明，當副詞用。

●だから、……ということになる

〈根據上述事實，可以下結論說……。〉例如：「六時ごとに薬を飲む。だから、一日に四回飲むということになる。」〈每六小時吃一次藥，所以等於一天吃四次。〉

●だから、どろぼうが……わけである

類似上一個句型，用來說明事情的原委。「わけ」有〈理由、原因〉等意。「わけである」適合用來說明複雜的情況。

●かけ忘れればそれまでだ

「～～ばそれまでだ」中的「それまで」，意思是〈多談無益、無話可說〉。

■会話文 II

●もう一つ錠をつけといたほうがいい

「つけといた」是「つけておいた」的簡縮形。常體會話經常出現這種簡縮的現象。

●ぼくんとこ

等於「ぼくのところ」。會話中「の」常簡縮成「ん」。「どなったので」→「どなったんで」，也是相同原理。

●錠を買いに行こう、君の

「君の錠を買いに行こう」的倒裝句。常體非正式的會話中，說話者常採此種補充說明的方式。

●わるいわ

〈不好意思、過意不去〉。給對方帶來不便時，可以用這句話致歉。鄭重度比「すみません」低。

文型練習・句型練習

1. ……ない……はない CD 3 No.18

本文例——いつの新聞を見ても 犯罪の記事ののっていない日はない。

㊟ 強調のための二重否定。「すべての新聞に犯罪の記事がのっている」という意味を強調するために「ない」を二回使っている。練習は本文を単純化してある。

練習A 例にならって文を作りなさい。

例：新聞、犯罪の記事がのっている→どの新聞を見ても、犯罪の記事ののっていないものはない。

1. 作品、魅力がある→
2. 製品、高い技術を示す→
3. 品物、高いなと思う→

練習B 例にならって、練習Aで作った文のあとに次の句をつけなさい。

例：さまざまな犯罪が報道されている→どの新聞を見ても、犯罪の記事ののっていないものはない。実にさまざまな犯罪が報道されている。

1. すばらしい作品がそろっている→
2. すばらしいと思う→
3. 円高の影響がここにも見られる→

1.**沒有……不……。**

正文範例——不管什麼時候看報，沒有一天不刊登犯罪的消息。

(註)雙重否定用來〈強調〉。爲了強調〈所有的報紙都刊登犯罪的消息〉，而用了二次「ない」。練習部分已將正文簡化。

練習A 請依例造句。

例：報紙、刊登犯罪的消息→無論看哪一份報紙，沒有一份不刊登犯罪的消息。

1.作品、吸引人→
2.製品、顯示高超的技術→
3.物品、覺得很貴→

練習B 請依例將下列各句，接於練習A所造的各句之後。

例：犯罪事件層出不窮→無論看哪一份報紙，沒有一份不刊登犯罪的消息。的確，犯罪事件層出不窮。

1.佳作濟濟→
2.覺得很棒→
3.可看出這也是受到日幣升值的影響→

2．……を見ると、……が最も多い  No.19

> 本文例——空き巣の侵入方法を見ると、鍵のかかっていない玄関から入るのが四十三パーセントで、最も多い。

㊟「空き巣の侵入方法は」としても意味は同じであるが、「……を見ると」を用いると、読者や聞き手の関心を次の問題に導くという印象が強くなり、親しみやすい書きかた、話しかたになる。

練習A　例にならって文を作りなさい。

例：空き巣の侵入方法、鍵のかかっていない玄関から入るの→空き巣の侵入方法を見ると、鍵のかかっていない玄関から入るのが最も多い。

1．空き巣の入る所、玄関→

2．留学生の出身地、アジア→

3．疲れの原因、ストレス→

4．女性の望む結婚相手の条件、心のやさしいこと→

練習B　自分の話題で、できれば統計や図表を見せながら説明する練習をするとよい。その場合、さらに、「次に多いのは……」と加えるほうがよい。また、数字を入れて、「……を見ると、四十三パーセントで、最も多い」としてみなさい。なお、個人的に相手を前にして説明するときは「です、ます」調を用いること。

2.從……看來，……最多。

> **正文範例**——從闖空門的手法來看，自未上鎖的大門闖入者爲數最多。

(註)寫成〈闖空門的手法〉亦可，不過用〈從……看來〉的句型，更能引發讀者或聽者對下述事件的關注。這種寫法或說法較能讓人接受。

練習A　請依例造句。

例：闖空門的手法、自未上鎖的大門闖入者→從闖空門的手法來看，自未上鎖的大門闖入者爲數最多。

1.闖空門的侵入地點、大門→

2.留學生的籍貫、亞洲→

3.疲憊的原因、壓力→

4.女性理想結婚對象的條件、心地善良→

練習B　自己選話題，最好能邊以統計或圖表練習說明。除此之外，若能加上〈其次以……較多〉更好。另外。也請試著代入數字，例如〈從……看來，以……最多佔百分之四十三〉，練習說看看。再者，若與人面對面說明時，要用「です・ます」體裁。

ディスコース練習・對話練習

1.会話文Ⅰより CD3 No.20

A：……のがいけなかったんです。
B：そうですか。
A：……のに。
B：ほんとに残念でしたね。

練習の目的：Aは自分の失敗の原因を分析する。Bはそれを聞き、同情を示す。同情を示す音調に注意。

練習の方法：基本型の下線の部分を入れかえる。

〈基本型〉

A：すぐ帰ると思って、鍵をかけなかったのがいけなかったんです。
B：そうですか。
A：ほんの10分ぐらいでしたのに。
B：ほんとに残念でしたね。

入れかえ語句

1．部屋の戸をしめなかった
2．かさを持たずに出た
3．ストーブを消さなかった

例として、1は事務所の中で物を盗まれた場合、2は散歩に出て雨にふられた場合、3は火事になった場合などを考えながら会話するとよい。

1.取材自會話Ⅰ

A：……才出紕漏的！
B：這樣子啊？
A：只不過……。
B：眞是無妄之災啊！

練習目的：A分析自己失敗的原因，B聽從後表示同情。請注意表示同情時的語調。

練習方法：代換基本句型的畫線部分。

〈基本句型〉

A：因爲心想會馬上回來，沒有上鎖就出門，才出紕漏的！
B：這樣子啊？
A：只不過十分鐘左右而已……。
B：眞是無妄之災啊！

代換語句

1.沒有鎖房門→
2.沒有帶傘出門→
3.沒有關爐火→

練習對話時，最好邊想當時的情景。比如說：1是辦公室被闖空門、2是出去散步被雨淋了、3是發生火災的等情況。

2.会話文Ⅱより  No.21

> A：……ていますか。
>
> B：いいえ。
>
> A：それじゃ不安ですよ。
>
> B：そうですか。
>
> A：……たほうがいいですよ。
>
> B：じゃ、こんどそうしますよ。

練習の目的：Aは心配しすぎる型、Bは反対に心配しない型の人間。Aが心配そうに熱心に用心をすすめるが、Bはめんどうがって興味のなさそうな口調で返事する。

練習の方法：基本型の下線の部分を入れかえる。

〈基本型〉

A：(1)鍵は二つかけていますか。

B：いいえ。

A：それじゃ不安ですよ。

B：そうですか。

A：ええ、(2)二つかけるようにしたほうがいいですよ。

B：じゃ、こんどそうしますよ。

入れかえ語句

1. (1)誘拐の保険に入って　(2)入った
2. (1)手紙はコピーしてから出して　(2)コピーをとっておいた
3. (1)おつりはかぞえて　(2)必ずかぞえるようにした
4. (1)机のひき出しに鍵をかけて　(2)かけるようにした

2.取材自會話Ⅱ

> A：有……嗎？
>
> B：沒有。
>
> A：那樣不太安全喲！
>
> B：這樣子啊！
>
> A：……比較好！
>
> B：那麼，下次就這麼辦！

練習目的：A是多慮型的，而B剛好相反，屬於悠哉型的人。A憂心忡忡地建議B要多加小心，而B覺得麻煩，隨便應和一下。

練習方法：代換基本句型的畫線部分。

〈基本句型〉

A：(1)上了兩道鎖嗎？

B：沒有。

A：那樣不太安全喲！

B：這樣子啊！

A：嗯，(2)上兩道鎖比較好！

B：那麼，下次就這麼辦！

代換語句

1.(1)投保綁票險　(2)保了
2.(1)信件影印後再寄出　(2)影印留存了
3.(1)找回的錢要點清　(2)一定點清
4.(1)抽屜要上鎖　(2)上了鎖

漢字熟語練習・漢字詞彙練習

1．小〈小さな〉

小説[しょうせつ]……小說
小学校[しょうがっこう]……小學
小国[しょうこく]……小國
縮小(する)[しゅくしょう(する)]……縮小
大小[だいしょう]……大和小
中小[ちゅうしょう]……中和小
小～(小委員会)[しょう～(しょういいんかい)]……小～（小委員會）
小遣い[こづか(い)]……零用錢
小売[こうり]……零售
小型[こがた]……小型
小屋[こや]……窩棚、簡陋的房子
ウサギ小屋[(ウサギ)ごや]……兔窩
小さな[ちい(さな)]……小的
小さい[ちい(さい)]……小的

2．安〈安全〉

安全(な)[あんぜん(な)]……安全（的）
安定(する)[あんてい(する)]……安定
安心する[あんしん(する)]……放心
不安(な)[ふあん(な)]……不安（的）
安い[やす(い)]……便宜的

3．全〈安全〉

全体[ぜんたい]……全體
全部[ぜんぶ]……全部
全国[ぜんこく]……全國
全員[ぜんいん]……全體人員
全集[ぜんしゅう]……全集（例如著作、小說）
全身[ぜんしん]……全身
全然[ぜんぜん]……完全（後面加否定句）
全～(全病院)[ぜん～(ぜんびょういん)]……整個～（整個醫院）
完全な[かんぜん(な)]……完全的
全く[まった(く)]……完全地、的確

4．調〈調査〉

調査(する)[ちょうさ(する)]……調查
調子[ちょうし]……情況、狀況
調節(する)[ちょうせつ(する)]……調節
調整(する)[ちょうせい(する)]……調整、協調
強調(する)[きょうちょう(する)]……強調
調べ[しら(べ)]……調查

5．和〈昭和〉

和風[わふう]……日本式
和室[わしつ]……日式房間
和服[わふく]……和服、日式和服
調和(する)[ちょうわ(する)]……調和
講和[こうわ]……媾和
昭和[しょうわ]……昭和（西元1926～1989）
共和国[きょうわこく]……共和國

6．都〈都内〉

都[と]……東京都
都市[とし]……都市
都会[とかい]……都會
都民[とみん]……東京都居民
都庁[とちょう]……東京都政府
都心[としん]……東京都市中心
都合[つごう]……方便（與否）
都[みやこ]……首都

7．万〈二万件〉

万事[ばんじ]……一切
万国[ばんこく]……所有的國家

万一[まんいち] ……………………………………萬一
数万[すうまん] ……………………………………數萬

8．関〈玄関〉

関係(する)[かんけい(する)]
……………………………………（有）關係、參與
関連(する)[かんれん(する)]…………………關連
関心[かんしん] ……………………………………關心
関税[かんぜい] ……………………………………關稅
関西地方[かんさいちほう]………………關西地方
〜に関する[(〜に)かん(する)]……………關於〜
玄関[げんかん] ……………………………大門、正門

9．手〈手数〉

手術[しゅじゅつ]………………………開刀、手術
手段[しゅだん] …………………………手段、方法
選手[せんしゅ] ……………………………………選手
投手[とうしゅ] ……………………………………投手
拍手(する)[はくしゅ(する)]………………鼓掌
助手[じょしゅ] …………………………助手、助教
歌手[かしゅ] ………………………………………歌星
手[て] ……………………………………………………手
手数[てすう] ……………………………費事、麻煩
手足[てあし] ………………………………………手腳
手当て[てあ(て)]………………………津貼、醫療
大手[おおて] ……………………………大、主要的
両手[りょうて] ……………………………………雙手
上手な[じょうず(な)]………………………高明的
下手な[へた(な)] ……………………………差勁的

10．力〈注意力〉

力説する[りきせつ(する)]………………極力主張
協力(する)[きょうりょく(する)]……………合作
努力(する)[どりょく(する)]…………………努力
勢力[せいりょく] …………………………………勢力
力[ちから] ……………………………………力量、勢力

11．強〈強くする〉

強化する[きょうか(する)]
………………………………………………加強、強化
強調する[きょうちょう(する)]………………強調
強制する[きょうせい(する)] …………………強制
強力な[きょうりょく(な)] ……………強而有力的
強盗[ごうとう] ……………………………強盜、搶劫
勉強(する)[べんきょう(する)] ………用功、學習
補強(する)[ほきょう(する)] …………加強、增強
強い[つよ(い)] ……………………………………強壯的

12．対〈対策〉

対策[たいさく] ……………………………………對策
対象[たいしょう] …………………………………對象
対立(する)[たいりつ(する)] …………………對立
対抗する[たいこう(する)]………………………對抗
対照(する)[たいしょう(する)] ………………對照
対談(する)[たいだん(する)]……………對談、交談
対話[たいわ] ………………………………………對話
反対(する)[はんたい(する)] …………………反對
絶対[ぜったい] ……………………………………絕對
〜に対して[(〜に)たい(して)] ……………對於〜
一対[いっつい] ……………………………………一對

「我以為大門已經鎖上了，可是……。」半開的門正是引誘宵小上門的最佳釣餌。

■漢字詞彙複習

1. **小遣**いで**小説**を買って読んだ。
2. **全員**、**不安**な気持ちで**手術**のおわるのを待った。
3. この絵は**和室**に**調和**する。
4. **都心**では**和風**の家は少ない。
5. **万事**うまく行きましたから、**安心**してください。
6. お**手数**ですが、ご**都合**をおしらせください。
7. **手当**てが早かったから、**完全**になおった。
8. **歌手**がおじぎをすると、大きな**拍手**がおこった。
9. **絶対**に**和服**は着ない。
10. この**全集**は**完全**な物ですか。
11. **昭和**40年にこの**都市**へ来ました。
12. 山の上には**大小**の**小屋**が並んでいる。
13. こんどの台風は**小型**だが、**強力**だ。
14. **強盗**は手にピストルを持っていた。
15. **調査**にご**協力**ください。
16. **努力**の大切さを**力説**した。
17. あの**投手**は**力**は**強**いがあまり**上手**ではない。
18. **強力**な**対策**を立てることはむずかしい。
19. **万一**、**反対**する者があったらどうしましょう。
20. この問題に**関**する二人の学者の**対談**を聞いた。

1.拿**零用錢**買了**小說**來看。
2.**大家**都懷著**忐忑不安**的心情等待**開刀**結束。
3.這幅畫很**適合**掛在**日式房間**。
4.在**東京市區**內的**日式住宅**寥寥無幾。
5.**一切**順利，請放心。
6.**麻煩**您告訴我何時比較**方便**。
7.及早**診治**，因此已經**痊**癒了。
8.**歌手**答禮的同時，響起了熱烈的**掌聲**。
9.**絕**不穿**和服**。
10.這套**全集**是否**齊全**呢？
11.**昭和**四十年，來這個**城市**。
12.**大大小小**的簡陋**小屋**羅列在山上。
13.這次颱風雖然是**小型**的，但**威力很強**。
14.**強盜手**上握有手槍。
15.請**鼎力協助調查**。
16.**強調努力**的重要性。
17.那位**投手**力氣雖**大**，但技術**不佳**。
18.要訂出**強有力**的**對策**很困難。
19.**萬一**有人**反對**，怎麼辦？
20.聽取兩位學者**關於**此問題的**對談**。

応用読解練習・應用閱讀練習

（おう よう どっ かい れん しゅう）

「新しい住まいの設計」（1988.8月号）

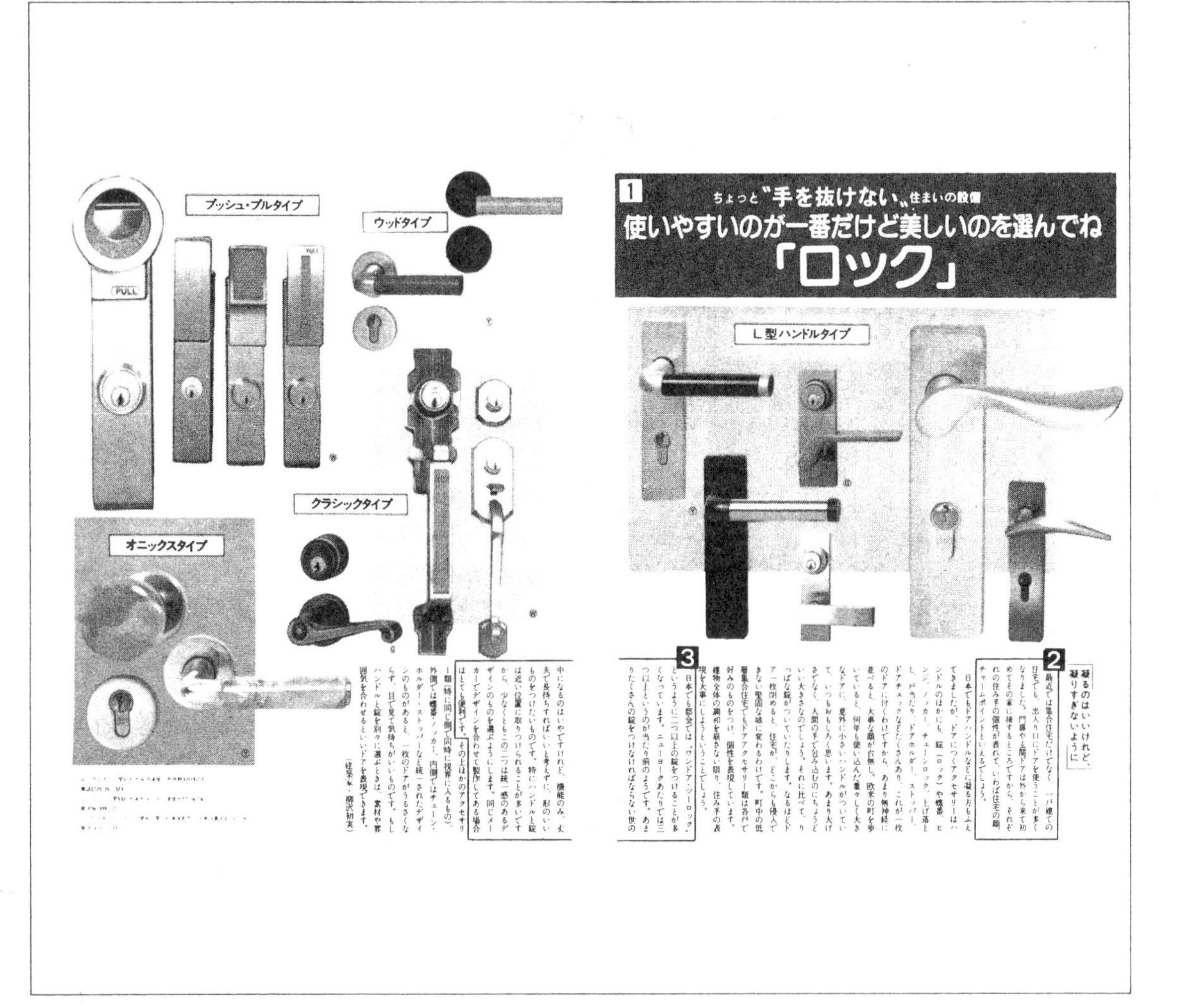

1 ちょっと"手を抜けない"住まいの設備
使いやすいのが一番だけど美しいのを選んでね
「ロック」

2 凝るのはいいけれど、凝りすぎないように

最近では集合住宅だけでなく、一戸建ての住宅でも、出入り口にドアを使うことが多くなりました。門扉や玄関ドアは外から来て初めてその家に接するところですから、それぞれの住み手の個性が表れて、いわば住宅の顔、チャームポイントといえるでしょう。

日本でもドアハンドルなどに凝る方もふえてきましたが、ドアにつくアクセサリーはハンドルのほかにも、錠（ロック）や蝶番、ヒンジ、ノッカー、チェーンロック、上げ落とし、戸当たり、ドアホルダー、ストッパー、ドアチェックなどたくさんあり、これが一枚のドアに付くわけですから、あまり無神経に並べると、大事な顔が台無し。欧米の町を歩いていると、何年も使い込んだ重々しく大きなドアに、意外に小さいハンドルがついていて、いつもおもしろく思います。あまり大げさでなく、人間の手で包み込むのにちょうどいい大きさなのでしょう。それに比べて、りっぱな錠がついていたりします。なるほどドア一枚閉めると、住宅が、どこからも侵入できない堅固な城に変わるわけです。町中の低層集合住宅でもドアアクセサリー類は各戸で好みのものをつけ、個性を表現しています。建物全体の調和を崩さない限り、住み手の表現を大事にしようということでしょう。

3 日本でも都会では"ワンドア・ツーロック"というように二つ以上の錠をつけることが多くなっています。ニューヨークあたりでは三つ以上というのが当たり前のようです。あまりたくさんの錠をつけなければならない世の中になるのはいやですけれど、機能のみ、丈夫で長持ちすればいいと考えずに、形のいいものをつけたいものです。特にハンドルと錠は近い位置に取りつけられることが多いですから、少なくともこの二つは統一感のあるデザインのものを選ぶようにします。同じメーカーでデザインを合わせて製作してある場合はとても便利です。その上ほかのアクセサリー類（特に同じ側で同時に視界に入るもの）、外側では蝶番・ノッカー、内側ではチェーン・ホルダー・ストッパーなど統一されたデザインのものがあると、一枚のドアがうるさくならず、目で見て気持ちがいいものです。もし、ハンドルと錠を別々に選ぶときは、素材や雰囲気を合わせるといいドアを表現できます。

（建築家・柳沢初実）

1 ちょっと"手を抜けない"住まいの設備
使いやすいのが一番だけど美しいのを選んでね
戸締まり「ロック」いろいろ

2 最近では集合住宅だけでなく、一戸建ての住宅でも、出入り口にドアを使うことが多くなりました。門扉や玄関ドアが外から来て初めてその家に接するところですから、それぞれの住み手の個性が表れて、いわば住宅の顔、チャームポイントといえるでしょう。

3 日本でも都会では"ワンドア・ツーロック"というように二つ以上の錠をつけることが多くなっています。ニューヨークあたりでは三つ以上というのが当たり前のようです。あまりたくさんの錠をつけなければならない世の中になるのはいやですけれど、機能のみ、丈夫で長持ちすればいいと考えずに、形のいいものをつけたいものです。特にハンドルと錠は近い位置に取りつけられることが多いですから、少なくともこの二つは統一感のあるデザインのものを選ぶようにします。同じメーカーでデザインを合わせて製作してある場合はとても便利です。

■字彙表

1

手を抜けない[て(を)ぬ(けない)] ……不能偷工減料
住まい[す(まい)] ……住家
設備[せつび] ……設備
戸締まり[とじ(まり)] ……鎖門

2

集合住宅[しゅうごうじゅうたく] ……住宅公寓
一戸建て[いっこだ(て)] ……獨棟、獨門獨院的房子
住宅[じゅうたく] ……住宅
出入口[でいりぐち] ……出入口
ドア ……門
門扉[もんぴ] ……門扉、大門
玄関ドア[げんかん(ドア)] ……玄關的門、正門
接する[せっ(する)] ……接觸、連接
それぞれの住み手[(それぞれの)す(み)て] ……每個居住者
個性[こせい] ……個性
表れる[あらわ(れる)] ……表現
いわば ……可以說、說起來
顔[かお] ……臉、面子
チャーム・ポイント ……魅力重點
～といえ ……可說是～

3

都会[とかい] ……都市
二つ以上[ふた(つ)いじょう] ……兩個以上
鍵[かぎ] ……鎖、鑰匙
～あたり ……～一帶
当たり前[あ(たり)まえ] ……理所當然
世の中[よ(の)なか] ……世界、社會
機能のみ[きのう(のみ)] ……只有機能
丈夫で[じょうぶ(で)] ……堅固、牢靠
長持ちする[ながも(ちする)] ……耐久、耐用
形のいいもの[かたち(のいいもの)] ……外型美觀（的鎖）
ハンドル ……把手
錠[じょう] ……鎖
近い位置[ちか(い)いち] ……靠近的位置
統一感[とういつかん] ……統一感、協調的感覺
デザインを合わせて[(デザインを)あ(わせて)] ……搭配設計
制作してある[せいさく(してある)] ……製造出來
便利[べんり] ……方便

■應用閱讀練習翻譯

1

住宅設備可“不能偷工減料”
好用固然重要，但也得注重美觀
各式各樣的「門鎖」

2

最近不光是公寓住宅，連獨門獨院的房子也是如此，在出入口安裝大門的情形越來越多了。從外面來，首先和房子接觸的地方便是門扉或玄關門，因此它們分別表現出居住者的個性，或許可以說是房屋的面子，魅力的重點所在。

3

日本也一樣，大都市裡用兩個以上的鎖，也就是「一門雙鎖」的情形日漸增加，用三道鎖似乎理所當然。這個社會變成非得用好幾道鎖不可的社會，固然令人厭煩，我還是希望在加鎖時，不光只考慮到機能，認爲牢固耐用即可，應求外型美觀。特別是門把和鎖通常裝得很靠近，因此至少這兩個部分，應該挑選在設計上能夠協調者爲宜。如果是同一家廠商搭配設計製造的產品，用起來非常方便。

上圖是一把令人懷念的老式鎖頭；下圖是應用目前最新科技的安全系統。未來，鎖之科技將會發展到什麼地步呢？

レッスン 10 忍者

本文・正文 CD 4 No.1

電車やバスの座席の中には、固定度の弱いものがある。隣の人が勢いよくすわると、はずみでこちらの体*が浮きあがってしまう。体の重そうな人ばかりでなく、スマートな若い人でも、すわりかたに気をつけないと、隣の人が迷惑する。問題は体重でなくて体の動かしかたである。

昔の忍者は、音を立てずに歩くことができたそうである。呼吸をとめて、人に知られないように部屋に忍びこむこともできた——どこまで本当かわからないが、子供のころ、そうした忍者の物語に夢中になり、忍者にあこがれたものである*。

忍者の家では子供が生まれると庭に生長の早い木を植える。子供は毎日その木をとびこす練習をする。木はどんどんのびるから、とびかたも急速に上達する。水の中を泳ぐことはもちろん、細い竹を水面に出して呼吸しながら、長い間もぐっていることもできる。信じられないような速度で走り、木の枝の間で眠る。宇宙食のような固形の食物で生きのびる。要するに、人間の能力をその極限まで使うのである。

しかし、そんなきびしい訓練をしてやっと一人前になったあとは、大名や将軍のために、かげで働くだけ。失敗したら死によって責任をとるほかはない。*結局は権力の奴隷だったのである。

今は忍者の時代ではないし、電車やバスの座席にドシンと腰をおろす若者は、権力の奴隷ではない。解放された自由な生活態度が、すわりかたにも現れるのは当然である。隣にすわる者が、はねとばされないように気をつければいいのだ*。

■正文翻譯

忍者

電車以及巴士上的座椅當中，有些穩定性不佳。當鄰座的人猛然地坐下時，我們的身體常會因此而被彈起。不只是看起來很重的人，縱使是苗條的年輕人，如果不注意坐下的動作時，鄰座的人就會受到干擾。問題不在體重，而在於身體的動作。

聽說，以前的忍者行走時能寂靜無聲，也能屏氣凝神，神不知鬼不覺地潛入屋內——可信度多高並不清楚，不過孩提時代卻相當熱中於這類的忍者故事，憧憬著忍者。

在忍者的家庭，小孩一出生，就會在庭院種植生長快速的樹木，小孩子每天要練習跳過那棵樹。由於樹木不斷成長，跳躍的技巧也因而進步神速。游泳自不待言，它們甚至能把細竹管露出水面，邊呼吸邊在水中潛上一段很長的時間。行走速度之快令人無法相信，而且也能寢眠於樹枝間。以太空食品般的固體食物賴以維生。總之，他們能把人類的能力發揮到極限。

然而，受過如此嚴格的訓練，好不容易長大成人之後，也只能在暗地裡為諸侯或將軍效命罷了。一旦失敗，就只有賠上性命，一死了之。終究還是權力的奴隸。

如今，既非忍者時代，在電車、巴士上一屁股就坐下來的年輕人自非權力的奴隸。生活態度解放了、自由了，就座的動作自然也不例外。鄰座的人，只要留心別讓人給撞倒就萬幸了。

会話・會話

■会話文Ⅰ  No.2

電車内の知人の会話。Aは中年男性、Bは若い女性。

A：このごろドシンとすわる人が多いですね、とくに若い人に。

B：あ、そうですか。わたしもきっとそうですね。

A：いや、大丈夫でしたよ。こちらの体が浮きあがるようなことはなかったから。

B：昔の女性は体の動かしかたが静かで上品だったんでしょうね。

A：まあ、人にもよりますけど、歩きかた、すわりかた、戸のあけかたとか、やかましく言われたって、女房なんか言いますよ。*

B：そうですか。大変でしたね。

A：女性が社会的に弱い存在だったからでしょうね。

B：あ、そうかもしれませんね。

A：弱い存在といえば、*忍者ね。

B：え、昔のスパイ。

A：そうです。きびしい訓練をして、音を立てずに歩くことができたし。

B：天井うらでじっと動かずにいることもできたんですってね。

A：静かにしないと仕事ができないわけですからね。

B：その点、わたしたちは楽ですね。*

A：そう、ドシンドシン歩いたからといって*会社をくびになることはありませんからね。

■會話 I

電車內熟人間的對話。A是中年男性，B是年輕女性。

A：近來，一屁股重重坐下來的人可眞多啊！特別是年輕人！

B：哦，這樣子啊？我一定也是那樣囉！？

A：還好，因爲我剛才沒有身體上浮的感覺。

B：以前的女性，行爲舉止大概都很文靜高雅吧？

A：應該說是因人而異吧！不過，我內人說不論是走路、就座或開門的動作，都受到相當嚴格的要求。

B：這樣子啊？眞累人呢！

A：大概是女性社會地位比較低的緣故吧？

B：嗯，也許吧！

A：談到地位低，忍者就是。

B：嗯，以前的間諜。

A：是的。受過嚴格的訓練，行走可以無聲無息。

B：聽說也能一動不動地藏身在天花板上頭……。

A：因爲不安靜就做不了事。

B：這一點，我們可輕鬆多了。

A：是啊！因爲即使我們步伐沈重，也不會被公司炒魷魚啊！

■会話文 II CD 4 No.3

会社の昼休みに同僚が雑談をしている。

Aは男性、Bは女性。二人とも若い。

A：何の漫画？

B：忍者の話。弟の漫画持ってきたの。

A：いいなあ。見せて。

B：あら、松本さんも忍者好き？

A：うん、子供のころは好きだったなあ。忍者になりたいなあって思ったよ。

B：忍者のまね、した？

A：ちょっとね。でも、あきらめた。

B：だけど、忍者の話って、本当かしら。パッと煙のように消えるなんて、できるわけないじゃないの。

A：あのね、ある程度は事実なんだよ、忍者の話。

B：へえ？

A：消えたっていうのはね、実は何か小型の爆弾みたいなものを投げて、煙を出して、相手が何も見えないでいるうちに逃げたんだって。

B：ああ、そう。

A：別に魔法でも何でもないわけだ。

B：そうねえ。

A：枝から枝へとびうつるなんてことは、訓練すればできたし。

B：ええ。

A：普通の人には考えられないほど速く走れたし。

B：ああ、そう。

A：今の宇宙食みたいなものがすでに開発されていて、天井うらで何日も生きていられたんだって。

B：へえ、くわしいのねえ。

A：普通の人間にはできそうもないけど、訓練をすればできないこともない。そういう人間の能力の極限に挑戦してたわけだよ。

B：そう。それで子供があこがれるのね。

A：ぼくもけさは人間の能力の限界に挑戦して、勝ったよ。

B：へえ？　何したの。

A：会社におくれそうになって、走ったんだ。

■會話 II

公司的午休時間，同事之間的閒聊。A是男性，B是女性。兩個人都很年輕。

A：什麼漫畫？

B：忍者的故事。是我弟弟的。

A：太棒了！借看一下。

B：咦，松本先生也喜歡忍者？

A：嗯，小時候很喜歡。還想當忍者呢！

B：有沒有模仿忍者？

A：一下下，不過就放棄了。

B：可是，忍者的故事是真的嗎？轉瞬間一溜煙地消失無蹤，可能嗎？

A：嗯，忍者的故事有某些是事實喲！

B：哦？

A：所謂「消失」，其實聽說是丟一種像小型炸彈般的物品，讓煙霧瀰漫，然後趁對方視線不清楚時，逃之夭夭。

B：啊，原來如此。

A：並不是施展什麼法術。

B：是啊！

A：而且，在樹枝間飛躍的功夫，只要訓練就可以辦到。

B：的確。

A：同時還能以普通人無法想像的速度奔馳！

B：嗯，對。

A：聽說，已發明一種像現代的太空食品般的東西，能讓他們在天花板上度過數日。

B：咦，你很清楚嘛！

A：對普通人而言，彷彿辦不到的事，只要訓練的話，就沒什麼不可能。他們就是這樣，向著人類能力的極限挑戰。
B：是啊，就因爲這樣，小孩子才更爲嚮往。

A：我今天早上也向人類的極限挑戰，結果戰勝了！
B：哦，什麼挑戰？
A：眼看上班就要遲到了，因此飛奔而來！

単語(たんご)のまとめ・單字總整理

■本文(ほんぶん)

忍者[にんじゃ]……忍者（請看文法註釋）
電車[でんしゃ]……電車
座席[ざせき]……座位
固定度[こていど]……穩定性
弱い[よわ(い)]……弱的
勢いよく[いきお(いよく)]……猛然地
はずみで……順勢
浮きあがる[う(きあがる)]……浮起
迷惑する[めいわく(する)]……感到困擾、受干擾
問題[もんだい]……問題
体重[たいじゅう]……體重
動かしかた[うご(かしかた)]……動作、移動方式
音を立てずに[おと(を)た(てずに)]……不出聲響地
呼吸[こきゅう]……呼吸
とめる……停住、停止
人に知られないように[ひと(に)し(られないように)]……不爲人知
忍びこむ[しの(びこむ)]……潛入
そうした……那樣的
物語[ものがたり]……故事
夢中になる[むちゅう(になる)]……熱中於～
あこがれる……憧憬
生長の早い[せいちょう(の)はや(い)]……生長快速的
植える[う(える)]……種植
とびこす……跳過
練習[れんしゅう]……練習
のびる……成長
急速に[きゅうそく(に)]……迅速地
上達する[じょうたつ(する)]……進步
水面[すいめん]……水面
もぐる……潛（水）
信じられない[しん(じられない)]……無法相信的
速度[そくど]……速度
木の枝[き(の)えだ]……樹枝
宇宙食[うちゅうしょく]……太空食品
固形[こけい]……固體
食物[しょくもつ]……食物
生きのびる[い(きのびる)]……維持生命
要するに[よう(するに)]……總而言之
人間の[にんげん(の)]……人類的
能力[のうりょく]……能力
極限[きょくげん]……極限
一人前[いちにんまえ]……成人
大名[だいみょう]……諸侯
将軍[しょうぐん]……將軍
かげ……暗地裡、幕後
失敗する[しっぱい(する)]……失敗
死[し]……死
責任をとる[せきにん(をとる)]……負責
結局は[けっきょく(は)]……終究、結果
権力[けんりょく]……（政治）權力
奴隷[どれい]……奴隸
時代[じだい]……時代
ドシンと……笨重貌

腰をおろす[こし(をおろす)]…………………坐下
解放する[かいほう(する)]……………………解放
自由な[じゆう(な)]…………………………自由的
生活態度[せいかつたいど]
……………………………………………生活態度
当然[とうぜん]………………………………當然
はねとばされないように………盡量別讓人給撞倒

■会話文(かいわぶん)I

上品[じょうひん]………………………高尚、高雅
人による[ひと(による)]
……………………………………………因人而異
やかましく言う[(やかましく)い(う)]
……………………………………………嚴格地要求
女房[にょうぼう]………………………內人、老婆
存在[そんざい]……………………………………存在
天井うら[てんじょう(うら)]…………天花板上
楽[らく]……………………………………………輕鬆
くびになる…………………………………被解雇

■会話文II

同僚[どうりょう]……………………………………同事
雑談[ざつだん]………………………………………閒聊
漫画[まんが]…………………………………………漫畫
パッと…………………………………………………一瞬間
煙[けむり]……………………………………………煙霧
消える[き(える)]……………………………………消失
ある程度は[(ある)ていど(は)]…………某種程度
事実[じじつ]…………………………………………事實
小型の[こがた(の)]…………………………小型的
爆弾[ばくだん]………………………………………炸彈
相手[あいて]…………………………………………對方
逃げる[に(げる)]……………………………………逃走
魔法[まほう]…………………………………………法術
すでに…………………………………………………已經
開発する[かいはつ(する)]………………………開發
くわしい……………………………………………詳細的
挑戦する[ちょうせん(する)]……………………挑戰
勝つ[か(つ)]…………………………………………勝利

ノート・文法註釋

■本文(ほんぶん)

●忍者(にんじゃ)

日本戰國時代(西元1467～1568年)開始爲各國諸侯和幕府將軍效命的情報人員。

●こちらの体(からだ)

「こちら」未必只是指筆者本身，還可以指和筆者立場相同的人。

●あこがれたものである

「～～たものである」用於回顧過去的事實，以懷念的口氣表達出來的場合。

●……ほかはない

〈只好、別無方法〉。等於「ほかに方法がない」。也可以採「とるよりほかない」的形式。例句：もうあきらめるほかない〈也只好心死了。〉

●気(き)をつければいいのだ

「～～ばいいのだ」含有「それ以上文句を言うべきではない」〈不應該過於挑剔〉之意。筆者對年輕人覺得很不滿，用半帶諷刺的口氣對年輕人的立場加以認定，並提醒自己不應該發太多牢騷。

■会話文 I

●まあ

表大體上贊成的口氣。

●女房なんか言いますよ

這裡的「なんか」有〈例如〉的一司。

●弱い存在といえば

用這個句型，將前面的話題所引起的聯想表達出來。

●その点、……は楽ですね

意思等於「その点に関しては～～がめぐまれている」。也可以用「今の人」或「若い人」取代「わたしたち」。在提到男人的辛苦後，可以說「その点、女性は楽ですね。」。

●ドシンドシン歩いたからといって

「からといって」的句尾要採取否定的形式。例句：「好きだからといって飲みすぎてはいけませんよ。」〈可不能因爲愛喝就喝過頭！〉「難しいからといって、止めるわけにはいかない。」〈不可能因爲難就做罷。〉

文型練習・句型練習

1．……でも、……ないと、……

No.4

> 本文例——体の重そうな人ばかりでなく、スマートな若い人でも、すわりかたに気をつけないと、隣の人が迷惑する。

(注)「……と、……」という原因・結果を示す文型に「たとえ……でも」という条件が加わったもの。条件の部分は「スマートな若い人であっても」としてもよい。「いくら」はここでは強調。

練習A 例にならって文を作りなさい。

例：スマートな人、すわりかた→いくらスマートな人でも、すわりかたに気をつけないと、人が迷惑する。

1．広い道、運転→

2．かわいい犬、飼いかた→

3．かっこうのいいかばん、持ちかた→

4．親切なつもり、やりかた→

練習B 例にならって次の文を作り、練習Aのあとにつづけなさい。

例：体重、体の動かしかた→いくらスマートな人でも、すわりかたに気をつけないと、人が迷惑する。問題は体重でなくて体の動かしかたである。

1．道の広さ、運転する人の態度→

2．犬の性質、飼う人の態度→

3．かばんの形、持つ人の態度→

4．手伝うかどうか、思いやり→

1.縱使是……，如果不……就……。

> **正文範例**——不只是看起來很重的人，縱使是苗條的年輕人，如果不注意坐下的動作時，鄰座的人就會受到干擾。

(註) 在「如果……就……」表示原因、結果的句型，加上條件句「縱使……也」的句型。條件的部分換成「スマートな若い人であっても」也可以。「いくら」在此用來強調。

練習A　請依例造句。

例：苗條的人、坐下的動作→縱使是苗條的人，如果不注意坐下的動作，人們就會受到干擾。

1.寬廣的道路、駕駛→
2.可愛的小狗、飼養方法→
3.外型美觀的手提包、攜帶方便→
4.打算待人親切、作法→

練習B　請依例完成下列各句，並將其接於練習A各句之後。

例：體重、身體的動作→縱使是苗條的人，如果不注意坐下的動作，人們就會受到干擾。問體不在體重，而在於身體的動作。

1.道路是否寬廣、駕駛人的態度→
2.狗的性情、飼養者的態度→
3.手提包的外型、攜帶者的態度→
4.幫忙與否、體貼→

2．……たら……ほかない  No.5

> 本文例——失敗したら死によって責任をとるほかはない。

注「……ほかはない」は「……ほかに方法がない」と言ってもよい。

練習A　例にならって文を作りなさい。

例：失敗する、死によって責任をとる→失敗したら死によって責任をとるほかはない。

1．古くなる、捨てる→
2．調子が悪くなる、買いかえる→
3．上司にきらわれる、やめる→
4．指導者と意見があわなくなる、出ていく→

練習B　例にならって文を作り、練習Aで作った文のあとにつづけなさい。

例：忍者、弱い存在だ→失敗したら死によって責任をとるほかはない。忍者は弱い存在なのである。

1．この機械、修理の方法がない→

2．この型、古くて部品がない→

3．この会社、規模が小さい→

4．この社会、閉鎖的だ→

㊟ 練習Bは前の文の説明になっているので「～のである」（名詞の場合は「～なのである」）で終わる。

2.一旦……的話，就只有……。

正文範例——一旦失敗的話，就只有賠上性命，一死了之。

(註)「就只有……」亦可說成「只有……別無他法」。

練習A 請依例造句。

例：失敗、賠上性命，一死了之→一旦失敗的話，就只有賠上性命，一死了之。

1.老舊、丟棄→

2.狀況不佳、重新買→

3.被上司嫌棄、辭職→

4.和領導人意見不合、退出→

練習B 請依例完成下列各句，並將其接於練習A各句之後。

例：忍者、地位很低→一旦失敗的話，就只有賠上性命，一死了之。因爲忍者的地位很低。

1.這種機器、沒辦法修理→

2.這種機型、古老且沒有零件→

3.這家公司、規模不大→

4.這個社會、作風閉塞→

(註)練習B各句旨在說明前句，因此以「～のである」結尾。（名詞時用「～なのである」）。

ディスコース練習・對話練習

1.会話文Iより CD 4 No.6

A：……ないと……ないわけですからね。 B：その点、わたしたちは楽ですね。 A：ええ。……といって……ことはありませんからね。

練習の目的：他の職業や境遇の人と自分たちを比較して幸運を喜び合う。「……といって……ない」という表現が使えるようになることも一つの目的。

練習の方法：基本型の下線の部分を入れかえる。

〈基本型〉

A：(1)忍者の場合、(2)体の動かしかたに気をつけないと仕事ができないわけですからね。

B：その点、わたしたちは楽ですね。

A：ええ。(3)ドシンドシン歩いたからといってやめさせられることはありませんからね。

入れかえ語句

1．(1)銀行　(2)服装　(3)服装がはでだ

2．(1)大企業　(2)ことばづかい　(3)ことばづかいが悪い

3．(1)モデル　(2)体の線　(3)ふとった

1.**取材自會話 I**

A：因爲不……，就無法……。 B：這一點，我們可輕鬆多了。 A：是啊！因爲即使……，也不會……！

練習目的：拿自己和不同職業或不同處境的人比較，彼此相互慶幸。將「……といって、……ない」的句型運用自如，亦是目的之一。

練習方法：代換基本句型的畫線部分。

〈基本句型〉

A：因爲(1)忍者如果不注意(2)身體的動作，就辦不了事。

B：這一點，我們可輕鬆多了。

A：是啊！因爲即使我們(3)步伐笨重，也不會被炒魷魚！

代換語句

1.(1)銀行　(2)服裝　(3)服裝華麗

2.(1)大企業　(2)措辭　(3)措辭不當

3.(1)模特兒　(2)身材的曲線　(3)胖了

2.会話文IIより  No.7

A：……好きですか。 B：ええ、子供のころは好きでした。……になりたいなあって思いましたよ。 A：……しましたか。 B：ええ、少しはね。でも、あきらめました。

練習の目的：子供のころあこがれた職業について話しあう。このあとなぜあきらめたかなど、話が発展すればなおよい。

練習の方法：基本型の下線の部分を入れかえる。

〈基本型〉

A：(1)野球、好きですか。

B：ええ、子供のころ、(2)選手になりたいなあって思いましたよ。

A：練習しましたか。

B：ええ、少しはね。でもあきらめました。

入れかえ語句

1．(1)サッカー　(2)選手

2．(1)漫画(まんが)　(2)漫画家(か)

3．(1)歌(うた)　(2)歌手(かしゅ)

4．(1)絵(え)　(2)画家(がか)

5．(1)ピアノ　(2)ピアニスト

(応用(おうよう))このほか、自分の好きだった職業について話し合ってみる。上(うえ)の場合、

A：そうですか。わたしは……になりたいなあって思いました。

あるいは、

A：そうですか。わたしもそうだったんです。

などとつけ加(くわ)えて練習するとよい。

2.取材自會話 II

A：喜歡……嗎？
B：嗯，小時候很喜歡。還想當……呢！
A：有沒有……？
B：有，一下下。不過放棄了。

練習目的：談有關小時候所嚮往的職業。其後，若能以爲什麼放棄等等的話題，繼續發揮下去更好。

練習方法：代換基本句型的畫線部分。

〈基本句型〉

A：喜歡(1)棒球嗎？
B：嗯，小時候還想當(2)選手呢！
A：有沒有練習？
B：有，一點點，不過放棄了。

代換語句

1.(1)足球　(2)選手
2.(1)漫畫　(2)漫畫家
3.(1)唱歌　(2)歌星
4.(1)繪畫　(2)畫家
5.(1)鋼琴　(2)鋼琴家

(應用)此外，就有關自己所喜歡的職業試著說說看。以上面的情形，再接下面的句子練習一下更好。

A：這樣子啊？我倒想當……哩！
或者是：
A：這樣子啊？我也一樣。

漢字熟語練習(かんじじゅくごれんしゅう)・漢字詞彙練習

1．車〈電車〉

車内［しゃない］……………………車內
車庫［しゃこ］……………………車庫
車掌［しゃしょう］……………………車掌
車両［しゃりょう］……………………車輛、車
車輪［しゃりん］……………………車輪
列車［れっしゃ］……………………列車
電車［でんしゃ］……………………電車

自動車[じどうしゃ] ……………………………汽車
駐車(する)[ちゅうしゃ(する)] ……………停車
乗車(する)[じょうしゃ(する)]
……………………………………………………上車
下車(する)[げしゃ(する)]
……………………………………………………下車
発車(する)[はっしゃ(する)
…………………………………………發車、開車
車[くるま] ………………………………………車
車いす[くるま(いす)] …………………………輪椅

2．定〈固定度〉

定価[ていか] ……………………………………定價
定期[ていき] ……………………………………定期
定期券[ていきけん] ……………定期票（月票）
定食[ていしょく] ………………………………客飯
定員[ていいん] ………………………規定的人數
予定[よてい] ……………………………………預定
安定(する)[あんてい(する)] …………………安定
決定(する)[けってい(する)] …………………決定
固定する[こてい(する)] ………………………固定
未定(の)[みてい(の)] ………………未定（的）
指定する[してい(する)] ………………………指定

3．体〈体、体重〉

体制[たいせい] ………………………體制、制度
体育[たいいく] …………………………………體育
体力[たいりょく] ………………………………體力
体重[たいじゅう] ………………………………體重
体質[たいしつ] …………………………………體質
体温[たいおん] …………………………………體溫
体操[たいそう] …………………………………體操
団体[だんたい] …………………………………團體
具体的(な)[ぐたいてき(な)]
……………………………………………具體上（的）
主体[しゅたい] …………………………………主體
遺体[いたい] ……………………………………遺體
死体[したい] ……………………………………屍體
身体[しんたい] …………………………………軀體
体[からだ] ………………………………………身體

4．重〈体重〉

重要（な）[じゅうよう(な)] …………重要（的）
重傷[じゅうしょう] ……………………………重傷
重点[じゅうてん] ………………………………重點
体重[たいじゅう] ………………………………體重
二重(の)[にじゅう(の)] ………………雙重（的）
貴重(な)[きちょう(な)] ………………貴重（的）
尊重する[そんちょう(する)] …………………尊重
重い[おも(い)] ……………………………重（的）
重ねる[かさ(ねる)] …………將～重疊〈他動詞〉
重なる[かさ(なる)] ……………重疊〈自動詞〉

5．木〈木〉

土木[どぼく]
……………………………………………土木（工程）
木製[もくせい] …………………………………木製
木曜（日）[もくよう(び)] ……………………星期四
木材[もくざい] …………………………………木材
材木[ざいもく] …………………………………木材
木[き]……………………………………………樹木
並木[なみき] ……………………………………街樹

6．上〈上達する〉

上昇(する)[じょうしょう(する)] ……………上昇
上下(する)[じょうげ(する)] …………………上下
上旬[じょうじゅん]
……………………………………………………上旬
上司[じょうし]
……………………………………………上司、老闆
上院[じょういん]
…………………………………………………參議院
上演(する)[じょうえん(する)] ………上演、演出

上達(する)[じょうたつ(する)]
……………………（指技術方面的）進步
海上[かいじょう]……………………海上
水上[すいじょう]……………………水上
陸上[りくじょう]……………………陸上
地上[ちじょう]……………………地上
史上[しじょう]……………………歷史上
向上(する)[こうじょう(する)]
……………………提高、進步
上[うえ、かみ]……………………上面、上方
上がる[あ(がる)]………上升、進步〈自動詞〉
上げる[あ(げる)]………舉起、提起〈他動詞〉
上り[のぼ(り)]……………（火車）上行至東京

7．水〈水中、水面〉

水泳[すいえい]……………………游泳
水銀[すいぎん]……………………水銀
水産業[すいさんぎょう]……………水產業
水準[すいじゅん]……………………水準
水中[すいちゅう]……………………水中
水道[すいどう]……………………自來水
水曜(日)[すいよう(び)]……………星期三
水面[すいめん]……………………水面
水上[すいじょう]……………………水上
水田[すいでん]……………………水田
水爆[すいばく]……………………氫彈
下水[げすい]……………………下水道、髒水
水[みず]……………………水

8．信〈信じる〉

信用(する)[しんよう(する)]………信任、信用
信頼(する)[しんらい(する)]……………信賴
信号[しんごう]……………………信號
信託[しんたく]……………………信託、託管
通信[つうしん]……………………通信、通訊
自信[じしん]……………………自信、信心
不信[ふしん]……………………不守信、不相信
信じる・ずる[(しん)じる・ずる]……………相信

9．使〈使う〉

使用（する）[しよう(する)]
……………………使用
労使[ろうし]……………………勞資雙方
使う[つか(う)]……………………使用

10．代〈戦国時代〉

代理[だいり]……………………代理（人）
代金[だいきん]……………………貸款
時代[じだい]……………………時代
現代[げんだい]……………………現在
世代[せだい]……………………世代、某一年代
十代[じゅうだい]……………………十多歲
交代(する)[こうたい(する)]……………交替
代える[か(える)]……………………替換、代替
代わり[か(わり)]……………………代替、代理

11．解〈解放する〉

解決(する)[かいけつ(する)]
……………………解決
解散(する)[かいさん(する)]
……………………解散
解説[かいせつ]……………………解說、說明
解放(する)[かいほう(する)]……………解放
解釈(する)[かいしゃく(する)]
……………………解釋、說明
解答[かいとう]……………………解答
理解(する)[りかい(する)]……………了解
誤解(する)[ごかい(する)]…………誤解、誤會

12．自〈自由〉

自治[じち]……………………自治
自由(な)[じゆう(な)]……………自由（的）

自己［じこ］……………………………………自己
自信［じしん］……………………………自信、信心
自殺(する)［じさつ(する)］……………………自殺
自宅［じたく］…………………………自宅、自己家
自分［じぶん］……………………………………自己
自身［じしん］…………………………………自己本身
自動車［じどうしゃ］……………………………汽車
自転車［じてんしゃ］………………自行車、腳踏車
自然(な)［しぜん(な)］…………………自然（的）

■漢字詞彙複習

1．このごろは**自動車**と言わず**車**と言う人が多い。
2．たいてい**自転車**で行くのだが、きょうは**電車**に乗った。
3．**車内**で大声を**上**げて、**車掌**に注意された。
4．この**列車**の**定員**は何人ですか。
5．来月**上旬**の**予定**ですが、くわしいことは**未定**です。
6．**体力**をつけるため、毎週**木曜日**に**水泳**をやっている。
7．**貴重品**はご**自分**でお持ちください。
8．あの**団体**は何か問題があって、先月**上旬**に**解散**した。
9．**十代**のころ、**体育**の時間は大きらいだった。
10．**大使**の**代理**で行きます。
11．**信号**が変わるまで待ちましょう。
12．**代金**は**指定**の銀行にふりこんでください。
13．彼の**解説**はあまり**信用**できない。
14．**上司**に**誤解**されて、仕事がしにくい。
15．エレベーターはできるだけ**使用**しないでください。
16．**自宅**には**車庫**がないのでこの**駐車**場を**使**っています。
17．**通信**教育で勉強しただけですから、あまり**自信**がありません。
18．**解答**は必ず**自分**で書いてくること。
19．**木製**のいすがこわれたので、代わりにスチールのを買った。
20．大きな**木**が**水面**にかげをおとしている。

1.近來說「**車**」而不說「**汽車**」的人很多。
2.通常是騎**腳踏車**去的，不過今天搭**電車**。
3.在**車內**大聲**喧嚷**，被**車掌**訓了。
4.這列**火車**的**搭乘人數**規定人數是幾人？
5.**預定**是下個月**上旬**，但詳情**未定**。
6.為了增強**體力**，每週**四**游泳。
7.**貴重物品**請**自行**攜帶。
8.那個**團體**不知發生了什麼問題，於上月**上旬解散**了。
9.**十幾歲**時最討厭上**體育課**。
10.以**大使**的**代理**身份前往。
11.讓我們等到**信號燈**轉換吧！
12.**貸款**請存入**指定**銀行。
13.他的**解說**不太**可靠**。
14.被**上司誤會**，難以辦事。
15.請盡量不要**使用電梯**。
16.**家裡**沒有**車庫**，所以利用這座**停車**場。
17.只有在**函授課**程學過，因此沒有十足**把握**。
18.請務必**自己作答**。
19.**木製**的椅子壞了，所以買了鋼製的以代之。
20.大**樹**的影子倒映在**水面**上。

応用（おう）用（よう）読（どっ）解（かい）練（れん）習（しゅう）・應用閱讀練習

「大日本百科事典」（小学館刊）

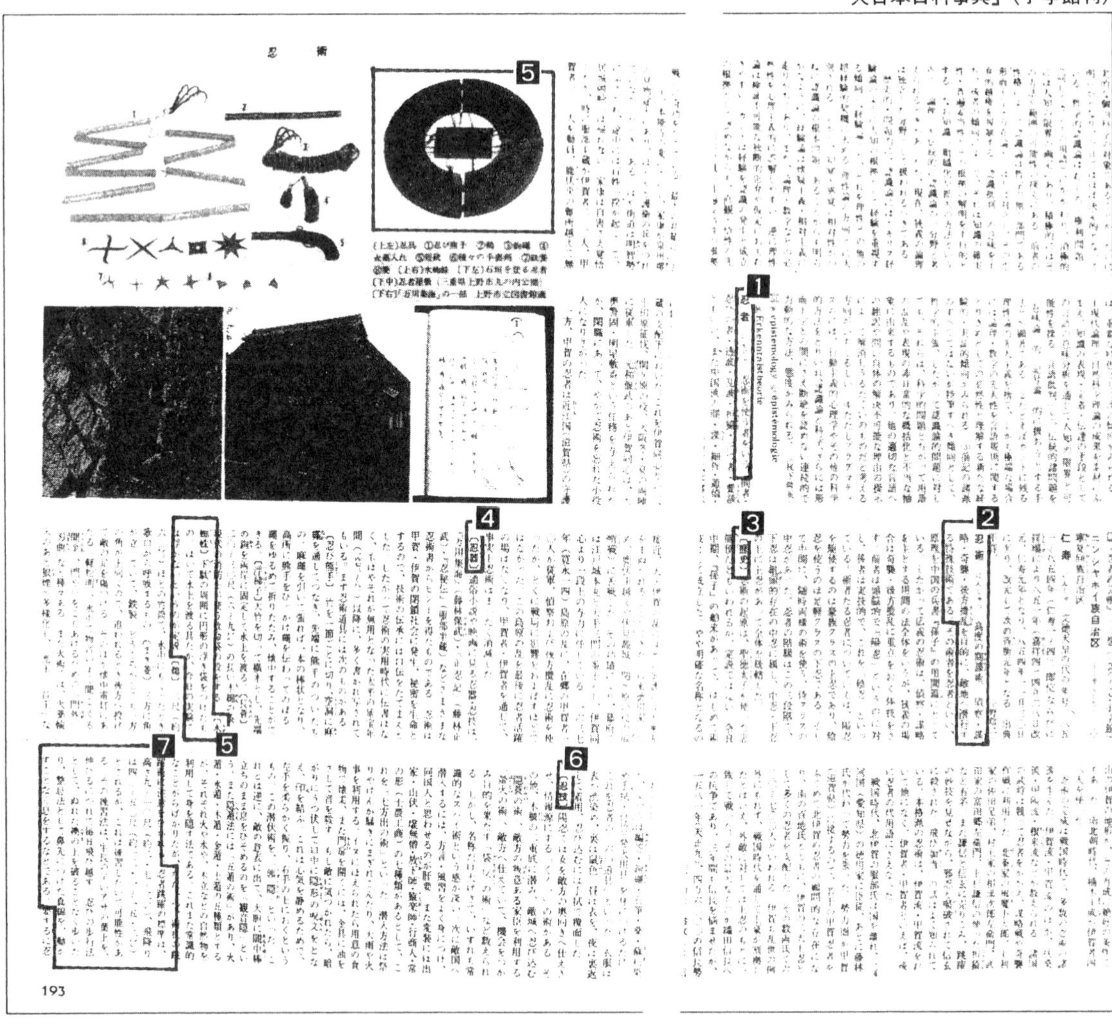

1 忍者（にんじゃ）忍術を使う者をいう。

2 忍術（にんじゅつ）高度の間諜（かんちょう）術。偵察・謀略・奇襲・後方攪乱（かくらん）を目的に、敵地へ潜行する特殊技術である。

3 ［歴史］

4 ［忍器］

5 ［水蜘蛛（みずぐも）］下駄（げた）の周囲に円形の浮き袋をつけたもの。はいて水上を渡る具だが、今日の実験では浮かないというのが定説。

6 ［忍技］

7 忍者跳躍の標準は、高さ九～一〇尺（約二・七～三㍍）、飛降りは四〇～五〇尺（約一二・一～一五・二㍍）とされるが、これは練習しだいで可能性がある。その練習法は、生長の早いアサの葉上を、伸びるにつれて毎日飛び越す。忍びの歩行法として、ぬれた襖（ふすま）の上を破ることなく歩いたり、整息法として鼻先につけた真綿を、動かすことなく息をするなどである。

■字彙表

1

忍術[にんじゅつ] ……………忍術、忍者的武術

2

高度の[こうど(の)] ………………………高度的
間諜術[かんちょうじゅつ] ………………間諜術
偵察[ていさつ] ………………………………偵察
謀略[ぼうりゃく] ……………………謀略、計策
奇襲[きしゅう] ………………………奇襲、偷襲
後方攪乱[こうほうかくらん]
……………………………………………擾亂後方

～を目的に[(～を)もくてき(に)]
………………………………………以～爲目的
敵地[てきち] ……………………………敵方陣地
潛行する[せんこう(する)] …………潛行、潛伏
特殊技術[とくしゅぎじゅつ]
………………………………………特殊技術、特技

3

歴史[れきし] ………………………………歴史

4

忍器[にんき] …………………………忍者的武器

5

水ぐも[みず(ぐも)]
……………………………………………水蜘蛛
げた ……………………………………………木屐
周囲[しゅうい] ……………………周圍、四周
円形[えんけい] …………………………………圓形
浮き袋[う(き)ぶろく] ……………浮囊、救生圈
はいて<はく ……………………………………穿
水上[すいじょう] ……………………………水上
渡る[わた(る)] ……………………………渡、過
具[ぐ] …………………………………………工具
今日[こんにち] ……………………今天、現代
実験[じっけん] ……………………………實驗
浮かない[う(かない)]<浮く …………浮不起來
定説[ていせつ] ……………………………定論

6

忍技[にんぎ] ………………………………忍者的技術

7

跳躍[ちょうやく] ……………………………跳躍
標準[ひょうじゅん] …………………………標準
尺[しゃく]
……………………………尺（一尺大約30公分）
約[やく] ……………………………………約、大約
飛降り[とびお(り)] ……………………………跳下
練習しだい[れんしゅう(しだい)]
……………………………練習情況、視練習而定
可能性[かのうせい] ……………………………可能性
練習方法[れんしゅうほうほう]
………………………………………………練習的方法
生長[せいちょう] …………………………生長、成長
アサ ………………………………………………麻
葉[は] …………………………………………葉子
アサの葉上[(アサの)はじょう]
…………………………………………………麻葉的上面
飛び越す[と(び)こ(す)] ……………………跳過去
忍びの歩行法[しの(びの)ほこうほう]
…………………………………無聲無息的步行法
ぬれた ……………………………………………濕的
ふすま …………………………………隔間、厚紙門
破ることなく[やぶ(ることなく)]
……………………………………………不弄破
整息法[せいそくほう]
……………………………………調整呼吸法、調息法
鼻先[はなさき] …………………………………鼻尖
真綿[まわた] ……………………………………絲綿
動かすことなく[うご(かすことなく)]
……………………………………………不會讓～動
息をする[いき(をする)] ……………………呼吸
大日本百科事典[だいにほんひゃっかじてん]
……………大日本百科事典（百科字典的書名）

■應用閱讀練習翻譯

1

忍者指用忍術者而言。

2

忍術是一種高度的間諜術。以偵察、謀略、偷襲、擾亂敵後爲目的，潛入敵方的特殊技術。

3

[歷史]

4

[忍者所使用的武器]

5

[水蜘蛛]　在木屐四周加上圓形浮囊而成，穿在腳上步行於水面的工具。根據現代的實驗，無法浮起已成定論。

6

[忍技]

7

一般認爲忍者跳躍的標準是高九～十尺（約二.七～三公尺），跳下的高度爲四十～五十公尺（約十二.一～十五.二公尺），視練習而定，這個高度是有可能的。練習的方法是利用生長速度相當快的麻葉，每天隨著它的生長跳躍其上。無聲無息的步行法是在濕潤的紙門上步行，而不將紙弄破；而調息法則是呼吸時能夠讓附著在鼻尖上的絲綿文風不動的技術。

レッスン 11 制服

本文・正文 CD4 No.8

人が子供のころあこがれる職業には、制服を着るものが多い。飛行機のパイロット、野球の選手、新幹線の運転手、警官、看護婦など。また、大企業や銀行などは、感じのよい制服を社員に着せようと努力する。

中学や高校の制服に対しては、個性を殺す、服装に対するセンスが育たないなどの理由で、反対が多い。しかし、警官や鉄道の職員などの制服をやめろという声は聞かない。職業によっては、制服があるのが当然だとされているようである。

たしかに、出社して制服を着ると、「さあ仕事をしよう」という意欲を感じるであろうし、仕事を終わって制服をぬぐときは、さわやかな解放感を味わうことができるであろう。また、サービスを受ける一般市民や乗客なども、制服の人に接するとき、なんとなく安心感がもてる。

しかし、こうした安心感がかえって害になることもある。国鉄時代に、制服を着た犯人にうっかり輸送中の大金を渡してしまうという事件があった。また、制服のにせ警官の犯罪としては、三億円強奪事件が思い出される。

いっそ、警官や鉄道員の制服をやめてしまったら、そんな犯罪がおこらなくていいと思う。逆に、現在は制服がないが、あったほうがいいと思うのは国会議員である。政党によって制服の色を変えたらどうであろう。国会の中継放送も色とりどりで楽しくなるし、議員の顔と党名を結びつけて覚えるのも容易になるのではなかろうか。

■正文翻譯

制服

人們在孩提時代所嚮往的職業裡頭，泰半以穿著制服者居多。像是飛行員、棒球選手、新幹線（子彈列車）司機、警察、護士等等。此外，如大公司、銀行也都爲了讓員工們能穿著形象良好的制服而挖空心思。

認爲國中、高中的制服穿不出個性，無法培養對服飾的審美能力，而持反對意見者頗多。但是對警察、鐵路局員工的制服，卻不曾聽說有人主張廢除。有的行業，有制服似乎已被視爲理所當然。

的確，上班穿制服，會覺得幹勁十足，而下班後脫下制服的那一刻，更會有種如釋重負的解放感。不僅如此，一般民眾及乘客，面對身穿制服的工作人員時，總有一股說不出的安全感。

然而，這種安全感有時反而會成爲禍端。記得鐵路還是國營時，曾發生過一件因疏忽而被穿著制服的歹徒騙走運送中的鉅款的案件。還有一次是歹徒穿著警服佯裝成警察，搶走三億日元的犯罪事件。

我認爲倒不如廢除警察及鐵路員工的制服，可以使這類事件不再發生。而目前尚無制服的國會議員們，反倒該穿上制服。不妨按其黨別而設計不同顏色的制服，這麼一來，國會轉播時畫面會顯得五彩繽紛，令人賞心悅目。而且，豈不是可以將議員們的長相和黨名連在一起，更容易記憶？

会話・會話

■会話文Ⅰ CD 4 No.9

会社からの帰りに駅でいっしょになった知人。Aは男性、Bは女性。

A：暑いですね、きょうは。

B．ええ、これで梅雨が明けたらもう夏ですね。

A：中学生や高校生の制服も白っぽくなりましたね。

B：そう、夏は白ですね、何といっても。

A：日本の夏は割に日ざしが強いですからね。

B：野球の選手のユニフォームも白いほうがいいですね。

A：だいたいは白が基調じゃないですか。

B：ユニフォームは阪神のがいいですね。

A：中日はどうですか。

B：中日も悪くないけど、あのぼうし、あまり好きじゃないんです。

A：そうですか。ま、人に見せるスポーツはユニフォームも大事なんですね。

B：見るほうだけじゃなくて、やるほうにも必要なんじゃないですか。「さあ、やるぞ」って気分になるために。

A：そうですね、チームの結束のためにもね。

B：ところで、お相撲さんのユニフォームなんか、どうですか。

A：相撲？　相撲もユニフォーム着ますか。

B：着るっていうより、しめるでしょ、まわしを。

A：あ、そうですね。まわしも色とりどりだし、化粧まわしなんか豪華ですね。

B：ええ、それに行司さんの衣装なんか、きれいですよ。

A：そういえばそうですね*。今度は勝負だけじゃなくてそっちのほうも見るようにしましょう。

■會話 I

下班回家途中，在車站碰見熟人。A為男性，B為女性。

A：好熱喲，今天。

B：是啊！梅雨期一過夏天就到了！

A：國中生、高中生也都換上白色制服了。

B：嗯，夏天裡白色最適合不過了。

A：是因爲日本的夏天日照較強烈的緣故吧！

B：棒球選手的球衣也是白色的較好！

A：大部分的球隊不都是以白色爲主嗎？

B：制服嘛，阪神隊的比較好。

A：中日隊如何？

B：中日隊也不錯，但那種帽子我不太喜歡。

A：哦，這麼說來，供人觀賞的各類運動，連制服都大意不得囉！

B：不只觀眾，球員也需要吧！這樣才會有拼勁啊！

A：的確。而且也會加強球員的向心力！

B：你覺得相撲力士的制服如何？

A：相撲？相撲也穿制服嗎？

B：與其說穿，倒不如說是繫著一條兜襠布還比較恰當。

A：說的也是。兜襠布五彩繽紛，在進場儀式中所圍的飾布也相當華麗！

B：嗯，而且裁判的服裝也很漂亮喲！

A：是啊！下次不要只看比賽，也看看他們的服飾吧！

■会話文II CD 4 No.10

夫と妻の会話。

妻：あら、いやねえ*。

夫：なに。

妻：新聞に出てるの。また悪い警官が女性をだましたんですって。

夫：ふうん。

妻：この女の人、かわいそう。だって*、制服の警察官だと、つい信用してしまう*もの、だれだって。

夫：制服着てる人間はみんないい人に見えちゃうんだね。

妻：そうね、制服着る仕事って、たいていまじめな職業ですもの。飛行機のパイロットとか、看護婦とか、スチュワーデスとか。

夫：刑務所の囚人も制服着るよ。

妻：あれは職業じゃないわ。

夫：とにかく、服装で人を判断しないことだな*。

妻：そうね。

夫：人間は外見より中身さ*。

妻：そう。

夫：きれいな人は新しい服着なくてもいいんだよ。

妻：そうね。

夫：わかった？

妻：わかったわ。きょうはあなたの背広買いにデパートへ行くつもりだったんだけど、やめましょうね。

■會話 II

夫妻間的對話。

妻：唉，眞可惡！

夫：什麼事？

妻：報上登的，又有個無賴警員拐騙婦女。

夫：哦！

妻：那女的眞可憐。碰到穿制服的警員，誰都會信任他的。

夫：穿制服的看起來都是好人，是不是？

妻：是啊，穿制服的工作，大概都是正當職業，像是飛行員、護士、空中小姐等等都是。

夫：監獄裡的囚犯也穿制服啊！

妻：那又不是職業。

夫：總之，看人不能只看穿著啦！

妻：說的也是。
夫：人哪，內在比外在重要！
妻：嗯。
夫：漂亮的人用不著穿新衣的！
妻：的確。
夫：知道了嗎？
妻：知道了。本來今天打算到百貨公司幫你買套西裝，我看免了吧！

単語(たんご)のまとめ・單字總整理

■本文(ほんぶん)

制服[せいふく]……制服
あこがれる……憧憬、嚮往
職業[しょくぎょう]……職業
パイロット……飛行員
(日本語としては操縦士という言葉があるがパイロットのほうが一般的)
（日語有「操縦士」〈駕駛員〉一詞，但沒有這個字常用。
野球の選手[やきゅう(の)せんしゅ]……棒球選手
新幹線[しんかんせん]……新幹線（子彈列車）
運転手[うんてんしゅ]……司機
警官[けいかん]……警察
看護婦[かんごふ]……護士
大企業[だいきぎょう]……大企業、大公司
銀行[ぎんこう]……銀行
感じのよい[かんじ(のよい)]……感覺很好、給人良好印象
社員[しゃいん]……職員
努力する[どりょく(する)]……努力
中学(校)[ちゅうがっこう]……國中
高校[こうこう]……高中
個性[こせい]……個性、特色
殺す[ころ(す)]……殺、抑制
服装[ふくそう]……服裝
育つ[そだ(つ)]……培育、發展
理由[りゆう]……理由
反対[はんたい]……反對
鉄道[てつどう]……鐵路
職員[しょくいん]……職員、員工
職業によっては[しょくぎょう(によっては)]……按照（個人）職業
当然[とうぜん]……自然、適當、理所當然
たしかに～……的確
出社する[しゅっしゃ(する)]……上班
意欲[いよく]……積極性、意欲
さわやかな……舒暢的
解放感[かいほうかん]……解放感
味わう[あじ(わう)]……感受、體會
受ける[う(ける)]……接受
一般市民[いっぱんしみん]……一般民眾
乗客[じょうきゃく]……乘客
接する[せっ(する)]……接觸

安心感[あんしんかん]……………………安全感
かえって ……………………………………反而
害[がい]…………………………………傷害、禍害
国鉄時代[こくてつじだい]
……………………………日本鐵路國營時期

犯人[はんにん]……………………………犯人
うっかり ………………………不小心、漫不經心
輸送中[ゆそうちゅう]
…………………………………………運輸當中
大金[たいきん]……………………………鉅款
事件[じけん]………………………………事件
にせ警官[(にせ)けいかん]
………………………………………冒充的警員

犯罪[はんざい]……………………………犯罪
三億円強奪事件[さんおくえんごうだつじけん]
1968年假冒警員的歹徒請走三億日元的意外搶案

いっそ ………………………………寧可～、乾脆
鉄道員[てつどういん]………………鐵路局員工
逆に[ぎゃく(に)]
……………………………………………相反地
国会議員[こっかいぎいん]
…………………………………………國會議員
政党[せいとう]……………………………政黨
中継放送[ちゅうけいほうそう]
……………………………………………轉播
色とりどり[いろ(とりどり)]……………五彩繽紛
楽しい[たの(しい)]………………快活、賞心悅目
顔[かお]……………………………………臉
党名[とうめい]……………………………黨名
結びつけて[むす(びつけて)]
……………………………………結合、連在一起
覚える[おぼ(える)]…………………………記憶
容易[ようい]………………………………容易

■会話文 I

梅雨[つゆ]…………………………………梅雨
白っぽく[しろ(っぽく)]……………………發白的
何といっても[なん(といっても)]……不管怎麼說
日ざし[ひ(ざし)]……………………陽光、日照
基調[きちょう]……………………………基本色調
巨人[きょじん]………………巨人（棒球）隊
阪神[はんしん]……………………………阪神隊
中日[ちゅうにち]…………………………中日隊
気分[きぶん]…………………………心情、情緒
結束[けっそく]……………………………團結
お相撲さん[(お)すもう(さん)]…………相撲力士
しめる ……………………………綁（於腰際間）、繫
まわし …………………相撲力士繫於腰間的兜襠布
化粧まわし[けしょう(まわし)]
…………………在進場儀式中所圍的刺繡圍兜
豪華[ごうか]…………………………豪華、華麗
行司[ぎょうじ]…………………「相撲」的裁判
衣装[いしょう]……………………………服裝
勝負[しょうぶ]………………………勝負、比賽

■会話文 II

いやねえ ……………………………可恨、可惡
だます ……………………………………欺騙
警察官[けいさつかん]
…………………………………………警察
つい ……………………………………無意中

刑務所[けいむしょ]………………………監獄
囚人[しゅうじん]…………………………囚犯
判断する[はんだんする]…………………判斷
外見[がいけん]………………………外表、外在
中身[なかみ]…………………………內在、內容
背広[せびろ]………………………………西裝

ノート・文法註釋

■本文

●……によっては

基本意是〈依靠、依賴……〉，而實際上的用法則近於〈有的（一些）〉例如：「人によっては、納豆が全然食べられないそうだ。」〈聽說有的人不敢吃納豆。〉（注意「よって」與「よっては」用法之不同。）

●たしかに

用來敘述一項事實，並給予良好評價。此外，“たしかに”也用於提示聽者，後面句子中會出現否定意見。慣用形式是：「たしかに……。しかし……。」〈的確……。然而……。〉

●いっそ

在日文會話中，常出現「いっそのこと」〈索性、倒不如〉這種句型。使用「いっそ」，暗示該項提案將難以實現。

●……によって……を変える

〈……隨（因）……而改變〉。例如：「相手によって言葉使いを変えるのは当然です。」〈遣詞、用句因人而異，自不待言。〉

■会話文 I

●暑いですね、きょうは

在非正式的會話中，這兩個句子顛倒順序是很平常的「夏は白ですね。何と言っても」是類似的句子。

●白っぽい

在與名詞的組合中，接尾詞「っぽい」相當於「……にぞくする」或者「てき」。用於描述顏色時，「っぽい」意指「帶有……」。例如：「白っぽい」〈帶白色的〉、「青っぽい」〈帶藍色的〉、「子供っぽい」〈不成熟、孩子氣的。〉

在與動詞的組合裡，「っぽい」意指「しやすい」〈易於……〉。例如：「怒りっぽい」〈易怒的〉、「忘れっぽい」〈健忘的〉。

●そういえばそうですね

其中文意爲〈說的也是（我瞭解你的意思）〉。這項句型用於說話者事先並不知道對方所言之內容，而贊同、附和對方所說的話。

■会話文 II

●いやねえ

女性用語。男性通常用「いやだねえ」。在這裡，其中文翻譯是〈眞可惡！〉。

●だって

用於表達主觀理由的句子中。類似〈因爲〉或〈爲了〉之意。「だって」用於關係親密的會話，正式會話則盡量避免使用。（だれだって同だれでも）

●つい……てしまう

「つい」及慣用句「つい……てしまう」常用來表達考慮不週的、不智的行爲。例如：「つい飲みすぎてしまった」〈一不留神，喝太多了。〉

●服装で人を判断しないことだな

在此句中，「……ことは」等於「すべきである」。例如：「もっとよく調べることだ。」〈應該再詳細調查。〉（な比わ常用，爲一男性用語。）

●……中身さ

「さ」與「だよ」相同，但比較不正式。

文型練習・句型練習

1．……によっては、……とされている  No.11

> 本文例——職業によっては、制服があるのが当然だとされているようである。

(注)「されている」は「多くの人に考えられている」の意味。「当然だ」の「だ」は省いてもよい。

練習A　例にならって文を作りなさい。

例：制服がある→職業によっては、<u>制服がある</u>のが当然だとされている。

1．土曜や日曜にも働く→

2．不規則な生活をする→

3．専門的な知識を持つ→

4．私的な生活を人に見られる→

練習B　例にならって文を作りなさい。

例：職業、制服がある→<u>職業</u>によっては、<u>制服がある</u>のが当然だとされている。

1．学校、制服を着る→

2．会社、長い間外国で生活する→

3．会社、女性は結婚したらやめる→

4．学生寮、夜10時までに帰る→

1.有的……，已被視為……。

> **正文範例**——有的行業，有制服似乎已被視爲理所當然。

(註)「されている」是「很多人都這麼想」的意思。「当然だ」的「だ」也可以省略。

練習A　請依例造句。

例：有制服→有的行業，<u>有制服</u>已被視爲理所當然。

1.星期六、日也要工作→

2.過不規律的生活→

3.具有專業知識→

4.私生活被公開→

練習B　請依例造句。

例：行業、有制服→有的<u>行業</u>，<u>有制服</u>已被視爲理所當然。

1.學校、穿制服→

2.公司、長期在外國生活→

3.公司、女性婚後離職→

4.學生宿舍、晚上十點以前回來→

2．……ときは、……ができる  No.12

> 本文例——仕事を終わって制服をぬぐときは、さわやかな解放感を味わうことができる。

(注)「ぬぐとき」のかわりに「ぬぐと」としてもよいが、その場合は「解放感を味わうためには制服をぬぐ」という条件のあることが強調される。

練習A　例にならって文を作りなさい。

例：制服をぬぐ→仕事を終わって<u>制服をぬぐ</u>ときは、さわやかな解放感を味わうことができる。

1．会社を出る→
2．休憩する→
3．私服に着かえる→
4．ビールを飲む→

練習B　例にならって文を作りなさい。

例：仕事、制服をぬぐ→<u>仕事</u>を終わって<u>制服をぬぐ</u>ときは、さわやかな解放感を味わうことができる。

1．仕事、おふろに入る→
2．勉強、スポーツに出かける→
3．授業、教室を出る→
4．会社、飲みに行く→

2.……的那一刻，會……。

> **正文範例**——……下班後脫下制服的那一刻，會有種如釋重負的解放感。

(**註**)「脫下的那一刻」若改成「一脫下」也可以。那種情況是用來強調「爲了感受解放的感覺而脫下制服」。

練習A　請依例造句。

例：脫下制服→下班後，<u>脫下制服</u>的那一刻，會有種如釋重負的解放感。

1.離開公司→
2.休息→
3.換穿便服→
4.喝啤酒→

練習B　請依例造句。

例：工作、脫下制服→<u>工作</u>結束，<u>脫下制服</u>的那一刻，會有種如釋重負的解放感。

1.工作、洗個澡→
2.唸書、出外運動→
3.上課、離開教室→
4.公司、去暢飲一番→

3．いっそ……たら、……ていい  No.13

> 本文例——いっそ、警官や鉄道員の制服をやめてしまったら、そんな犯罪がおこらなくていいと思う。

(注)「いっそ……たら」は勇気のいる提案をするときに用いる。もっと短く、「いっそやめましょうよ」のように提案に用いることもある。

練習A　例にならって文を作りなさい。

例：制服、そんな犯罪がおこらない→いっそ制服をやめてしまったら、そんな犯罪がおこらなくていい。

1．入学試験、試験地獄がなくなる→

2．学校、自由な勉強ができる→

3．会社、自分の才能がのばせる→

4．交際、不愉快な経験をしなくてすむ→

(注意。「やめる」にはいろいろな意味がある。上の1．は制度をやめること、2．3．4．は個人的に退校、退社、絶交することをさす)

練習B　例にならって文を作りなさい。

例：制服をやめる、そんな犯罪がおこらない→いっそ制服をやめてしまったら、そんな犯罪がおこらなくていいだろう。

1．別れる、けんかしなくてすむ

2．離婚する、自由になれる

3．家出をする、新しい生活が始められる→

4．本当のことを言う、苦しまなくてすむ→

3.倒不如……，可以……。

> **正文範例**——我認爲倒不如廢除警察及鐵路員工的制服，可以使這類事件不再發生。

(註)「いっそ……たら」是使用在鼓足勇氣提出建議的情況下。也可以簡短一些，用「いっそやめましょう」來表提議。

練習A　請依例造句。

例：制服、那樣的犯罪事件不再發生→倒不如廢除制服，可以使那樣的犯罪事件不再發生。

1.入學考試、考試煉獄銷聲匿跡→

2.學校、能自由唸書→

3.公司、能伸展自己的才能→

4.交際、避免不愉快的經驗→

（注意。「やめる」一詞意思很多。上述1.指廢除制度而言，而2.3.4.指的是個人退學、離職及絕交。）

練習B　請依例造句。

例：廢除制服、那樣的犯罪事件不再發生→倒不如廢除制服，可以使那樣的犯罪事件不再發生。

1.分手、免得吵架→

2.離婚、恢復自由身→

3.離家出走、開始另一段新生活→

4.說實話、免得痛苦→

ディスコース練習・對話練習

1.会話文Ⅰより CD 4 No.14

> A：……がいいですね。
>
> B：そうですか。……はどうですか。
>
> A：……も悪くないけど、……は……

練習の目的：Aがひとつのものについて高い評価を示し、それに対しBが別のものについての評価を求める。Aは全面的に否定はしないが、欠点をあげる。Bの提示したものを否定しすぎぬよう気をつける点に意味がある。

練習の方法：基本型の下線の部分を入れかえる。

〈基本型〉

A：(1)ユニフォームは阪神のがいいですね。

B：そうですか。(2)中日はどうですか。

A：(2)中日も悪くないけど、(3)あのぼうしはあまり好きじゃないんです。

入れかえ語句

1.(1)朝は洋風 (2)和食 (3)なっとう

2.(1)夏は海 (2)山 (3)蚊にさされるの

3.(1)休暇は温泉 (2)ゴルフ (3)体を動かすの

4.(1)パーティーは立食 (2)座敷の宴会 (3)カラオケ

1.取材自會話Ⅰ

> A：……比較好。
>
> B：是嗎？……如何？
>
> A：……也不錯，但……。

練習目的：A對某事物的評價頗高，而B希望A能對另一事物做個評價。A不做全面的否定，只提其缺點。意思是盡量避免過份地否定B所提出的事物。

練習方法：代換基本句型的畫線部分。

〈基本句型〉

A：(1)制服嘛，阪神隊的比較好。

B：是嗎？(2)中日隊的如何？

A：(2)中日隊也不錯，但(3)那種帽子我不太喜歡。

代換語句

1.(1)早上嘛，西餐 (2)日本料理 (3)納豆

2.(1)夏天嘛，海 (2)山 (3)被蚊子叮

3.(1)休假嘛，溫泉 (2)高爾夫球 (3)擺動身體

4.(1)派對嘛，站著吃 (2)日式宴會 (3)卡拉OK

2.会話文IIより  No.15

> A：とにかく……ことだな。
>
> B：そうね。
>
> A：……は……さ。
>
> B：わかったわ。

練習の目的：AがBに助言する。Bは同意するが、Aはもう一度念押し（ 強　調 ）する。会　文IIは夫婦の会話なのでA、Bとも 非 正 式だが、以下の基本型ではBをていねい体にした。

練習の方法：基本型の下線の部分を入れかえる。

〈基本型〉

A：とにかく、⑴服装で人を判断しないことだな（女性なら「……ことね」）。

B：はい。

A：⑵人間は外見より中身さ（女性なら「中身よ」）。

B：わかりました。

入れかえ語句

1．⑴頭を使う　⑵頭を使わないとだめ

2．⑴情報を集める　⑵情報戦争の時代

3．⑴時間におくれない　⑵時は金なり

4．⑴お客様を怒らせない　⑵お客様は神様

（Aは上司、Bは部下のつもりでやってみるとよい。やや　　　　に、Aはいばった言いかたをし、Bは内心の不満をおさえていることを示すため、胸をなでさするような身ぶりをしてやると、実感が出る。）

2.取材自會話II

> A：總之……。
>
> B：說的也是。
>
> A：……哪……。
>
> B：知道了。

練習目的：A給B建議。B同意其看法，但是A爲慎重起見又重新強調一次。會話II是夫妻間的對話，所以A、B都用常體。以下的基本句型把B改爲敬體。

練習方法：代換基本句型的畫線部分。

〈基本句型〉

A：總之，(1)看人不能只看穿著啦！（女性的話，用「……ことね」）

B：嗯。

A：(2)人哪！內在比外在更重要！（女性的話，用「中身よ」）

B：知道了。

代換語句

1.(1)要用腦 (2)不用腦不行
2.(1)收集情報 (2)情報戰的時代
3.(1)別遲到 (2)時間就是金錢
4.(1)別惹顧客生氣 (2)顧客至上

（不妨把A當上司，B當部下練習看看。練習時，A顯得神氣十足自吹自擂，而B爲了表現出壓抑內心不滿的情緒，加上撫胸的動作，會更具戲劇性，更逼眞。）

漢字熟語練習・漢字詞彙練習

1．制(制服)

制限[せいげん] ……限制
制裁[せいさい] ……制裁
制作[せいさく] ……製作
制度[せいど] ……制度
制服[せいふく] ……制服
強制(する)[きょうせい(する)] ……強制、強迫
税制[ぜいせい] ……稅制
～制 (会員制)[～せい (かいいんせい)] ……～制（會員制）
制する[せい(する)] ……制訂、制止、控制

2．銀(銀行)

銀[ぎん] ……銀
銀行[ぎんこう] ……銀行
水銀[すいぎん] ……水銀

3．員(社員、職員、議員)

職員[しょくいん] ……職員、員工
社員[しゃいん] ……公司員工
会員[かいいん] ……會員
人員[じんいん] ……人員
全員[ぜんいん] ……全體人員
定員[ていいん] ……定額、規定的人數
満員[まんいん] ……客滿
委員[いいん] ……委員
従業員[じゅうぎょういん] ……職業、從業人員

4．育(育つ)

育児[いくじ] ……育兒
教育[きょういく] ……教育
体育[たいいく] ……團體
育つ[そだ(つ)] ……成長
育てる[そだ(てる)] ……養育、培育

5．鉄(鉄道、国鉄)

鉄[てつ] ……鐵
鉄道[てつどう] ……鐵路
製鉄[せいてつ] ……製鐵、煉鐵
国鉄[こくてつ] ……日本國營鐵路

6．道(鉄道)

道路[どうろ] ……道路
道德[どうとく] ……道德
鉄道[てつどう] ……鐵路
水道[すいどう] ……自來水

歩道[ほどう] ……………………………………人行道
報道[ほうどう] …………………………………報導
柔道[じゅうどう] ………………………………柔道
道[みち] ……………………………………道路、路

7．**意**(意欲)

意見[いけん]……………………………………意見
意味[いみ] ………………………………………意思
意識[いしき] ……………………………………意識
意外(な)[いがい(な)] …………………………意外
意欲[いよく] ……………………………積極性、慾望
意志[いし] ………………………………………意志
意義[いぎ] ………………………………………意義
注意[ちゅうい] …………………………………注意
用意[ようい] ……………………………………準備
決意[けつい] ………………………………決意、決心
合意[ごうい] ……………………………同意、商量好
同意[どうい] ……………………………同意、商量好

8．**放**(解放感)

放送[ほうそう] …………………………………廣播
放火[ほうか] ……………………………………縱火
放射線[ほうしゃせん] …………………………放射線
解放[かいほう] …………………………………解放
釈放[しゃくほう] ………………………………釋放
放す[はな(す)] ……………………………放開、釋放

9．**件**(事件)

事件[じけん] ……………………………………事件
条件[じょうけん] ………………………………條件
件数[けんすう] ……………………件數、事件次數

10．**議**(議員)

議会[ぎかい] ……………………………………議會
議員[ぎいん]
……………議員、即指日本國會參・眾議院議員
議長[ぎちょう] …………………………………議長
議案[ぎあん] ……………………………………議案
会議[かいぎ] ……………………………………會議
審議(する)[しんぎ(する)] ……………………審議
決議(する)[けつぎ(する)] ……………………決意
閣議[かくぎ] ……………………………内閣會議
協議(する)[きょうぎ(する)]
……………………………………………協議、協商
討議(する)[とうぎ(する)]
……………………………………………討論、議論
代議士[だいぎし] ……………………國會議員

11．**政**(政党)

政府[せいふ] ……………………………………政府
政治[せいじ] ……………………………………政治
政党[せいとう] …………………………………政黨
政権[せいけん] …………………………………政權
政策[せいさく] …………………………………政策
政界[せいかい] …………………………………政界
政局[せいきょく] ………………………………政局
財政[ざいせい] …………………………………財政
行政[ぎょうせい] ………………………………行政

12．**党**(政党、党名)

党[とう] ……………………………………………黨
党員[とういん] …………………………………黨員
政党[せいとう] …………………………………政黨
与党[よとう] ……………………………………執政黨
野党[やとう] ……………………………………在野黨
～党（自民党)[～とう（じみんとう)]
……………………………………～黨（自民黨）

■漢字詞彙複習

1. **道**がわからなかったので**警官**にきいた。
2. **歩道**を歩いていたら、**意外**な人に会った。
3. あの**銀行**、こんど**制服**が変わりましたね。
4. 人質が**解放**されて、こんどの**事件**は解決した。
5. **政権**はまた**自民党**がにぎった。
6. 新しい**税制**には反対する人が多い。
7. **委員**の**意見**をきいてみよう。
8. **党員全員**の**合意**のを得るのはむずかしい。
9. 大学の**体育**の時間に**柔道**を習った。
10. どうもうちの**社員**は仕事に対する**意欲**が十分でない。
11. きょうの**議案**は「新しい**従業員**の**教育**」ということです。
12. 十分に**討議**しないうちに**決議**することには、**同意**できません。
13. このエレベーターの**定員**は十名ですから、もう**満員**です。
14. このクラブは**会員制**になっています。
15. きょうはひさしぶりに**育児**から**解放**されてあそんで来た。
16. **放送**時間に**制限**がありますので、ご**意見**は短くお話し下さい。
17. この国の**政府**も**財政**問題に苦しんでいるようだ。
18. **会議**中はだれも入れないよう**注意**して下さい。
19. あの**代議士**は何党ですか。
20. あの人は**鉄**のような強い**意志**を持っている。

1.因爲不認識**路**，所以問**警察**。
2.在**人行道**上走著走著，**沒想到**竟碰見他。
3.那家**銀行**這次換**制服**了。
4.人質一旦**釋放**，這次的**事件**就解決了。
5.**政權**仍在**自民黨**的掌握之中。
6.反對新**稅制**的人很多。
7.聽聽**委員**們的**意見**。
8.要獲得**全體黨員一致同意**是很困難的。
9.在大學的**體育**課裡學過**柔道**。
10.總覺得**公司員工**們缺乏工作**慾望**。
11.今天的**議案**是探討有關「新進**工作人員**的**教育**」事項。
12.我不**贊成**未經充分**討論**便進行**決議**。
13.這座電梯**限載**十人，已經**客滿**。
14.這家俱樂部採**會員制**。
15.難得今天**放下育兒之務**來此遊玩。
16.因**播放**時間有限，所以請盡量長**話**短說。
17.這個**國家**，似乎也正爲**財政**問題而苦惱。
18.請**注意開會**中別讓任何人進來。
19.那位國會**議員**是哪一個**政黨**的？
20.那個人有**鐵**一般堅強的**意志**。

応用読解練習・應用閱讀練習

（おう よう どっ かい れん しゅう）

「朝日新聞」(1989.3.30)

三菱石油のニュー・ユニホーム

三菱石油 **1** 給油所

頼みの綱は「寛斎」の威力!?

アルバイト難解消へ新制服

2 三菱石油がこの秋から「やまもと寛斎」デザインの新ユニホームを給油所従業員用に採用するなど、石油各社のファッション作戦が始まった。ガソリン生産規制が四月から外され、競争激化に拍車がかかる中で、生き残りのかぎはサービス向上。それなのに頼みのアルバイトがなかなか集まらない悩みを解消しよう、という狙いだ。

三菱石油の新ユニホームは、油まみれの作業着から、ファッション性のある接客着への脱皮を打ち出したもの。「若い人が着てみたいと思うものでないと、汚い、危険、屋外という敬遠される条件がそろっている給油所に人は集まらない」ためだ。同じ発想から日本石油も六月からユニホームを切り替えるが、基調は明るいブルーとグリーン。喫茶室を併設するなど趣向をこらした給油所の〝オートオアシス化〟にふさわしく、ユニホームもさわやかさを強調した、という。

給油所は人手不足によるサービス低下からガソリンの安値競争に走り、利益圧迫→営業時間の延長→労働強化→人手不足と同じことを繰り返してきた。ユニホーム作戦で、その悪循環を断ち切れるかどうか。

1

三菱石油給油所

頼みの綱は「寛斎」の威力!?

アルバイト難解消へ新制服

2

三菱石油がこの秋から「やまもと寛斎」デザインの新ユニホームを給油所従業員用に採用するなど、石油各社のファッション作戦が始まった。ガソリン生産規制が四月から外され、競争激化に拍車がかかる中で、生き残りのかぎはサービス向上。それなのに頼みのアルバイトがなかなか集まらない悩みを解消しよう、という狙いだ。

三菱石油の新ユニホームは、油まみれの作業着から、ファッション性のある接客着への脱皮を打ち出したもの。「若い人が着てみたいと思うものでないと、汚い、危険、屋外という敬遠される条件がそろっている給油所に人は集まらない」ためだ。同じ発想から日本石油も六月からユニホームを切り替えるが、基調は明るいブルーとグリーン。喫茶室を併設するなど趣向をこらした給油所の〝オートオアシス化〟にふさわしく、ユニホームもさわやかさを強調した、という。

■字彙表

1

三菱石油[みつびしせきゆ]……三菱石油
給油所[きゅうゆしょ]……加油站
頼みの綱[たの(みの)つな]……支柱
寛斉[かんさい]……山本寬齋（服裝設計師）
威力[いりょく]……威力
アルバイト難[(アルバイト)なん]……打工人員難求
解消[かいしょう]……解決、消除
新制服[しんせいふく]……新制服

2

従業員用に[じゅうぎょういんよう(に)]……讓員工使用
採用する[さいよう(する)]……採用
石油各社[せきゆかくしゃ]……各個石油公司
ファッション作戦[(ファッション)さくせん]……流行服飾策略
ガソリン生産規制[(ガソリン)せいさんきせい]……汽油生產限制
外される[はず(される)]……解除、剔除
競争激化[きょうそうげきか]……競爭日趨激烈
～に拍車がかかる[(～に)はくしゃ(がかかる)]……加速、火上加油
生き残り[い(き)のこ(り)]……生存
かぎ……關鍵
サービス向上[(サービス)こうじょう]……加強服務
頼みの[たの(みの)]……仰賴的、不可或缺的
アルバイト……打工
悩み[なや(み)]……煩惱
解消する[かいしょう(する)]……解除、消除
～(よ)うという狙い[(ようという)ねら(い)]……試圖～、同意是～
油まみれ[あぶら(まみれ)]……沾滿油漬
作業着[さぎょうぎ]……工作服
ファッション性のある[(ファッション)せい(のある)]……時髦流行的
接客着[せっきゃくぎ]……會客服
脱皮[だっぴ]……脫胎換骨、蛻變
打ち出す[う(ち)だ(す)]……提出、採取
汚い[きたな(い)]……髒
危険[きけん]……危險
屋外[おくがい]……屋外
敬遠される[けいえん(される)]敬而遠之、不受歡迎
条件[じょうけん]……條件
発想[はっそう]……想法、點子
日本石油[にほんせきゆ]……日本石油
切り替える[き(り)か(える)]……改變、變換
基調[きちょう]……基本色系、基調
喫茶室[きっさしつ]……咖啡室
併設する[へいせつ(する)]……附設
趣向をこらした[しゅこう(をこらした)]……別出心裁、講究
オートオアシス化[(オートオアシス)か]……汽車綠洲化
～にふさわしい……適合～、和～適稱
さわやかさ……清爽
強調する[きょうちょう(する)]……強調

■應用閱讀練習翻譯

1

三菱石油加油站
唯一的指望是「寬齋」的威力？！
採用新制服以解決打工者難求的問題

2

三菱石油將於今年秋天採用「山本寬齋」所設計的新制服供加油站員工穿著，揭開了各家石油公司流行服飾的序幕。汽油的生產從四月起取消限制，在競爭日趨激烈的情況下，能否生存的關鍵是提高服務品質，然而仰賴的打工者卻招募不易。上述新點子就是爲了解除這個困擾。

三菱石油的新制服，是爲了讓原本沾滿油漬的工作服形象一新，換成時髦流行的會客服而採用的。因爲「如果不是年輕人想穿的制服，則具有髒、危險、在室外工作這些令人敬而遠之的條件的加油站，很難找到人手。」基於同樣的想法，日本石油從六月份開始也要更換制服，基本色調是亮麗的藍色及綠色。據說加油站別出心裁，爲了配合附設咖啡室，邁向「汽車綠洲」的方針，制服也強調予人清爽的感覺。

レッスン 12 すきま家具

本文・正文 CD 4 No.16

デパートの家具売り場に「すきま*家具特売」とはり紙がしてあった。幅も奥行きも三十センチぐらいの細長い本棚や食器棚である。住居費が高いためせまい所に住まざるを得ない多くの都会人にとっては、部屋のすみのわずかな空間も利用の対象となる。そこで「すきま家具」の登場*というわけである*。

住居空間が限られているのに、新しい製品が次々と生産・販売され、あふれているのが現在の日本の都会である。人の少ない地方や広々とした国から来た人は、息がつまるような気がするに違いない。

こうした生活に小さい時からなれている若い世代は、不要だと感じる物を捨てることを知っている。しかし物資不足に苦しんだ経験をもつ古い世代は、なかなか物を捨てることができない。捨てずにとっておくので、ますます物が増え、生活空間がせばめられていく*。

先日の新聞の投書の主*は、何でも捨てずにとっておく姑が入院したので、留守の間にその部屋を整理し、不要の物を捨てて住みやすくしておいた。退院してきた姑は、その労に感謝するどころか大いに怒ったそうである。当人の意思を確かめなかった嫁の思慮不足が責められるべきであろう。捨てられる世代と捨てられない世代が共存するには、互いに相手の考え方を尊重する*ほか方法がない。

三年使わなかった物は捨てましょう――などと家事専門家は教える。しかし、かつてのような物資欠乏時代がいつか来ないとは言えない――と捨てられない世代は考える。そして、今は何の役にも立たないが、十年後には話し相手ぐらいにはなるかもしれないと思いながら、初老の配偶者の横顔をちらっと見るのであろう。

■正文翻譯

小空間家具

百貨公司家具門市部貼著「小空間家具特賣」的廣告。賣的是些寬、深大約三十公分左右的細長型書架及餐具櫥。對於因居住費高而不得不擠在小空間生活的都市人而言，連房間角落的狹小空間也成爲他們利用的對象。「小空間家具」於是乎應運而生。

居住空間有限，新產品卻不斷地出籠、上市，甚至氾濫成災，這就是日本各大都市的現況。來自人煙稀少、空間廣闊的人們，一定會有窒息的感覺。

自幼就習慣於小空間生活的年輕一代，懂得該拋則拋，但是對於那些曾苦於物資缺乏的老一輩而言，拋捨東西簡直比登天還難。什麼都捨不得丟，東西於是越積越多，生活空間越來越小。

前些日子，有人在報上投書說：她的婆婆任何東西都捨不得丟棄。那陣子剛好婆婆住院，她便趁機將婆婆的房間整理了一下，把閒置已久的物品一一處理掉，空間變大，住起來舒服多了。結果聽說婆婆出院後，不僅沒感謝她的辛勞，還大發雷霆。媳婦沒有徵求婆婆本人同意，確實是考慮欠週。捨得丟的一代和捨不得丟的一代要和平相處，唯一的方法就是互相尊重對方的想法。

家政專家教我們：三年沒用的東西通通都丟掉！但是捨不得丟的老一輩卻認爲：誰能保證像昔日般的貧困時代永不再到來。她們也許會瞥一下老伴的臉龐，邊想著：眼前或許派不上用場，但十年後也許會成爲說話的對象也說不定呢！

会話・會話

■会話文Ⅰ  No.17

会社の同僚が休憩時間におしゃべりしている。Aは男性、Bは女性。

A：ひっこしされた*そうですね。

B：ええ、ちょっと会社からは遠くなりましたけど。

A：じゃ、前より広くなったでしょう。

B：ええ、少しは。それで、おばあちゃん*の部屋もとりました。

A：それはいいですね。

B：そうでもしないと、わたしたちのいる所がなくなっちゃうんですよ。

A：はあ？*

B：何でも捨てないでとっておくから、家の中がなおせまくなって困るんです。それで今度は、とっておきたいものは自分の部屋に入れるってことにしたんです。

A：なるほど。

B：デパートの包装紙だの、お菓子の缶だの、結婚式の引出物の茶わんだの、使わないものでもとっておくんです。

A：昔の人は物を大切にするのが美徳だと思っているから、むりもありませんけどね。

B：ええ、そりゃそうですけど程度問題*ですよ。わたしや娘が流行おくれになった服を捨てようとすると、もったいないって怒るんです。

A：そうですか。

B：ほかの点ではほんとにいい姑なんですけどねえ。

■會話Ⅰ

公司同事在休息時間閒聊。A為男性，B是女性。

A：聽說妳搬家啦！！

B：是啊，不過離公司稍遠了點。

A：應該比以前的地方寬廣些吧？

B：嗯，稍微大一些，所以也給老人家準備了一個房間。

A：那很好啊！

B：如果不這樣，我們就沒有容身之處囉！

A：怎麼說呢？

B：婆婆樣樣捨不得丟，到處佔空間，家裡越來越窄小，眞是傷透腦筋。這回有了自己的房間，她想保留任何東西都可以逕自往房裡塞了。

A：哦！原來如此。

B：不管是百貨公司的包裝紙也好，糖果的空罐也好，婚禮回送的碗也好，不用的東西樣樣都視爲珍品似地收藏著。

A：以前的人認爲珍惜物品是種美德，所以也難怪她會這樣。

B：是啦，但是也該有個限度啊！我和女兒想丟掉一些過時的衣物，她就覺得我們奢侈而大發脾氣。

A：這樣子啊！

B：其他方面，她眞是個好婆婆。

■会話文II CD 4 No.18

デパートへ買い物に来た夫婦の会話。

妻：あら、あれ何て書いてあるの。

夫：「すきま家具特売」だって。

妻：「すきま風*」じゃなくて？

夫：うん、音が似ていておもしろいね。

妻：行ってみましょうか。

夫：うん。

……………………………………………

妻：まあ、細長い食器棚。これなら、うちの台所のすみにも入りそうね。

夫：そうかなあ。あそこ、測ってきた？

妻：ええ、たしか*23センチ。

夫：これ、測ってみよう。32センチあるよ。

妻：じゃ、入らないわね。

夫：うん。この本棚はどう、子供部屋に？

妻：これは入るわね。でも、よく固定しないと地震の時倒れてくるわよ。

夫：うん、ちょっと安定がわるいかな。

妻：なかなかいいのないわね。

夫：あんまりせまい空間に家具を入れようとするのが、むりなのかな。

妻：そうね。すきまに家具を入れるなんて、けちな話*ね。

夫：しょうがないさ。家がせまいんだもの。

妻：いつになったら、もう少し広い家に住めるようになるのか*しら。

夫：だめだね、おれの収入じゃ。

妻：あら、怒ってるの。

夫：怒ってないさ。怒る資格ないものね*。

妻：もうやめましょうよ。こんなこと言ってると、わたしたちの間にすきまができちゃうわ。

夫：そうだね。家具はやめてお茶でも飲もうか。

妻：ええ、そうしましょう。

■會話II

一對夫婦到百貨公司購物時的對話。

妻：咦，那兒寫著什麼？

夫：「小空間家具特賣」。

妻：不是「隙風」啊？

夫：嗯，音倒蠻接近的，眞有趣！

妻：咱們去瞧一瞧。

夫：好。

妻：嘿，細長型的餐具櫥，這個尺寸好像可以塞進廚房的角落喔！

夫：是嗎？妳量過了？

妻：嗯，二十三公分？

夫：量量看這個吧。這三十二公分呢！

妻：那麼是擺不下囉？

夫：嗯，你看這書架如何？擺在孩子的房裡。

妻：這個倒可以。可是不固定的話，萬一地震，恐怕會垮喲！

夫：嗯，好像不怎麼穩！

妻：看來都不是很理想！
夫：硬把家具塞到太狹小的空間裡也太牽強了吧！
妻：是呀！空隙間塞家具？未免太精打細算了！
夫：沒辦法呀，屋子實在太小了。
妻：咱們何時才能有間稍微寬廣些的房子呢？
夫：憑我的收入是沒辦法的。
妻：怎麼，生氣了？
夫：我哪有資格生氣？
妻：算了，不提了，談這種事傷感情。
夫：的確！不談家具，咱們去喝杯茶吧！
妻：好，走吧！

単語のまとめ・單字總整理

■本文

すきま家具[(すきま)かぐ]……在兩物之間的空隙裡所擺設的家具（是新造的詞，字典中沒有）
家具売り場[かぐう(り)ば]……家具部門
特売[とくばい]……特價出售
はり紙[(はり)がみ]……張貼的紙、廣告
幅[はば]……寬度
奥行き[おくゆ(き)]……深度
細長い[ほそなが(い)]……細長、瘦長
本棚[ほんだな]……書架（櫥、櫃）
食器棚[しょっきだな]……餐具櫥
住居費[じゅうきょひ]……住方面的花費
住まざるを得ない[す(まざるを)え(ない)]……不得不住
多くの[おお(くの)]……許多的
都会人[とかいじん]……都市人
部屋[へや]……房間
すみ……角落
わずかな……僅、微小
空間[くうかん]……空間
利用[りよう]……利用
対象[たいしょう]……對象
登場[とうじょう]……登台、出現、上場
住居空間[じゅうきょくうかん]……居住的空間
限られている[かぎ(られている)]……局限、有限
製品[せいひん]……產品、製品
次々と[つぎつぎ(と)]……陸續不斷地
生産される[せいさん(される)]…被生產（製造）
販売される[はんばい(される)]……被賣（出售）
あふれる……溢出、氾濫
現在の[げんざい(の)]……目前的
地方[ちほう]……地區、縣市
広々とした[ひろびろ(とした)]……廣闊的
息がつまる[いき(がつまる)]……喘不過氣
～に違いない[(～に)ちが(いない)]……一定是～
生活[せいかつ]……生活
若い世代[わか(い)せだい]……年輕的一代
不要[ふよう]……不需要、不必要
感じる[かん(じる)]……感覺（到）
捨てる[す(てる)]……丟棄、拋棄
物資不足[ぶっしぶそく]……物資缺乏

～に苦しむ[(～に)くる(しむ)] 爲～所苦、苦於～
経験[けいけん] ……………………………………經驗
古い世代[ふる(い)せだい] …………………老一輩
増える[ふ(える)] ……………………………………增加
生活空間[せいかつくうかん] ……………生活空間
せばめる ……………………………使狹窄、縮小
投書の主[とうしょ(の)ぬし]
……………………………………………投書的人
姑[しゅうとめ]
……………………………………………岳母、婆婆
入院する[にゅういん(する)] …………………住院
留守の間に[るす(の)あいだ(に)]
……………………………………………不在家的期間
整理する[せいり(する)] ………………整理、整頓
退院する[たいいん(する)] ……………………出院
労[ろう] ………………………………………辛勞、辛苦
感謝する[かんしゃ(する)] ……………………感謝
～どころか ……………………………不但沒～反而～
大いに[おお(いに)] …………………非常、相當地
怒った[おこ(った)] ………………生氣、發脾氣了
当人[とうにん] ……………………………………當事者
意志[いし] ……………………………………………意志
確かめる[たし(かめる)] ………………確認、查明
嫁[よめ] ………………………………………………媳婦
思慮不足[しりょぶそく]
………………………………考慮不周、缺乏三思
責める[せ(める)] ……………………………………責備
共存する[きょうそん(する)／きょうぞん(する)]
……………………………………………………共存
互いに[たが(いに)] ……………………………相互地
相手[あいて] …………………………………………對方
考え方[かんが(え)かた] …………………………想法
尊重する[そんちょう(する)] …………尊重、重視
方法[ほうほう] ………………………………………方法
家事専門家[かじせんもんか]
……………………………………………家政專家
かつて ……………………………………………曾經
物資欠乏時代[ぶっしけつぼうじだい]
……………………………………物資缺乏的時代
役に立つ[やく(に)た(つ)] ……………………有助益
話し相手[はな(し)あいて] ………………談話對象
初老の[しょろう(の)] …………………邁入中年的
（傳統的說法是指四十歲，而今也影射老年人）

配偶者[はいぐうしゃ] …………………………配偶
横顔[よこがお] …………………………側面（臉）
ちらっと見る[(ちらっと)み(る)]
……………………………………………投以一瞥

■会話文Ⅰ

休憩時間[きゅうけいじかん]……………休息時間
ひっこしする ……………………………搬家、遷址
包装紙[ほうそうし] ……………………………包裝紙
缶[かん] ……………………………………………罐子
結婚式[けっこんしき] …………………結婚典禮
引出物[ひきでもの] ………給予出席婚禮者的禮物
大切にする[たいせつ(にする)]
……………………………………………珍視、愛惜
美徳[びとく] ……………………………………美德
むりもありません
……………………………………不無道理、難怪
程度問題[ていどもんだい] ………………程度問題
流行おくれ[りゅうこう(おくれ)]
……………………………………落伍、不合時宜
服[ふく] ……………………………………………服飾
もったいない ……………………可惜的、浪費的

■会話文Ⅱ

すきま風[すきま(かぜ)]
………………………………穿過隙縫的風、賊風
音が似ている[おと(が)に(ている)]
……………………………………………發音相似
台所[だいどころ] ………………………………廚房
測る[はか(る)] …………………………………測量
たしか ………………………………………的確、確實
子供部屋[こどもべや] ……………………小孩的房間
固定する[こてい(する)] ……………………固定
地震[じしん] ……………………………………地震
倒れてくる[たお(れてくる)]…………………倒下來
安定がわるい[あんてい(がわるい)]
………………………………………不穩、不牢靠
むり ……………………………………不合理、勉強
けちな話[けちな(はなし)]
…………………………寒酸話（相）、精打細算

おれ ……………………………………我（男性用語）
收入[しゅうにゅう] ……………………………收入
資格[しかく] ……………………………………………資格

ノート・文法註釋

■本文

●すきま

兩物之間的縫隙、空隙。通常指室內無法容納一般家具的空間。例如角落、門口等等。這個字也可以指〈空暇〉。「すきま家具」是一個新詞。「すきま風」是〈從窗門等縫裡吹進來的冷風〉，也用來比喻兩個人原來關係親密，後來感情出現隔閡開始疏遠。例如：「あの二人の間にもすきま風が吹き出した。」〈他們兩個人之間開始有了隔閡。〉

●登場

基本意是〈登上戲台、舞台〉，引伸爲〈上市〉。「登場人物」即〈劇中人〉之意。

●……というわけである

通常出現於段落末尾，就所做說明做一總結，表示就是這麼一回事。敬體的說法是「というわけです」，用於口頭語言。

●せばめられていく

詞尾「める」接於形容詞的詞幹，可派生「他動詞」（及物動詞）。例如：弱い→弱める〈削弱〉；広い→広める〈推廣〉。
詞尾「まる」接於形容詞的詞幹。例如：弱い→弱まる〈減弱〉；広い→広まる〈擴散〉。

「せばめる」來自於「せばし」（形容詞「せまい」的文言）加語尾「める」是「他動詞」，「せばまる」是「自動詞」。
「～（て）いく」表「持續進行或逐漸變化」。

●投書の主

「主」表「行爲的主體」。例如：「落とし主」〈失主〉」、「持ち主」〈所有人〉。

●尊重する

「尊重する」的對象通常是某人的意見、工作，而「尊重する」的對象則是某人。

●話し相手ぐらいにはなる

「ぐらい」是副助詞，表程度輕微、不重要。

■会話文 I

●ひっこしされた

「された」是「した」的「敬語」，通常是男性才用。女性通常以「なさった」代替。

●おばあちゃん

日本人有跟著孩子來稱呼家人的習慣，所以媳婦稱呼婆婆爲「おばあさん」〈奶奶〉。

●はあ？

發成上揚調表反問或疑問。如發成下降調則表應答。比「ええ」鄭重度高。

●程度問題

此處表示某事超過可以允許的程度。

■会話文II

●すきま風

請參照文法註釋的正文部分。

●たしか

「たしか」的語氣不如「たしかに」、「たしか……だ」肯定，用於欠缺自信時的判斷。例如：「A：あの人、いくつですか。B：さあ、たしか38と思いますけど。」〈A：那個人多大年紀？B：大概是三十八歲左右吧！〉

●けちな話

可以把「話」替換成「もの」或「こと」，稍稍不同於慣常的吝嗇、小氣之意義，「けち」在這裡則表示過於強調細節及小事。

●いつになったら……ようになるのか(しら)

此片語通常用來傳達有關可能不會實現的願望。例如：「いつになったら、こんだ電車に乗らなくていいようになるのかな。」〈到何時，才能不必跟別人擠電車呢？〉

●怒る資格ないものね

中文意義是〈沒資格生氣〉。「もの」用在口語，在此表示強調理由。也用在下列的句子〈房子窄得很呢！〉

文型練習・句型練習

1．……にとっては、……も……となる　CD 4 No.19

本文例——住居費が高いためせまい所に住まざるを得ない多くの都会人にとっては、部屋のすみのわずかな空間も利用の対象となる。

㊟特殊な場合には、普通では問題にならないことが重要になる、ということの表現。

練習　例にならって文を作りなさい。

例：都会人、空間→都会人にとっては、わずかな空間も問題となる。

1．小さい子供、気温の変化→

2．体の弱い人、環境の変化→

3．所得の少ない人、増税→

4．アルバイト学生、値上げ→

5．なまけ者、仕事→

(上記1．2．3．4．5．の場合は「問題」のかわりに「負担」を入れてもよい。)

1.**對於……而言，也成為。**

> **正文範例**——對於因居住費高而不得不擠在小空間生活的都市人而言，連房間角落的狹小空間也成爲他們利用的對象。

(註)在特殊情形之下，平常不是問題的，也變得重要起來的一個句型表現。

練習　請依例造句。

例：都市人、空間→對於都市人而言，連狹小的空間也會成爲問題。

1.小孩子、氣溫的變化→
2.體弱的人、環境變化→
3.收入少的人、增稅→
4.打工的學生、漲價→
5.懶惰蟲、工作→

（上列1.2.3.4.5.的情況，也可以將「問題」代換成「負擔」。）

2．……のに、……のが……である

No.20

> 本文例——住居空間が限られているのに、新しい製品が次々と生産・販売され、あふれているのが現在の日本の都会である。

㊟「……のに……」という表現と「……のが……である」という表現が組み合わされている。後者は強調された実情の説明、「意外なことに」の印象が含まれる。

練習　例にならって文を作りなさい。

例：住居空間、製品→住居空間が限られているのに、新しい製品が次々と生産・販売され、あふれているのが現状である。

1．住居空間、電化製品→
2．需要、製品→
3．道路、車→
4．収入、流行の服→

2.……**卻**……**，這就是**……。

> **正文範例**——居住空間有限，新產品卻不斷地出籠、上市，甚至氾濫成災，這就是日本各大都市的現況。

(註)「……卻……」和「……這就是……」的表達方式搭配在一起。後者在於說明受到強調的實際情況，含有「很意外」的口氣。

練習　請依例造句。

例：居住空間、產品→居住空間有限，新產品卻不斷出籠、上市，甚至氾濫成災，是目前的情況。

1.居住空間、電器製品→
2.需要、製品→
3.道路、車輛→
4.收入、流行服飾→

3．……には、……ほか方法がない  No.21

> 本文例——捨てられる世代と捨てられない世代が共存するには、互いに相手の考え方を尊重するほか方法がない。

㈱ある目的のためには方法がひとつしかないことを強調する表現。

練習A　例にならって文を作りなさい。

例：世代→世代と世代が共存するには、互いに相手の考え方を尊重するほか方法がない。

1．国家→

2．団体→

3．立場→

4．主義→

練習B　練習Aで作った文の中に、次の語句を入れ、例にならって文を作りなさい。

例：捨てられる、捨てられない→捨てられる世代と捨てられない世代が共存するには、互いに相手の考え方を尊重するほか方法がない。

1．富む、貧しい→

2．保守的な、進歩的な→

3．売る、買う→

4．個人、全体→

（なお、3．については「売る、買う」のほかに「使う、使われる」、「教える、習う」なども入れることができる。）

3.……要……，唯一的方法就是……。

> **正文範例**——捨得丟的一代和捨不得丟的一代要和平相處，唯一的方法就是互相尊重對方的想法。

(**註**)強調為了達成某目的，就只有一個方法的表達方式。

練習A　請依例造句。

例：一代→一代和一代間要和平共處，唯一的方法就是互相尊重對方的想法。

1.國家→

2.團體→

3.立場→

4.主義→

練習B　將下列各詞代入練習A所造的各句中，依例造句。

例：捨得丟的、捨不得丟的→捨得丟的一代和捨不得丟的一代要和平共處，唯一的方法就是互相尊重對方的想法。

1.富有、貧困→

2.保守的、進步的→

3.賣、買→

4.個人、全體→

（再者，有關第3題，除了「買、賣」之外，另外可以代入「使用、被使用」、「教、學」等字眼。）

ディスコース練習・對話練習

1.会話文Ⅰより CD 4 No.22

A：……たそうですね。
B：ええ。
A：じゃ、前より……たでしょう。
B：ええ、少しは。

練習の目的：Bの最近の変動について、Aがその利点に言及する。Bは部分的にそれを認める。

練習の方法：基本型の下線の部分を入れかえる。

〈基本型〉

A：(1)郊外へひっこしをされたそうですね。
B：ええ。
A：じゃ、前より(2)広くなったでしょう。
B：ええ、少しは。

入れかえ語句

1. (1)会社の近くへ移られた　(2)通勤が楽に
2. (1)転職をなさった　(2)仕事が楽しく
3. (1)運動を始められた　(2)調子がよく
4. (1)コンピューターを入れられた　(2)仕事が早く

（Bの最後の発言のあとに「でも、大した違いはありません」を加えてもよい。）

1.取材自會話Ⅰ

A：聽說……。
B：嗯。
A：那麼，比以前……了吧！
B：嗯，稍微。

練習目的：有關B最近的變動，A提及變動的好處。B則同意其中一部分說法。

練習方法：代換基本句型的畫線部分。

〈基本句型〉

A：(1)聽說您搬到郊外去了。
B：嗯。
A：那麼應該比以前(2)寬廣吧！
B：嗯，稍微。

代換語句

1.(1)搬到公司附近了 (2)通勤變輕鬆
2.(1)換工作了 (2)工作變愉快
3.(1)開始運動了 (2)身體狀況變好
4.(1)已輸入電腦了 (2)工作速度較快

（在B所講的最後一句話後面加上「但是也沒多大改變」亦可。）

2.会話文Ⅱより  No.23

> A：……
>
> B：まあ、……ですから、むりもありませんけど。
>
> A：そりゃそうですけど、でも……ですよ。

練習の目的：Aが第三者に関して不満・批判を述べ、Bは第三者を弁護する。これはAと第三者の関係が近いので、Bは第三者に対する攻撃をあまりしたくないからである。AはBの弁護を認めるが、やはり不満・批判を取り消さない。

練習の方法：**〔基本練習〕** 基本型の下線の部分を入れかえて練習する。

〈基本型〉

A：ほんとに困ります。

B：まあ、昔の人ですから、むりもありませんけど。

A：そりゃそうですけど、程度問題ですよ。

入れかえ語句

1．物を大事にする世代

2．遊びたい時期

3．職場の要求がきびしいん

4．立場が違うん

〔応用練習〕 基本練習の場合はどんな場面か想像してみなさい。典型的なものとしては次のようなものが考えられる。

1．老人が物を捨てないので家族が困る。

2．子供が勉強しないので親が心配する。

3．夫が働きすぎるので妻が心配する。

4．上司が理解力がないので部下は困る。

1～4の場合、Aの最初の発言は次のようになる。

1．A：いらないものまでとっておくんで、困ります。

2．A：もうすぐ入学試験なのに、遊んでばかりいるんで、困ります。

3．A：毎晩帰りがおそいんで、困ります。

4．A：下の者の都合なんか考えないんで、困ります。

基本練習のAの最初の発言を上のように変えて、練習をしなさい。場合によっては、基本練習をとばして、初めから応用練習をやってもよい。

2. 取材自會話 II

A：……。
B：哎，因爲……，所以也難怪會這樣。
A：話是沒錯啦！可是總該……。

練習目的：敘述A對第三者的不滿、批評，而B替第三者辯護。這是因爲A和第三者關係較密切，B不想對第三者做任何人身攻擊之故。A雖然也接受B的說法，但憤滿、批評依舊難消。

練習方法：**〔基本練習〕**代換基本句型的畫線部分。

〈基本句型〉

A：眞是傷腦筋。
B：哎，老人家嘛！也難怪她會這樣。
A：話是沒錯，可是也該有個限度啊！

代換語句

1.珍惜物品一代
2.愛玩時期
3.工作場所的要求很嚴格
4.立場不同

〔應用練習〕試著想像基本練習的情形，是應用在何種場面。下列各句可視爲典型的句型。

1.老人捨不得丟棄東西，所以家人很傷腦筋。
2.小孩不唸書，所以父母很擔心。
3.先生工作過度，所以妻子很擔心。
4.上司不了解下屬，所以部屬傷透腦筋。

1～4句中A的第一句對話如下：

1.A：不用的東西都擺著不丟，眞傷腦筋。
2.A：聯考將至卻光玩不唸書，眞傷腦筋。
3.A：天天這麼晚歸，眞傷腦筋。
4.A：不考慮一下部屬的狀況，眞傷腦筋。

將基本練習中A的第一句對話改成如上的句型練習，視情形不做基本練習，直接先做應用練習也無妨。

3. 会話文IIより CD 4 No.24

A：いつになったら……か(しら)。
B：だめ……、……じゃ。

練習の目的：Aは実現の可能性はうすいと思いながら希望を述べる。Bはその希望を否定する。

練習の方法：基本型の語句を入れかえて練習する。かなり感情的な会話になるので、練習は 戲劇性的 に。

〈基本型〉

A：いつになったら、もう少し(1)広い家に住めるようになるのかしら。
B：だめだね、(2)おれの収入じゃ。

(注)Aが男性の場合は「かしら→かな」
Bが女性、「だめだね→だめね、おれ→あ

たし」

入れかえ語句

1. (1)税金(ぜいきん)が安(やす)く　(2)この政党(せいとう)

2. (1)仕事が楽に　(2)この会社

3. (1)すいた電車(でんしゃ)に乗(の)れるように　(2)大都会(だいとかい)

4. (1)こんだ電車に乗らなくていいように　(2)サラリーマン

3.取材自會話II

> A：到何時才……呢？
> B：沒辦法的，……的話。

練習目的：敘述A認爲某事實現的可能性非常渺茫，但又抱著希望。B則抱著相反的態度，否定A的希望。

練習方法：代換基本句型中的詞語做練習。由於是情感表露的會話句，所以盡量用演戲的方式來練習。

〈基本句型〉

A：不知到何時才能有間(1)寬敞的房子可住？

B：沒辦法的，單憑(2)我的收入的話。

(註) A爲男性時「かしら」改成「かな」

B爲女性時「だめだね」改成「だめね」，「おれ」改成「あたし」。

代換語句

1.(1)税金便宜　(2)這個黨

2.(1)工作輕鬆　(2)這家公司

3.(1)能夠搭乘較不擁擠的電車　(2)大都市

4.(1)不必搭乘擁擠的電車　(2)上班族

漢字熟語練習(かんじじゅくごれんしゅう)・漢字詞彙練習

1. 特（特売）

特に[とく(に)]……特別地
特別の[とくべつ(の)]……特別的
特色[とくしょく]……特色
特徴[とくちょう]……特徵
特派員[とくはいん]……特派員
特売[とくばい]……特價出售

2. 売（売り場、特売、販売）

売店[ばいてん]……販賣部
売買[ばいばい]……買賣
売春[ばいしゅん]……賣春
商売[しょうばい]……生意
特売[とくばい]……特價出售
発売[はつばい]……發售、上市
販売[はんばい]……販賣
前売り[まえう(り)]……預售
売る[う(る)]……賣、售
売れる[う(れる)]……暢銷、賣得好
売り切れ(る)[う(り)き(れ、れる)]……賣完
売り出し[う(り)だ(し)]……拍賣
売り場[う(り)ば]……售貨部

3. 多（多くの）

多数[たすう]……多數
多少[たしょう]……多少

多分[たぶん] ……大概
多額[たがく] ……巨額
多様な[たよう(な)] ……多様的
多忙な[たぼう(な)] ……忙碌的
多い[おお(い)] ……多
多くの[おお(くの)] ……許多的

4．用（利用）
用意[ようい] ……準備
用語[ようご] ……用語、措辭
利用する[りよう(する)] ……利用
使用する[しよう(する)] ……使用
信用する[しんよう(する)] ……信用、信任
採用する[さいよう(する)] ……採用、錄用
適用する[てきよう(する)] ……適用
共用[きょうよう] ……共用
費用[ひよう] ……費用
専用[せんよう] ……專用
用いる[もち(いる)] ……用、使用

5．広（広々）
広告[こうこく] ……廣告
広報[こうほう] ……宣傳、報導
広域[こういき] ……擴大範圍
広場[ひろば] ……廣場
広い[ひろ(い)] ……廣大的
広がる[ひろ(がる)] ……拓廣、擴展
広々[ひろびろ] ……寬闊的

6．資（物資）
資料[しりょう] ……資料
資金[しきん] ……資金
資本[しほん] ……資本
資産[しさん] ……資產
資格[しかく] ……資格
物資[ぶっし] ……物資
投資する[とうし(する)] ……投資

7．足（不足）
満足(する)[まんぞく(する)] ……滿足、滿意
不足(する)[ふそく(する)] ……不足
～足（二足）[～そく（にそく)] ……～雙
足す[た(す)] ……補足、增加
足りる[た(りる)] ……足夠
足[あし] ……腳、腿

8．経（経験）
経済[けいざい] ……經濟
経験(する)[けいけん(する)] ……經驗
経過(する)[けいか(する)] ……經過
経費[けいひ] ……經費
経由[けいゆ] ……經由
神経[しんけい] ……神經
経る[へ(る)] ……經過

9．確（確かめる）
確認(する)[かくにん(する)] ……確認、證實
確保(する)[かくほ(する)] ……確保
確立(する)[かくりつ(する)] ……確立
確信(する)[かくしん(する)] ……確信
確実(な)[かくじつ(な)] ……確實（的）
確定[かくてい] ……確定
明確(な)[めいかく(な)] ……明確
確か(な)[たしか(な)] ……正確、確實的
確かめる[たし(かめる)] ……求證、查明、確認

10．共（共存）
共存(する)[きょうぞん(する)] ……共存、並存
共通(の)[きょうつう(の)] ……共通、通用
共同[きょうどう] ……共同
共同体[きょうどうたい] ……共同體
共犯[きょうはん] ……共犯
共産主義[きょうさんしゅぎ] ……共產主義

共著[きょうちょ]………………共同著作、合著
共済[きょうさい]……………………共濟、互助
共感(する)[きょうかん(する)]
……………………………………共鳴、同感
共用[きょうよう]……………………共用、公用
共学[きょうがく]…………………（男女）同校
共和国[きょうわこく]……………………共和國
公共(の)[こうきょう(の)]…………公共（的）
共に[とも(に)]………………………一起、共同

11. 初（初老）

初期[しょき]…………………………………初期
初級[しょきゅう]……………………………初級
初歩[しょほ]…………………………………初步
初老(の)[しょろう(の)]
……………………………………中（老）年人
最初(の)[さいしょ(の)]…………………最初的
初恋[はつこい]………………………………初戀
初め[はじ(め)]……………………第一次、開始
初～(初雪)[はつ～(はつゆき)]
……………………………………初～（初雪）

12. 配（配偶者）

配当[はいとう]………………………………分配
配慮[はいりょ]……………………關懷、關照
配達(する)[はいたつ(する)]…………投遞、送
配役[はいやく]…………………………分配角色
配偶者[はいぐうしゃ]………………………配偶
支配(する)[しはい(する)]…………支配、控制
支配人[しはいにん]…………………………經理
分配(する)[ぶんぱい(する)]
……………………………………………分配
心配(する)[しんぱい(する)]………………擔心
配る[くば(る)]………………………分配、分發

在百貨公司的家具部門，小空間家具也佔有相當的份量。

■漢字詞彙複習

1. **特売**の家具でも**配達**してくれますか。
2. **発売**後まもなく**売り切**れてしまいました。
3. **商売**には**信用**が第一です。
4. **多少**の**心配**はあるが、やってみよう。
5. **広告**の**費用**もかなりかかった。
6. 駅前の**広場**で花を**売**っている。
7. **多忙**な人も**利用**できるようにするべきだ。
8. **多分**だいじょうぶだと思いますが、**支配人**に**確**かめてみましょう。
9. **多額**の**投資**をしたのに、**満足**な利益が得られない。
10. **採用**されることは、ほぼ**確実**だ。
11. **最初**のうちは**神経**を使うので、つかれる。
12. **用語**につき**配慮**の**足**りなかったことを、おわびします。
13. 「**共産主義**と**資本主義**」という本、いつ**発売**になりますか。
14. **資格**はもっているが、**経験**が**不足**している。
15. **配役**があまりよくないので、成功するかどうか、ちょっと**心配**だ。
16. 社長**専用**の車を**用意**するほどの金はない。
17. **特派員**が同国の**経済**事情を伝えてくる。
18. 十分な**資料**を集めるには、**足**を使うことだ。
19. あまり**特色**のない品だが、**売**れるかなあ。
20. あの家具**売り場**に立っている人、ぼくの**初恋**の人らしいんだけど。

1.也幫顧客**運送特價**出售的家具嗎？
2.**上市**後馬上**一掃而空**。
3.**買賣信用**第一。
4.**多少**有點擔心，但總要試著做做看。
5.**廣告費**也花了不少。
6.在車站**廣場**前**賣**花。
7.應該讓**忙碌**的人也能加以**利用**。
8.我想**大概**不成問題，向**經理確認**看看吧！
9.投下**巨額資金**，可是卻無法獲得**滿意**的回報。
10.被**錄用**大致**已成定局**。
11.**剛開始**那陣子**神經**繃得太緊以致體力不支。
12.**措辭**不**當**請見諒。
13.「**共產主義**與**資本主義**」一書，何時問世？
14.**資格**是有，但是**經驗不足**。
15.**角色**的分配不甚理想，是否能成功演出，還眞有點**擔心**。
16.連買董事長**專**車的**預備**金都沒有。
17.**特派員**送來該國**經濟**情況報導。
18.要收集充分的**資料**得用**雙腳**。
19.沒有**特色**的物品，會**暢銷**嗎？
20.站在家具**部門**的那個人，好像是我的**初戀**情人。

応用読解練習・應用閱讀練習

（おうようどっかいれんしゅう）

1

家の中を見回すと、あるある！

食器戸棚と流し台の間とか、本棚と壁の間、階段下など、すきまがあちこちにあるものです。狭い日本家屋で、こうした無駄な空間はもったいない。そこで今回は無駄な空間を有効に生かす、すきま家具を紹介しましょう。

2

キャスター付きの細長戸棚

まず台所。流し台と壁の間に、30ｾﾝのすきまがあれば、写真左のような細長戸棚はいかがでしょう。

一升びんやしょうゆびん、トースターや計量器など、戸棚に入らない大ものの収納に、あるいは、玉ねぎやじゃが芋などの野菜は、バスケットに入れてしまえます。キャスター付きにしておくと、必要なときに引き出せるし、移動もラク。

奥行き57ｾﾝ、高さ150ｾﾝ、幅20ｾﾝが1万4000円。幅26ｾﾝが1万5000円。天井までのトールサイズもあります。㈱田窪工業所の製品。☎03・256・0961

INTERIOR CATALOG　『朝日家庭便利帳』（1989. 4月号）

●インテリア・カタログ

すきま家具

アドバイス／竹岡美智子

1 家の中を見回すと、あるある！
食器戸棚と流し台の間とか、本棚と壁の間、階段下など、すきまがあちこちにあるものです。狭い日本家屋で、こうした無駄な空間はもったいない。そこで今回は無駄な空間を有効に生かす、すきま家具を紹介しましょう。

2 キャスター付きの細長戸棚

まず台所。流し台と壁の間に、30ｾﾝのすきまがあれば、写真左のような細長戸棚はいかがでしょう。

一升びんやしょうゆびん、トースターや計量器など、戸棚に入らない大ものの収納に、あるいは、玉ねぎやじゃが芋などの野菜は、バスケットに入れてしまえます。キャスター付きにしておくと、必要なときに引き出せるし、移動もラク。

奥行き57ｾﾝ、高さ150ｾﾝ、幅20ｾﾝが1万4000円。幅26ｾﾝが1万5000円。天井までのトールサイズもあります。㈱田窪工業所の製品。☎03・256・0961

蠅帳（はいちょう）付きトールワゴン。上段にネット張りの蠅帳付き。幅26cm、奥行き57cm、高さ150cm、キャスター付きで、15,000円（組み立て式）。

サイズ別バスケットで自在な組み合わせ

写真下は、階段下の斜めの空間を活用させた例です。いろんなサイズのバスケットを自在に組み合わせると、デッドスペースがこんな楽しい収納に。この製品はスウェーデン製のワイヤーバスケットシステム（エルファ）で、サイドフレームとクロスバーとバスケットを組み合わせて、引き出し式に何段も重ねる製品です。幅は25ｾﾝ、35ｾﾝ、45ｾﾝ、55ｾﾝの4種、奥行きは53・5ｾﾝと43・5ｾﾝの2種。これに5種類の深さのバスケットを組ませます。サイズが豊富なので、すきまにぴったり合う収納ができます。輸入総代理店は㈱ウイム・マーケティング　ハウスウェア事業部☎03・987・3163

●お問い合わせ／ホームイング㈱資料室・竹岡あて〒163東京都新宿区西新宿2-7-1新宿第一生命ビル15F☎03・348・5031

システム45・幅45cmを使った収納例。収納するものに合わせてバスケットの深さを使い分けます。システム合計126,300円。

■字彙表

1

見回す[みまわ(す)]……環視
食器戸棚[しょっきとだな]……餐具櫥、碗櫥
流し台[なが(し)だい]……流理台
本棚[ほんだな]……書架
壁[かべ]……牆壁
階段下[かいだんした]……樓梯下
日本家屋[にほんかおく]……日式房屋、日本住家
こうした……這樣的、這種
無駄な[むだ(な)]……浪費的、徒勞的
空間[くうかん]……空間
もったいない……浪費、可惜
今回[こんかい]……這次
有効に[ゆうこう(に)]……有效地
生かす[い(かす)]……活用
紹介する[しょうかい(する)]……介紹

2

キャスター付き[(キャスター)つ(き)]……附輪子
細長戸棚[ほそながとだな]……細長櫥架
台所[だいどころ]……廚房
一升びん[いっしょう(びん)]……容量一公升的瓶子
トースター……烤麵包機
計量器[けいりょうき]……量具、秤
大もの[おお(もの)]……大件物品
収納[しゅうのう]……收存、收藏
玉ねぎ[たま(ねぎ)]……洋蔥
じゃが芋[(じゃが)いも]……馬鈴薯
野菜[やさい]……蔬菜
必要[ひつよう]……必要、需要
移動[いどう]……移動
ラク(=らく、楽)……容易、輕鬆
奥行[おくゆき]……深度
高さ[たか(さ)]……高度
幅[はば]……寬度
天井[てんじょう]……天花板
田窪[たくぼ]……田窪（人名）

■應用閱讀練習翻譯

1

環顧家中四周，到處可見！

餐具櫥和流理台之間，書架與牆壁之間，樓梯下面等，到處都有空隙。日本住家空間狹窄，浪費這些空間實在太可惜了。因此，這次就爲您介紹有效利用這些空間的小空間家具。

2

帶輪子的細長櫥架

首先是廚房。如果流理台和牆壁之間有三十公分的空隙，那麼，像左圖那種細長的櫥架您認爲如何？

您可以放平常在櫃子裡放不下的大東西，例如一公升瓶、醬油瓶、烤麵包機、量秤之類，或者是洋蔥、馬鈴薯之類的蔬菜，也可以放入籃內收藏。因爲有輪子，必要時將它拖出來，移動也很容易。

深57公分、高150公分、寬20公分，售價一萬四千日元。寬26公分的，售價是一萬五千日元。也有高到天花板的尺寸。(株)田窪工業所的產品。☎03-256-0961

索引

下面索引是按五十音（あ、い、う、え、お）順序編排的。字彙及片語來自單字總整理、漢字練習部分，以及應用閱讀練習。

あ

い

か

き

く

け

こ

さ

し

す

た

ち

つ

て

と

な

に

ぬ

ふ

へ

ほ

ま

み

む

め

も

や

わ

を

中級日語綜合讀本 前期

総合日本語中級 前期

1991年9月初版發行
2005年1月再版發行
原　著／水谷信子
編　輯／(株)アルク
編　譯／階梯日文
發行人／顏尚武
發行所／階梯數位科技股份有限公司
地　址／台北市民權東路2段42號6樓
電　話／(02)2564-3336
登記證／局版台業字第1835號
　　　　局版台音字第0194號

總經銷／鴻儒堂書局
地　址／台北市開封街一段19號2樓
電　話／(02)2311-3810
定　價／書一本 NT250元
　　　　CD四片NT700元